しばまたたいしゃくてんさんどう
柴又帝釈天参道
かつしか
（葛飾区）

せんそうじかみなりもん
浅草寺 雷門
（台東区）

にほんばし
日本橋
（中央区）

近代化の歩みをたどる

国際こども図書館（台東区）

東京国立博物館表慶館（台東区）

東京国立近代美術館工芸館（千代田区）

日本銀行本店本館
（中央区）

東京駅舎（千代田区）

法務省旧本館
（千代田区）

江戸・東京の風景に触れる

向島百花園のハギのトンネル
(墨田区)

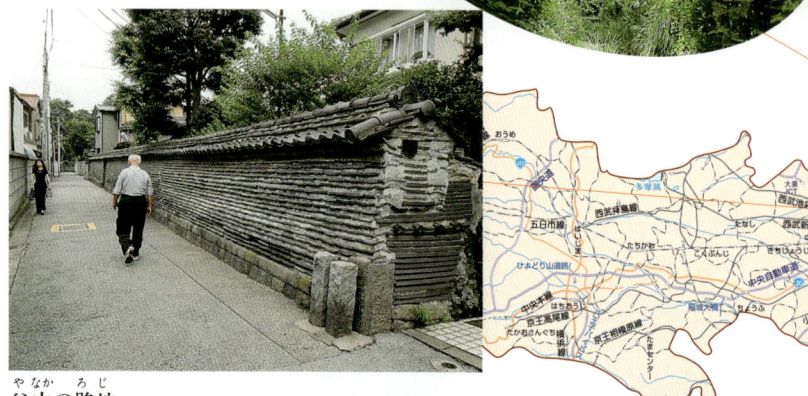

谷中の路地
(台東区)

銀座(中央区)

矢切の渡し
(葛飾区)

旧安田庭園
(墨田区)

清澄庭園
(江東区)

年中行事に江戸をみる

入谷の朝顔市
（台東区）

両国の花火
（墨田区）

日枝神社山王祭
（千代田区）

浅草神社三社祭
（台東区）

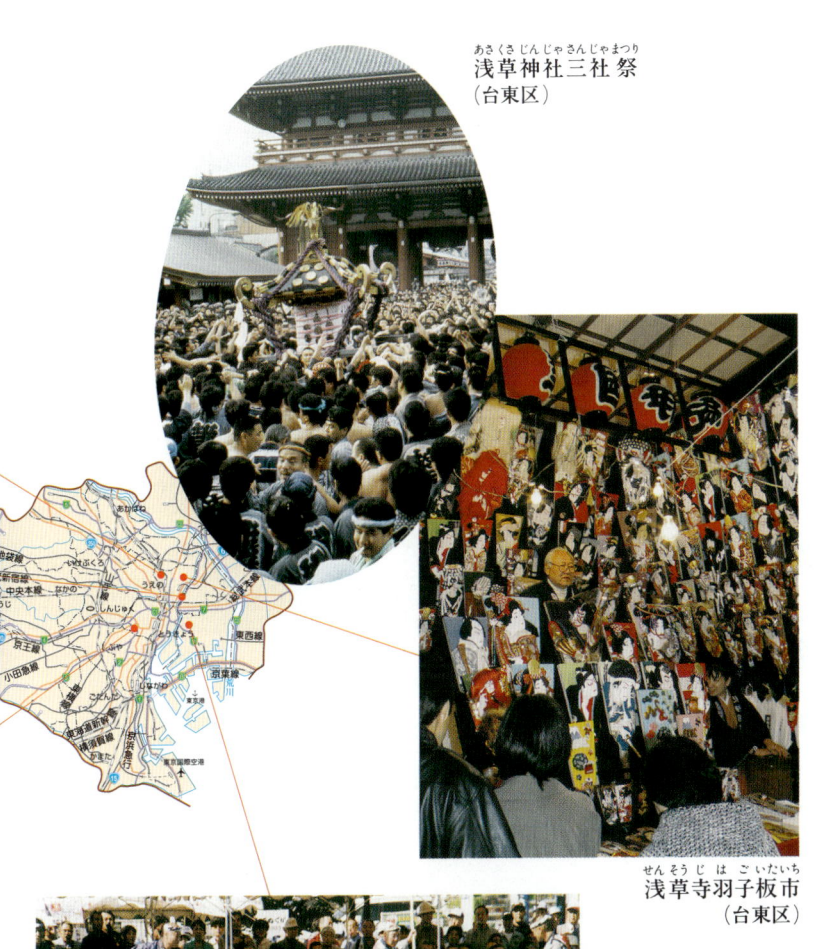

浅草寺羽子板市
（台東区）

木場の角乗
（江東区）

もくじ　　赤字はコラム

皇居

❶ 幕末の事件現場となった皇居外苑-------------------------------- 4
　　二重橋／桜田門／坂下門／江戸城の略史と概観
❷ 江戸城の面影を色濃く残す東御苑-------------------------------- 10
　　大手門／三の丸と二の丸／本丸／平川門
❸ 新宮殿と天皇の御所がある西の丸と吹上御苑 ------------------- 22
　　西の丸／吹上御苑
❹ 城門と近代建築を残す北の丸公園-------------------------------- 27
　　竹橋／北の丸公園／御三卿／清水門・田安門

皇居周辺

❶ 首都東京の表玄関大手町・丸の内-------------------------------- 36
　　東京駅周辺／呉服橋と常盤橋／和田倉橋周辺／将門塚
❷ 東京のかつての中心有楽町界隈----------------------------------- 43
　　東京府庁舎跡／明治生命館／旧第一生命館
❸ 官庁街の霞が関から赤坂見附へ----------------------------------- 46
　　日比谷公園／霞が関界隈／明治の東京改造計画／国会議事堂／日枝神社
❹ 甲州道中沿いの街麹町界隈-- 56
　　麹町／半蔵門／平河天満宮／清水谷公園
❺ 番町から九段界隈へ -- 60
　　千鳥ヶ淵戦没者墓苑／靖国神社／筑土神社
❻ 多様な街の顔をもつ神田界隈------------------------------------- 65
　　お茶の水記念碑／ニコライ堂／万世橋界隈／柳森神社／神田お玉ヶ池／秋葉原界隈／江戸の消防
❼ 小説と演劇の舞台外神田と湯島----------------------------------- 76
　　聖橋／湯島聖堂／神田明神／湯島天神

上野の山周辺

❶ 寛永寺の境内・彰義隊が戦った上野の山-------------------------------- 84
　御徒町／広小路／上野公園／清水観音堂／不忍池／時の鐘／権現思想と権現造／東京国立博物館／寛永寺／徳川将軍家菩提寺
❷ 江戸・明治の面影を残す寺町谷中-------------------------------------- 99
　全生庵／大名時計博物館／谷中霊園／谷根千の名店で味わう
❸ 江戸の景勝地「ひぐらしの里」日暮里---------------------------------- 105
　月見寺・雪見寺／花見寺／道灌山
❹ 下町の風情漂う下谷と根岸-- 108
　入谷鬼子母神／子規庵と書道博物館

日本橋・銀座

❶ 街道の起点日本橋から兜町へ-- 116
　日本橋／三越(越後屋呉服店)／江戸の街道と宿場／伝馬町牢屋敷跡(十思公園)／兜町付近／水天宮／浜町
❷ 文明開化の香り漂う銀座界隈-- 125
　京橋／銀座／歌舞伎座
❸ 捕物帖の舞台八丁堀界隈-- 130
　八丁堀／新川／八丁堀の七不思議／鉄砲洲稲荷神社
❹ 外国人居留地だった築地・明石町-------------------------------------- 133
　築地本願寺／聖路加国際病院／明石町／新富座跡
❺ 江戸情緒を残す佃島周辺-- 139
　東陽院／月島／越中島／佃島／江戸の町屋
❻ 浜離宮から汐留シオサイトへ-- 145
　浜離宮／旧新橋停車場／新橋／中央卸売市場(築地市場)跡

日光街道と葛飾・江戸川

❶ 日光・奥州道中の初宿千住 -- 154
　　小塚原回向院／円通寺／千住宿
❷ 西新井大師から伊興へ -- 160
　　西新井大師／国土安穏寺／大鷲神社／東岳寺
❸ 水郷だった金町・水元 -- 163
　　葛西神社／南蔵院
❹ 柴又帝釈天界隈を歩く -- 165
　　柴又帝釈天／葛飾柴又を味わう／消えゆく東京の渡し場／新宿
❺ 菖蒲園の堀切から四つ木へ -- 169
　　葛飾区郷土と天文の博物館／妙源寺／西光寺／浄光寺
❻ 江戸川堤をいく -- 172
　　御番所町跡／善養寺
❼ 江戸の村の面影を残す一之江 -- 174
　　一之江名主屋敷／大雲寺
❽ 荒川にのぞむ平井・小松川 -- 176
　　平井・小松川

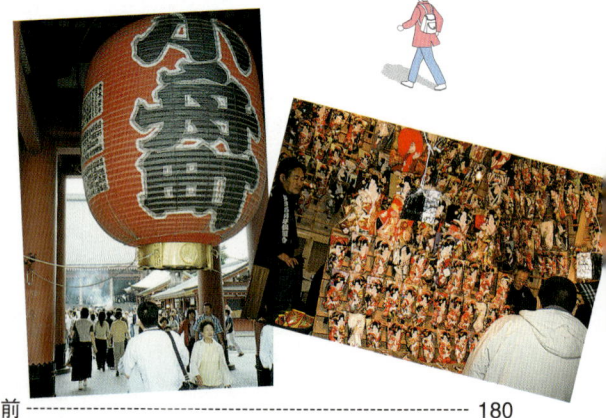

浅草

❶ 米・川・船の町蔵前 -- 180
　　両国橋／浅草見附／蔵前／榧寺／蔵前付近の問屋街
❷ 大火がうんだ浅草の新寺町 -- 186
　　東京本願寺／源空寺／新寺町の商店街

もくじ

❸ 江戸の賑わいを残す浅草-- 192
　駒形橋／浅草寺／浅草寺のおもな年中行事／浅草神社／江戸の祭／伝法院
❹ 歌舞伎十八番助六で知られる花川戸------------------------------------ 201
　花川戸／江戸歌舞伎三座／待乳山聖天／妙亀塚／一ツ家伝説（石枕伝説）／石浜神社
❺ 遊里の面影を残す吉原-- 209
　浄閑寺／吉原／吉原／江戸の市／台東区立一葉記念館

江東

❶ 芭蕉の足跡を残す清澄・白河-- 218
　霊巌寺／深川江戸資料館／清澄庭園／江東区芭蕉記念館／下町の運河と水運／採茶庵跡／中川船番所資料館
❷ はっぴが似合う門前仲町・木場-- 224
　永代橋／富岡八幡宮／津波警告の碑（波除碑）／木場／第五福竜丸展示館／旧大石家住宅
❸ 天神様の町亀戸-- 230
　亀戸天神社／東京大空襲／伊藤左千夫旧居跡
❹ 大相撲の町両国と忠臣蔵の町本所------------------------------------ 233
　東京都江戸東京博物館／東京都復興記念館・東京都慰霊堂／関東大震災／回向院／明暦の大火
❺ 下町の風情を残す墨田堤-- 239
　如意輪寺／隅田公園／牛島神社／三囲神社／下町の七福神／長命寺／桜餅と言問団子／向島百花園／白鬚神社／河川の改修と江戸の舟運／木母寺

東京都のあゆみ／文化財公開施設／無形民俗文化財／おもな祭り／有形民俗文化財／散歩便利帳／参考文献／索引

もくじ

[本書の利用にあたって]

1. 散歩モデルコースで使われているおもな記号は，つぎのとおりです。
   - ……………… 電車
   - ━━━━━━━ 地下鉄
   - ─────── バス
   - ━━━━━━━ 車
   - ------------ 徒歩
   - 〜〜〜〜〜〜 船

2. 本文で使われているおもな記号は，つぎのとおりです。
   - 🚶 徒歩
   - 🚌 バス
   - Ｐ 駐車場あり
   - 🚗 車
   - 🚢 船

   〈M→P.○○〉は，地図の該当ページを示します。

3. 各項目の後ろにある丸数字は，章の地図上の丸数字に対応します。

4. 本文中のおもな文化財の区別は，つぎのとおりです。
   国指定重要文化財＝(国重文)，国指定史跡＝(国史跡)，国指定天然記念物＝(国天然)，国指定名勝＝(国名勝)，国指定重要有形民俗文化財・国指定重要無形民俗文化財＝(国民俗)，国登録有形文化財＝(国登録)
   都道府県もこれに準じています。

5. コラムのマークは，つぎのとおりです。
   - 泊　歴史的な宿
   - 憩　名湯
   - 食　飲む・食べる
   - み　土産
   - 作　作る
   - 体　体験する
   - 祭　祭り
   - 行　民俗行事
   - 芸　民俗芸能
   - 人　人物
   - 伝　伝説
   - 産　伝統産業
   - !!　そのほか

6. 本書掲載のデータは，2020年7月現在のものです。今後変更になる場合もありますので，事前にお確かめください。

年表は下巻(多摩・島嶼)に掲載してあります。

Kōkyo # 皇居

皇居(『江戸図屏風』部分)

2　皇居

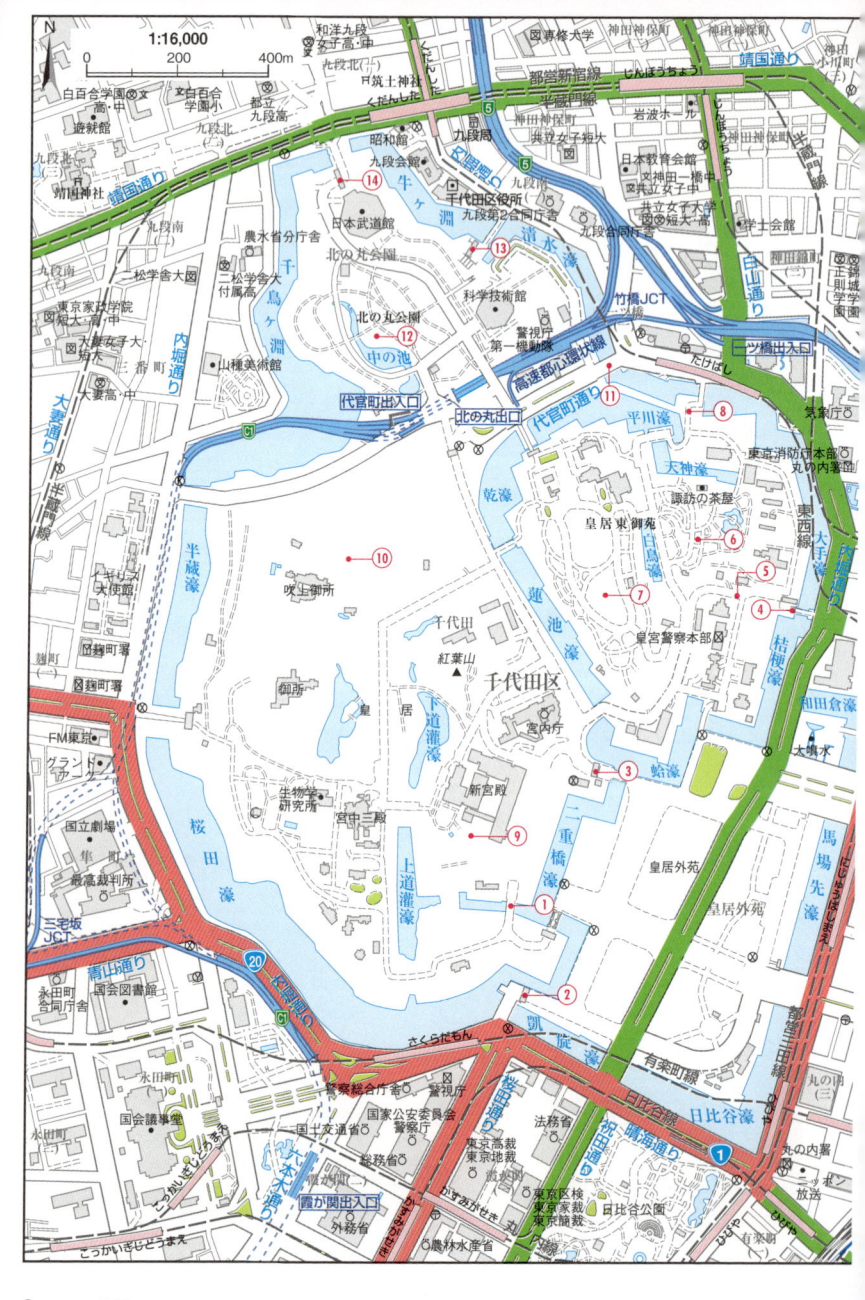

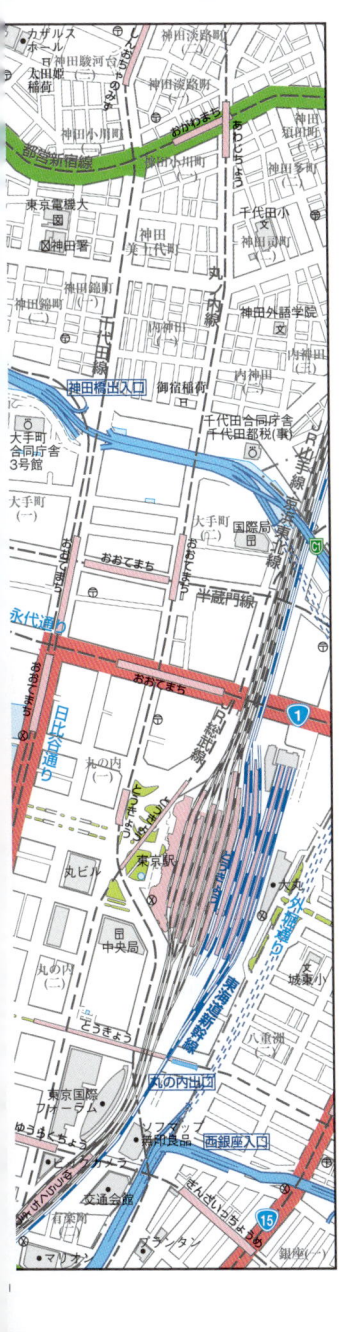

◎皇居散歩モデルコース

1. 地下鉄千代田線二重橋前駅_6_楠公銅像_9_桜田門_4_皇居正門・二重橋_4_坂下門_3_桔梗門_1_巽櫓_5_和田倉橋_3_地下鉄千代田線ほか大手町駅

2. 地下鉄千代田線ほか大手町駅_3_大手門_1_三の丸尚蔵館_1_大手三之門・同心番所_1_百人番所_3_二の丸庭園_3_白鳥濠_3_中之門・大番所_1_中雀門_1_「江戸城本丸図」の標石_2_富士見櫓_2_松之大廊下跡_2_富士見多聞_1_石室_2_天守台_2_北桔橋門_6_平川門・平川橋_3_地下鉄東西線竹橋駅

3. 地下鉄東西線竹橋駅_1_竹橋_6_乾門_1_北白川宮能久親王銅像_1_東京国立近代美術館工芸館_4_北の丸石垣の塁上_9_清水門_8_田安門_4_地下鉄東西線ほか九段下駅

①二重橋
②桜田門
③坂下門
④大手門
⑤三の丸
⑥二の丸
⑦本丸
⑧平川門
⑨西の丸
⑩吹上御苑
⑪竹橋
⑫北の丸公園
⑬清水門
⑭田安門

3

1 幕末の事件現場となった皇居外苑

皇居正門や楠公銅像など皇室関連施設と，伏見櫓・桜田門・巽櫓など，旧江戸城の姿をしのぶことができる旧跡が混在。

二重橋 ❶ 〈M▶P.2, 5, 23〉千代田区千代田1-1
地下鉄千代田線二重橋前駅 🚶10分

楠公銅像 みごとな二重橋・伏見櫓

　二重橋前駅の皇居・二重橋方面出口から地上にでると馬場先門前である。正面に二重橋・伏見櫓が望見できる。右手に馬場先濠，左手は日比谷濠である。この濠で囲まれたなかが皇居外苑で，一般には皇居前広場として親しまれている。この地域は，江戸時代には西の丸下とよばれ，日比谷入江を埋め立てて江戸城の巽(東南)を防備する拠点として設計された曲輪であった。東の丸の内方面との出入りは和田倉門と馬場先門，南の日比谷・霞が関方面は外桜田門(桜田門)だけであった。いずれも木橋がかけられており(和田倉橋に当時の姿をしのぶことができる)，門は枡形門であった。ここは本丸登城の際の玄関の1つ内桜田門(桔梗門)に近く，西の丸大手門(皇居正門)にも近かったので，老中・若年寄ら幕府重職の役屋敷(在任中にあたえられる邸宅)が多かった。

　馬場先門跡から皇居前広場にはいり日比谷濠に沿って進むと，右手奥に楠公銅像がある。別子銅山(愛媛県)創業200年の記念事業として，住友吉左衛門が1897(明治30)年に建設した。建武の新政に貢献した楠木正成が，後醍醐天皇の前駆として京都にはいる際の勇姿という。正成像は高村光雲，馬は後藤貞行が制作した。

楠公銅像

　楠公銅像を斜め右に進んで内堀通りの横断歩道を渡り，広場をまっすぐ進むと江戸城でもっとも美しい景観の1つである皇居正門と二重橋に至る。皇居正門は江戸城の西の丸大手門にあたる。1868

二重橋と伏見櫓

(明治元)年,明治天皇が東京に移り入城したのは,西の丸であった。当時本丸・二の丸御殿は焼失しており,1864(元治元)年新造の西の丸仮御殿のみが残っていた。翌年東京遷都に伴って西の丸が皇居に定められ,明治宮殿が完成した翌年から西の丸大手門は正門と改称された。この門は一ノ門(高麗門形式)と二ノ門(渡櫓をもった櫓門)が平行するという珍しい形式の枡形門であったが,明治宮殿造営の際に一ノ門が撤去されて現在の形になった。

正門前の旧西の丸大手橋を正門石橋,右手奥の西の丸下乗橋を正門鉄橋と宮内庁では称している。石橋は,明治宮殿造営に伴って架設されたもので,俗にめがね橋ともよばれている。二重橋とよばれたのは鉄橋のほうである。西の丸下乗橋は木橋で,濠が深かった

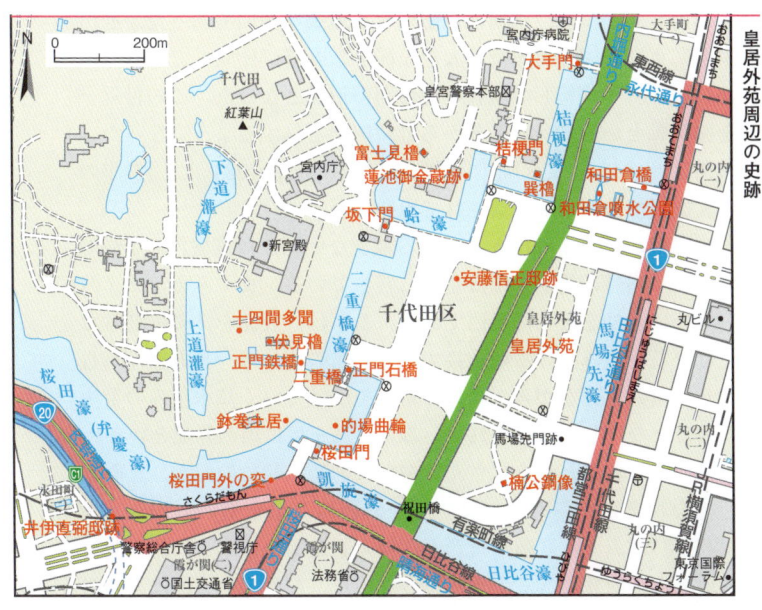

皇居外苑周辺の史跡

幕末の事件現場となった皇居外苑

ために橋脚が2重になっていた、あるいは橋のところから一見すると2層の橋のようにみえたため、この名がおこった。1888(明治21)年鉄橋になり、1964(昭和39)年新宮殿の工事に際し、かけ直された。現在、石橋と鉄橋をあわせて二重橋とよぶのは俗称である。

鉄橋の奥に漆喰の白壁が美しい伏見櫓がみえる。西の丸殿舎の西南隅にたてられた二重櫓で、これに接して両側に多聞(多門)も残っている。多聞とは、石垣上に築いた長屋造の建物で、城壁の役割をもち、武器や道具の倉庫などに用いた。櫓の名は、西の丸築城に際して京都伏見城から解体移築したものであるとされているが、確証はない。江戸城には天守閣以外に19基の櫓があったが、現存するのはこの伏見櫓と富士見櫓・巽(桜田二重)櫓の3基のみである。

桜田門 ❷

〈M ▶ P.2,5〉 千代田区皇居外苑
地下鉄有楽町線桜田門駅🚇すぐ

皇居正門から西の丸大手を防備するために設けられた的場曲輪の張出し部の石垣を右にみながら、南に4分ほど歩くと桜田門(かつての外桜田門、国重文)に達する。この門は、西の丸下曲輪の西南隅にあたり、かつ江戸城南口を防備する重要な関門であった。徳川家康が関東に入国した当時は大きな扉なしの柵戸仕立てであったが、1636(寛永13)年修築して現在の枡形門の形式となった。この付近一帯を桜田郷といっていたことから外桜田門と称するようになった。今の門は、1663(寛文3)年に再建されたもので、1923(大正12)年の関東大震災で破損し、修理されて現在に至っている。

この門は現在自由に出入りできる数少ない旧江戸城城門の1つであり、かつ当時の枡形をほぼ完全に残している。まずみえる二ノ門は石垣上に渡櫓を渡した櫓門である。石垣は、表面をノミで削って仕上げた石を積み上げる切込接である。角の部分は、長方形の角石を交互に積み上げながら、全体に勾配をつけていく算木積みの手法で、みごとな反りがつけられている。これを俗に扇の勾配という。

二ノ門をくぐると濠をはさんで右手に的場曲輪の勾配が、正面には芝生を植えた土塁の上部に、やや低めの石垣を築いた鉢巻土居(鉢巻石垣)がみえる。敵が枡形内に侵入した場合は、この的場曲輪の石垣上から射撃できるようになっていた。左手の一ノ門は高麗門

重要文化財の桜田門 鉢巻土居

桜田門

である。この門は将軍が徳川家の菩提寺である芝増上寺の霊廟参詣の際に利用する御成門であった。

一ノ門をでると東に凱旋濠・祝田橋・日比谷濠がみえ、西（右手）に桜田濠と美しい鉢巻土居が見渡せる。凱旋濠は、1906（明治39）年に日露戦争勝利記念の凱旋道路を開通させ祝田橋を架設して以来、橋から西をこういった。桜田濠は、普請に際して西国・東国の諸大名が多数動員されて完成したので、比叡山の西塔にいた武蔵坊弁慶にちなんで弁慶濠とも称した。また、のちに幕府の大工棟梁となった弁慶小左衛門が縄張したからともいう。

この門をでてすぐの警視庁（豊後杵築藩能見松平家上屋敷跡）前辺りの濠端でおこったのが、桜田門外の変である。1858（安政5）年大老に就任した井伊直弼は、勅許を得ないまま日米修好通商条約の調印にふみきるとともに、紀伊藩主徳川慶福（14代家茂）を将軍後継者に決定した。さらにこれらの決定に反対した尊王攘夷派や、一橋派の人びとを厳しく処罰した（安政の大獄）。この弾圧に憤激した水戸脱藩の志士たち（薩摩藩出身者1人を含め18人）は、1860（万延元）年3月3日、登城のため外桜田の彦根藩上屋敷をでて桜田門外にさしかかった直弼の駕籠を襲撃し、斬殺した。この事件により幕府の権威は失墜していった。

坂下門 ❸

〈M▶P.2,5,23〉 千代田区千代田1-1
地下鉄千代田線・三田線大手町駅 🚇10分

坂下門外の変
巽櫓（桜田二重櫓）

皇居正門から二重橋濠沿いに北へ4分ほど歩くと、坂下門前に至る。この門は、台地上の西の丸から平地の西の丸下にでるための坂下に位置していた。西の丸裏門へ出入りする門であったが、現在は宮内庁への通用門として使用されている。幕末に、この門前に屋敷をあたえられていたのが安藤信正である。安藤は桜田門外で大老井伊直弼が暗殺されると、公武合体運動を推進して皇女和宮を14代

巽櫓から桔梗門・富士見櫓をのぞむ

　将軍家茂の正室として迎えた。しかし，これに憤慨した水戸浪士らに，1862(文久2)年1月15日，登城しようと屋敷をでて坂下門外にさしかかったところを襲撃された。肩先に傷をうけた信正は，坂下門内に逃げ込んだ。これを坂下門外の変という。

　坂下門から蛤濠沿いにまがると，左手に石垣，正面に桔梗門がみえる。石垣の内側には，日常出納用の金庫の役目をはたしていた蓮池御金蔵があった。桔梗門は，江戸幕府では西の丸下の外桜田門(現，桜田門)に対して内桜田門と称した。桔梗門の由来は，太田道灌の家紋のキキョウが門の屋根瓦に残っていたからとか，寛永のころ(1624～44)の将軍上洛からの帰郷を祝ってこの門をたてたからとかいうが，定かではない。この門は三の丸の南門であるが，大手門と並んで大名や役人が本丸に登下城する門として利用した。また桜田門・平川門とともに，昔どおりの貴重な枡形門を残している。

　桔梗門から内堀通りに向かうと巽櫓が目にはいる。この櫓は，三の丸の辰巳(東南)の方角にあり，本丸・二の丸の辰巳にもかつて櫓があったので，これらと区別するため桜田二重櫓とよばれていた。1階の千鳥破風(切妻屋根の端につけた山型の板のところを破風というが，これが三角形になっている)の出窓状の張出しが石落しである。下部に長方形の穴があけてあり，そこから下を監視し，石をおとしたり矢を射て敵を防いだ。また，張出しの両脇に1カ所ずつ弓・鉄砲などを撃つためにあけられた狭間がみえる。

　内堀通りを桔梗濠に沿って北へ向かうと大手門に至る。なお，江戸時代は和田倉橋(擬宝珠のついた木橋で，江戸時代の面影を今に伝えている)脇の濠が桔梗濠に続いていたので，西の丸下と大手方面とはまったく遮断されていた。内堀通りを横断すると正面に，和田倉噴水公園が目にはいる。

江戸城の略史と概観

コラム

太田道灌の築城から戦後の皇居まで

　江戸城は、12世紀の初め、桓武平氏秩父流の江戸重継が居館を構えたことにはじまる。その後、1457（長禄元）年関東管領扇谷上杉氏の家宰太田道灌（資長）が、古河公方足利成氏に備えるため、関東屈指の堅城とうたわれた本格的な城郭（のちの江戸城本丸と二の丸の一部と思われる）を築いた。道灌が上杉氏に謀殺されると上杉氏の所有となるが、1524（大永4）年小田原の北条氏綱に攻略され、以降後北条氏の支城となり遠山氏が城代として守備した。

　1590（天正18）年豊臣秀吉が北条氏を滅ぼすと、徳川家康がその旧領をあたえられ、江戸を領国経営の拠点とした。これを機に江戸城は、西の丸の建設や日比谷入江の埋立など、近世の城郭への大拡張修築工事が進められた。

　さらに、1603（慶長8）年家康が江戸に幕府を開いて天下の覇権を握ると、全国の諸大名へ天守閣・殿舎・濠・石垣などの築城工事が御手伝普請として課されていった。その結果、3代将軍家光の1636（寛永13）年、江戸城の総構（基本設計は藤堂高虎の手になる）は完成した。

　総構は内郭と外郭からなる。内郭は最内郭（内城）の本丸・二の丸・三の丸・西の丸と、中曲輪に相当する吹上曲輪・北の丸・西の丸下・大名小路・大手前からなり、その規模は、ほぼ大坂城の外郭全体にあたる。現在の皇居部分（本丸・二の丸・西の丸・吹上曲輪）だけでも115万m²ある。外郭（周囲17km）は外濠と隅田川、および江戸湾に囲まれた内側で、当時の江戸城下町の大部分がはいる。

　1868（明治元）年4月江戸城は無血開城し、10月明治天皇は江戸城西の丸（本丸・二の丸御殿は焼失していた）にはいった。江戸城は東京城と改称され、翌年東京遷都に伴って皇城と改められた。のち明治宮殿の完成とともに宮城と呼称され、第二次世界大戦後は皇居とよばれる。江戸城跡は、1963（昭和38）年国の特別史跡に指定されているが、城内の殿舎は、たびたびの火災でほとんど焼失し、幕府時代の建造物は、富士見櫓・伏見櫓・巽（桜田二重）櫓と、桜田門・田安門・清水門など少数の城門を残すのみである。

幕末の事件現場となった皇居外苑

② 江戸城の面影を色濃く残す東御苑

富士見櫓・天守台・平川門と平川橋，復元された大手門や二の丸庭園の散策は，江戸時代にタイムスリップした気分。

大手門 ❹　〈M▶P.2,5,11〉千代田区千代田1-1
地下鉄千代田線・三田線大手町駅🚶3分

復元された江戸城正門
明暦3年製の鯱

　皇居の東側地区のうち，江戸城の中心であった本丸・二の丸と三の丸の一部約21万m²が，新宮殿の造営と並行して整備・造園され，皇居東御苑として公開されている。

　大手町駅の皇居方面出口から皇居大手門・東御苑口を地上にでると，正面に大手門がみえる。この門は，大名や役人が本丸に登下城する際の正門であった。登城する者は，大名と50歳以上でとくに乗輿を許された役人以外は，門外の濠端の下馬札のたっているところで乗物をおり，徒歩で入城した。桔梗濠と大手濠を左右にみながら土手を進むと，枡形門形式の大手門にはいる。

　この門は1620（元和6）年，伊達政宗・蒲生忠郷・相馬利胤の御手伝普請によって築造されたが，明暦の大火（1657年）で類焼し，以後何回かの修理を重ねてきた。また1945（昭和20）年の戦災で渡櫓が焼失していたが，1967年復元工事が完成し，かつての江戸城正門の偉容が再現された。この門は江戸城にあった92門中もっとも厳重に警備がなされていた。なお，枡形内の植込みに，明暦の大火後に再建された旧渡櫓の屋根にあった鯱が1基展示してある。頭部には「明暦三丁酉（1657年）初冬銅意入道近俊作」ときざまれている。

大手門

三の丸と二の丸 ❺❻　〈M▶P.2,11〉千代田区千代田1-1
地下鉄千代田線・三田線大手町駅🚶5分

　大手門をくぐると旧三の丸地域である。旧三の丸の範囲は，東西

皇居東御苑周辺の史跡

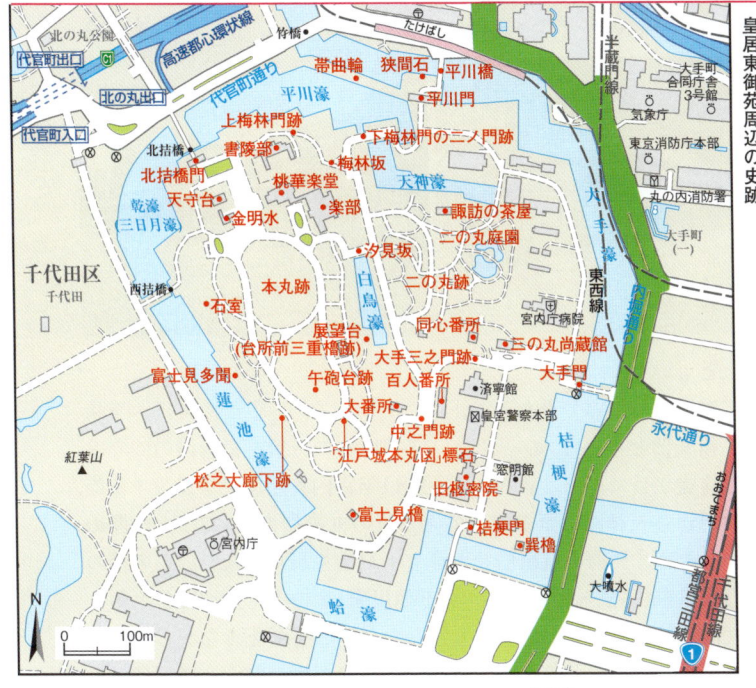

三の丸尚蔵館
家光時代の二の丸庭園復元

が大手門から大手三之門まで、南北は桔梗門から平川門(三の丸正門)までの内側である。このなかで公開されているのは、大手門から大手三之門に至るわずかな地域だけである。

渡櫓横の大手門守衛所で東御苑の入園票をうけとって進むと、右手に三の丸尚蔵館がある。ここは、代々皇室にうけつがれてきた6000点余の絵画・工芸品などが国に寄贈されたのを機に、保存・管理、調査・研究とともに一般公開を目的として、1993(平成5)年設立された。定期的に館蔵品の企画展を無料で開いている。尚蔵館の向かい側を見渡すと、右側に済寧館(皇宮警察の柔道・剣道の道場)・皇宮警察本部・旧枢密院の建物が望見できる。

枢密院は、1888(明治21)年大日本帝国憲法草案などを審議するため設置され、以後天皇の最高諮問機関として憲法・法律・条約など重要な国務を審議した。政党内閣の施策を抑制する力をもったが、1947(昭和22)年5月2日、日本国憲法施行の前日に廃止されている。1922(大正11)年に完成した現在の建物は、国会議事堂のモデルにな

江戸城の面影を色濃く残す東御苑

大手三之門跡と同心番所　　　　　　　　　　　　　　　　　　百人番所

っともいう。

　済寧館を左にみて進むと，正面に大手三之門(大手下乗門・下乗門・極楽門ともいう)の一ノ門(高麗門)跡の石垣と枡形内の同心番所の建物が目にはいる。1919(大正8)年宮内省諸施設を建設する際，桔梗門から天神濠に至る旧二の丸と三の丸の間の濠約3.9haが埋められたため，門前の石垣沿いの濠も下乗橋も現在はない。この橋の前で御三家(尾張・紀伊・水戸の3徳川家)をのぞくすべての大名・役人は，駕籠をおりて徒歩で入門した。同心番所をみながらゆるやかな坂を進むと，大きな二ノ門(櫓門)跡の石垣の向こうに，長屋風の百人番所の建物がみえる。

　大手三之門は，若年寄支配で鉄砲百人組(単に百人組ともいう)が警備していた。百人組には甲賀組・根来組・伊賀組・二十五騎組の4組があり，同心100人ずつが所属していたのでこの名称がついたという。

　この大手三之門内から旧二の丸地域となる。その範囲は，東西が大手三之門から中之門(あるいは中雀門)の手前まで，南北は，蓮池門から上・下梅林門までの内側である。百人番所前から北に進むと，大手三之門の二之門跡につながる石垣が直角に続いている。この辺りが二の丸御殿の正門である銅門跡と思われる。現状は枡形が確認されるのみである。さらに進むと左手の松並木の向こうに白鳥濠と本丸の石垣がみえ，白鳥濠に沿ったまっすぐな道路の東側一帯に，昭和天皇の発意により造成された二の丸雑木林と二の丸庭園が広がっている。

　1636(寛永13)年，ここに二の丸御殿と泉水をもった庭園(泉水は

二の丸庭園

久留米藩主有馬豊氏の御手伝普請）が完成した。このときの御殿の構成と作庭は、大名で家光の茶湯指南、茶人としても著名な小堀遠州といわれている。しかし、家光は気にいらずこの建物を取りこわさせ、世嗣竹千代（4代将軍家綱）の居所として、本丸御殿に準じた構成で、1643年二の丸御殿を新築させた。また庭園も、1645（正保2）年老中阿部忠秋に命じて改造させた。この御殿は、のち前将軍の側室が晩年をすごす場所となったという。明暦の大火で焼失後再建と焼失を繰り返し、1867（慶応3）年大政奉還・王政復古の大号令という激動のなかで、12月23日全焼した。

御殿はその後再建されることなく荒れていたが、1968（昭和43）年の皇居東御苑の公開に伴って、旧来の池の名残りをたよりに、1643（寛永20）年造営の「二之丸御絵図」（内閣文庫蔵）を参考にして築山泉水の回遊式日本庭園が復元された。二の丸庭園の北側には銅葺きの諏訪の茶屋がある。この建物の創建は、11代将軍家斉のころといわれ、もとは吹上にあったが、庭園整備に伴ってここに移築された。

都道府県の木をみて北に進むと、梅林坂から本丸の天守閣側に至るが、百人番所まで戻って本丸正門からはいることにする。本丸と二の丸を区切る高い石垣に沿って南に進むと、石垣がとぎれたところに汐見坂があり、続いて白鳥濠がある。梅林坂下からこの濠に至る地域は、後北条氏時代までは空堀であったという。家康の入城に伴いいったん埋められて、本丸部分の拡張が行われた。その後水堀として再掘されたが、1635（寛永12）年の二の丸拡張工事のころ、ほぼ現在の白鳥濠部分まで縮小された。白鳥濠をみながら百人番所まで戻ると中之門跡が目にはいる。

本丸 ❼　〈M▶P.2,11〉千代田区千代田1−1
　　　　地下鉄千代田線・三田線大手町駅🚇10分

中之門（大手中之門・二之門ともいう）は大門6門中唯一枡形門形

江戸城の面影を色濃く残す東御苑　13

式ではなく，左右に長く連なる多聞(多門)塀(現在は石垣のみが続いている)の中間を切って櫓を渡した櫓門だけであった。「中之門跡」の標石の手前に目を向けると，櫓門の礎石の丸い穴の跡がある。中之門跡をはいって右手の大番所前からなだらかな坂をのぼると，中雀門跡の枡形に至る。江戸時代にはこの坂は，玉石敷きの雁木(棒や石を埋めてつくってある階段)になっていたという。

中雀門は，別に玄関前門，御書院門とも称し，本丸御殿に達する最終の門であり，御三家もこの門前で駕籠をおりて徒歩ではいった。中雀門の名は，寝殿造の中門にあたるものとして城中につくった中柵門が転訛したものであるという(『松屋筆記』)。さらにゆるい坂を進むと二ノ門のあった渡櫓台の石垣が両側に目にはいる。これは，明暦の大火にあった天守台の伊豆石を移したものという(『後見草』)。一説には，1863(文久3)年に本丸御殿が焼失した際に類焼した名残りともいう。

中雀門跡を少し進むと旧本丸にでる。本丸は江戸城の中枢であり，将軍が日常起居し，幕府の政務が行われるところであった。現在は，11万4000m²の地域に洋風庭園が広がり，その奥に天守閣跡の天守台が望見できる。広い道を左に進むと「江戸城本丸図」のある標石が目にはいる。本丸御殿は，1606(慶長11)年新造され，2度の改築を経て，1640(寛永17)年将軍居館として完成した。以後焼失と再建を繰り返したが，殿舎の規模・構造は，ほぼ1640年のものを踏襲している。1845(弘化2)年造営の御殿は，工費175万4345両を要し，総建坪は1万1373坪(京間約4万4137m²)であった。しかし，1863年焼失後は再建されることなく現在に至っている。

御殿は武家住宅の典型である書院造になっており，内部は表・中奥・大奥の

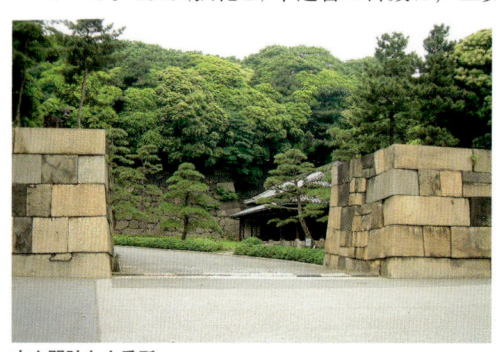

富士見櫓、松之大廊下跡 天守台

中之門跡と大番所

本丸跡

3つに区分される。表は，将軍への謁見その他の公式の儀式を行う広間と，日常諸役人の詰所や政務をとる諸座敷などからなり，幕府の中央政庁としての役割をもっていた。広間のなかでも，もっとも重要な部屋であった大広間がこの標石の辺りで，400畳以上の広さだったという。中奥は，将軍が日常起居したり政務をみたりする公邸である。芝生の広がる庭園のなかほどの，大きな一本松の辺りが中奥の区域であった。なお，現在の本丸休憩所の付近に，将軍の朝夕の食事をととのえる大台所があった。本丸御殿は白木造りだが，大台所だけは朱塗りであったという。

中奥の北側，天守台前の庭園から書陵部庁舎の地域にかけて，広大な大奥の建物（1845年造営の御殿では，表と中奥をあわせて4688坪〈約1万8194m²〉に対して，6318坪〈約2万4520m²〉）があった。中奥とは銅塀で厳重に仕切られており，御錠口・御鈴廊下でのみつながっていた。大奥は，御台所（正室）を中心に将軍の子女や大奥の女中たちが生活する場所で，将軍私邸にあたる。大奥の内部は御殿向・御広敷向・長局に分けられていた。御殿向は御台所の御殿で，将軍が大奥に泊まるときの寝所などもあった。御広敷は大奥の事務処理にあたる役人が勤務する役所で，大奥に出入りするものの玄関でもあった。現在の汐見坂の前辺りに位置していた。長局は大奥女中の生活する住居部分で，文字どおり細長い廊下に沿って部屋が並んでいた。天守台の東側の書陵部から楽部の庁舎にかけての地域にあたる。最盛時には数百人の女中が住んでいたという。

「江戸城本丸図」の標石から庭園とは反対側の南へ，木々の間の遊歩道を進むと，鉄柵の向こうに三重の富士見櫓がみえる。柵の足元に「富士見櫓」の標石もある。本丸地域には江戸時代は先述の御殿のほかに天守閣，櫓11棟，多聞15棟，諸門20数棟があったが，現在はこの櫓と富士見（御休息所前）多聞が残っているのみである。富

江戸城の面影を色濃く残す東御苑

士見櫓は，1606(慶長11)年の本丸造営工事の際に加藤清正によって櫓台地域の石垣が築かれ，櫓もこのとき創建されたと思われる。本丸の南隅にあたるこの位置は，太田道灌時代の「含雪斎」(富士の白雪を眺める部屋)あるいは「ふし見やくら」があったともいわれるところであり(天守台につぐ高所で，海抜21m)，「我庵は　松原つづき　海近く　富士の高峰を　軒端にぞ見る」と詠んだところではないかともいわれている。皇居外苑からうっそうとした緑のなかにそびえたつ櫓はこれである。明暦の大火で焼失後，1659(万治2)年三重櫓として再建され現在に至っている。優美な姿でどこからみても同じ形にみえるため，俗に八方正面の櫓ともよばれた。江戸城遺構のうち三重櫓としては唯一のものである。この大火で天守閣は再建されなかったので，江戸城のほぼ中央部にあったこの櫓が，天守閣のかわりの役割をはたした。1868(慶応4)年5月の彰義隊との戦いの際，新政府軍の指揮官大村益次郎は，この櫓から上野の寛永寺の堂塔が燃えるのをみて勝利を確信したという。

　富士見櫓から蓮池濠の石垣沿いに遊歩道を北に進むと，石垣側のベンチの後ろの植込みのなかに「松之大廊下跡」という標石が目にはいる。大広間の奥にある広い中庭に沿って鉤の手にまがって白書院(将軍との対面所)に至る廊下が松之大廊下である。一般には松之廊下とよばれている。この大廊下の西側には御三家などがつめた部屋があり，その部屋と廊下との仕切りの障子や壁にマツと群れ遊ぶ千鳥が描かれていたのでこの名がついた。1701(元禄14)年の勅使饗応役播州赤穂藩主浅野内匠頭長矩が，高家肝煎の吉良上野介義央に斬りかかり，「忠臣蔵」の発端となった場所として有名である。1987(昭和62)年，1845(弘化2)年造営の際に御用絵師の狩野養信らが描いた障壁画の小下絵(見本として描いた縮図)が発見された。

　ここからいったん芝生の庭園にでると，庭園のなかほどに「午砲台跡」という小さな標石がみえる。昔は時計が普及しておらず，時刻を知るのも簡単ではなかった。そこで，1871(明治4)年9月からここで天文台からの電信の合図で正午を知らせる空砲を撃ったのである。1929(昭和4)年サイレンによる時報がはじまるまで続けられ，「ドン」という俗称で人びとに親しまれた。なお，使用されていた

蓮池濠と富士見多聞

大砲は,江戸東京たてもの園に展示されている。

再び木々の間を遊歩道に戻り,石垣沿いの側道をのぼっていくと富士見(御休息所前)多聞に至る。この多聞は15棟あった本丸の多聞のなかで唯一現存するものである。中奥にあって将軍が日常政務をとり,寝室ともしていた御休息之間の前に位置していたので,江戸城では御休息所前多聞といわれていた。この多聞の前をとおって北へくだり,少し進むと石室前にでる。この石室の用途はあきらかではないが,中奥と大奥との境の中奥側の上御納戸の脇にあったので,将軍の衣服や装束・調度などを,火災などの非常の際におさめた収蔵庫ではなかったかと考えられている。

石室前の遊歩道を北に進むと天守台に至る。ここは本丸最奥部であり,本丸台地の1番高いところ(最高点標高25m)に位置していた。1606(慶長11)年に天守台が,翌年にはそのうえに五層の天守閣が建造された。場所は大奥と中奥との境辺りであった。その後,1622(元和8)年本丸の大改造に伴って現在地に改築され,さらに1637(寛永14)年,1653(承応2)年と修築を重ねた。資料の比較的そろっている寛永天守閣を例に往時をしのんでみよう。

南側に小天守台を伴う天守台の石垣の高さは13.8m(京間7間)あり,天守台上は南北39.2m×東西35mの広さがあった。このうえに外観5層,内部は穴蔵を含めて6階の天守閣がたてられていた。建物は石垣上から最上層の箱棟上端まで44.8mあり(地上からの合計は58.6mにおよんだ),さらにこのうえに3mの金色の鯱が輝いていた。屋根は銅瓦葺き,壁面は銅版張りのうえに瀝青塗りの方法で黒く着色されてあったと思われる。明暦の大火(1657年)でこの天守閣が焼失すると,同年前田綱紀に新しい天守台の築造が命ぜられた。そこで焼けた伊豆石の石垣を全部御影石に取り替えた。現存する高さ11m,石垣上端が南北40m×東西36mある天守台は,このときの

江戸城の面影を色濃く残す東御苑　　17

天守閣跡の天守台

ものである。天守閣の造営は，1659年に将軍補佐役保科正之の意見で当分延期となり，その後ついに再建されることなく現在に至っている。

天守台の上り口の横に「金明水」と名づけられた籠城の際の命綱となる井戸がある。天守台にのぼると南に今みてきた本丸の庭園が広がり，北を向くと北の丸公園一帯が見渡せる。大奥の長局があった東側には，書陵部庁舎・桃華楽堂・楽部庁舎がみえる。書陵部は，約40万点にのぼる貴重な古文書や記録と全国にある陵墓を管理している。桃華楽堂は香淳皇后の還暦を祝してたてられた音楽堂で，1966(昭和41)年に完成した。テッセン(鉄線)の花弁をかたどった屋根と，モザイクタイル仕上げの八面体の外壁をもったホールが珍しい。図柄は日月星・衣食住・風水火・春夏秋冬・鶴亀・雪月花・楽の音・松竹梅を正面から左へ，順次有田焼の陶片であしらってある。楽部は宮中雅楽の保存，演奏・演舞などを担当している。

天守台をおり楽部庁舎の横を東に進むと汐見坂である。この坂をくだると二の丸に至る。江戸時代にはここから海が眺められたので，この名がついたという。しかし，歌人戸田茂睡の紀行文『紫の一本』(1683年刊)では「今は家居にかくされて見へず」とあり，17世紀後半には下町方面が埋め立てられて，海岸線はすでに遠くなっていたようである。また，この坂の石垣は，石の角をたたいて平らにし，たがいに組み合わせて表面を仕上げた打込接という積み方である。

汐見坂をおりずに戻り，白鳥濠の石垣に沿った遊歩道を南に進むと本丸休憩所がある。そのさきの柵のある細い道をのぼると，白鳥濠から二の丸を見渡せる展望台になっている。ここは江戸時代台所前三重櫓があった櫓台であり，本丸周囲の石垣の塁上にたつことのできる唯一の場所である。

梅林坂

　展望台から本丸休憩所を経て天守台下に戻り、さらに天守台に沿ってまがると北桔橋門である。この門ももとは枡形形式であったが、現在は一ノ門の高麗門だけが復元されている。桔橋は刎橋・引橋ともいわれ、有事には橋をはねあげて敵を遮断できる構造になっていた（一ノ門に桔橋の金具が残っている）。入園票を守衛所にいったん返して門をでて橋を渡ると、西側が乾濠（三日月濠）で、江戸城中でももっとも重厚壮大で曲折の変化に富む、美しい石垣をみることができる。東側には平川濠に面した水面から12mに達する高い石垣と塀の連続がみてとれる。旧江戸城の面影をもっともよく残している地域といえる。戻って入園票をまたうけとって塀沿いに東に進む。

　書陵部正門前をさらに進むと上梅林門跡の石垣が目にはいる。この門は1627（寛永4）年創建され、石垣は老中稲葉正勝によって築かれたという。この門の隣の書陵部側に御切手門があった。大奥の玄関である御広敷に至る最後の関門で、暮六つ（午後6時ごろ）以後はいっさいの人間をとおさなかったという。上梅林門跡をでると梅林坂である。1478（文明10）年太田道灌がここに菅原道真をまつる菅公祠堂をたて、ウメ数百本を植えたのでこの名がついたという。徳川家康の入城に伴って本丸地域の拡張工事が進められ、菅公祠堂は平川口外に移されて平河天神とよばれた。梅林坂の現在のウメは、昭和の庭園整備の際に植樹されたものである。

　梅林坂をくだって左手に進むと、下梅林門の二ノ門跡の石垣が目にはいる。左右の石垣の足元に櫓門の礎石の丸い穴の跡が残っている。枡形内にはいると、右手に二の丸と三の丸を仕切るために桔梗門から続いていた濠の一部にあたる天神濠がみえる。右折して一ノ門跡の石垣をでると、平川濠と天神濠を左右にみながら平川門守衛所に至る。

江戸城の面影を色濃く残す東御苑

平川門 ❽

〈M ▶ P.2, 11〉 千代田区千代田1-1
地下鉄東西線竹橋駅 徒 4分

枡形門の形式を残す平川門と平川橋
藤堂高虎発案の帯曲輪

　平川門守衛所に入園票を返してまっすぐ進むと，平川門の二ノ門である。門の手前で左前方を眺めると，平川濠の向こうにマツを植えた塁壁がみえる。これが藤堂高虎の発案という帯曲輪である。平川門と竹橋門を結ぶ幅十数mほどのこの曲輪の存在は，細いが2重の濠によって，防御線の数を増す効果をねらったものであろう。なお，帯曲輪は，ここと彦根城(滋賀県)にのみ現存するという。

　平川門は平河門・平川口門ともいった。家康の入国以前から門の前を平川が流れ，これに沿って上・下の平川村があったので門の名称となったという。入国時は粗末な木戸門であったが，1635(寛永12)年酒井忠世・土井利勝・稲葉正則らが番所や枡形門を建設した。その後数度の改築ののち，門は関東大震災後に再建されたが，江戸時代の枡形門形式の旧状をよく残している。この門は三の丸の正門であったが，梅林坂をのぼって御切手門をはいると大奥の玄関に達するので，大奥の女性が出入りする通用門でもあった。そのため別名御局御門ともいわれた。3代将軍家光の乳母として権勢並ぶもののなかった春日局が外出して門限に遅れ，警備していた先手弓頭小栗又一にしめだされた話は有名である。また，城中の死者や罪人をこの門からだしたので不浄門ともよばれた。1684(貞享元)年，若年寄稲葉正休に刺殺された大老堀田正俊の遺体や，1701(元禄14)年切腹のため芝田村町の田村右京大夫邸に向かった浅野長矩，1714(正徳4)年風紀紊乱の罪により，白無垢1枚にはだし姿で，信州の高遠へ配流された大奥年寄の絵島がだされたのはこの門からである。なお，この門は御三卿の登城口でもあったという。

平川門と平川橋

20　皇居

江戸城本丸・西の丸殿舎・櫓配置図

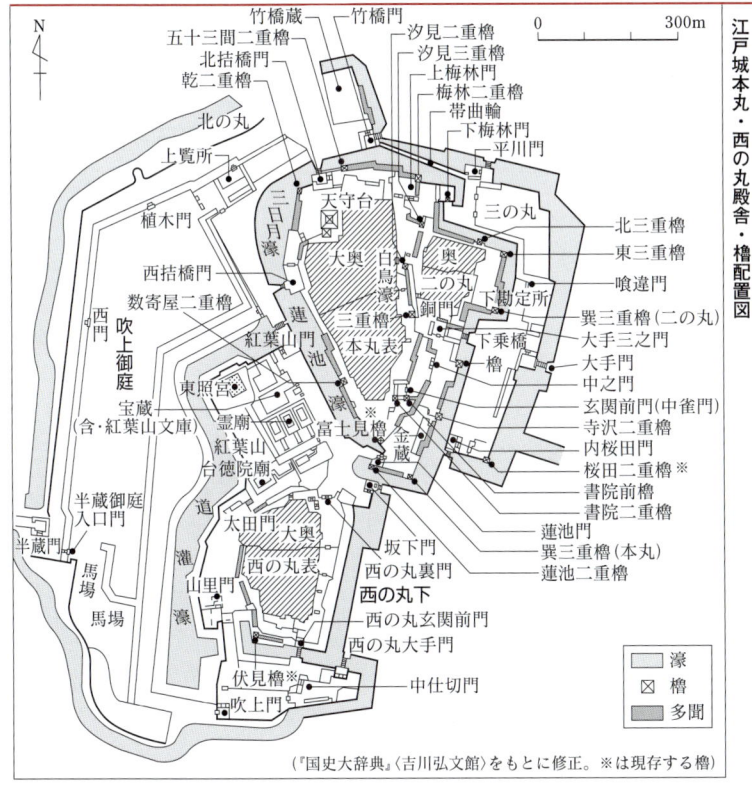

(『国史大辞典』〈吉川弘文館〉をもとに修正。※は現存する櫓)

　二ノ門の櫓門をはいると左手に高麗門がある。これが帯曲輪へ出入りする門である。正面のマツの庭の向こうに石垣上に白い塀がみえ，かがむと塀の下端と石垣との間に狭間石があるのがわかる。石垣最上段の石を一部くりぬいて銃眼にしたもので，これも藤堂高虎の工夫という。狭間石は，江戸城では枡形門の周囲の塀の下に設けられていたが，旧状を残しているのはここだけである。一ノ門の高麗門をでると平川橋である。擬宝珠勾欄の木橋は，江戸時代の面影を忠実に伝えている。なお10個の擬宝珠は城内の各所の橋から集められたもので，そのうち「慶長拾九(1614)年甲寅八月吉日御大工椎名伊与」の刻銘のあるものは，西の丸下乗橋(現，正門鉄橋)にあったものといわれている。また，この金石文は江戸城最古のものである。

江戸城の面影を色濃く残す東御苑

3 新宮殿と天皇の御所がある西の丸と吹上御苑

八方正面の富士見櫓，美しい伏見櫓や新宮殿を眼前にできる皇居参観は必見。半蔵門から桜田濠に至る景観は東京随一。

西の丸 ❾ 〈M▶P.2,23〉千代田区千代田1-1
地下鉄千代田線・三田線大手町駅 🚇 7分

八方正面の富士見櫓 伝統的和風の新宮殿

　皇居の西の丸と吹上御苑は，公式行事の場である新宮殿や天皇・皇后の住居である吹上御所などがあるため，一般公開されていない。ただ新年と天皇誕生日の一般参賀の際と，事前に皇居参観の許可を得た場合，一部をみることができる（特定の休止日を除く平日の午前と午後の2回，詳細は宮内庁管理課参観係〈☎03-3213-1111〉に連絡）。参観コースにしたがって，皇居西側地区をみてみよう。

　桔梗門（内桜田門）をくぐり窓明館でコースの概要説明をうけたのち，旧枢密院の建物と桔梗門の二ノ門に続く石垣の間の道を進む。石垣には「⊕」の薩摩藩島津家の紋が刻印された石もみられる。左折すると，右手に優美な姿の富士見櫓がある。皇居東御苑側からではうかがえなかった，八方正面の櫓とうたわれた偉容をあおぐことができる。加藤清正が築いたというみごとな高石垣は，扇の勾配といわれる角の算木積みとともに，山から切りだした自然石をそのままで組み合わせて積む野面積みの代表例である。

　富士見櫓下を進むと宮内庁庁舎前にでる。ここからが旧西の丸地域となる。西の丸は本城（現，皇居東御苑にあたる本丸・二の丸・三の丸）に対する付城として，1592（文禄元）年に建設がはじめられ，1629（寛永6）年の工事で地形がほぼ定まった。西の丸は西城ともいわれ独立した城郭を形づくり，大御所（前将軍）か将軍世嗣の居城として使用された。

　本丸がもれなく石塁で囲まれ，櫓が林

旧枢密院

西の丸・吹上御苑周辺の史跡

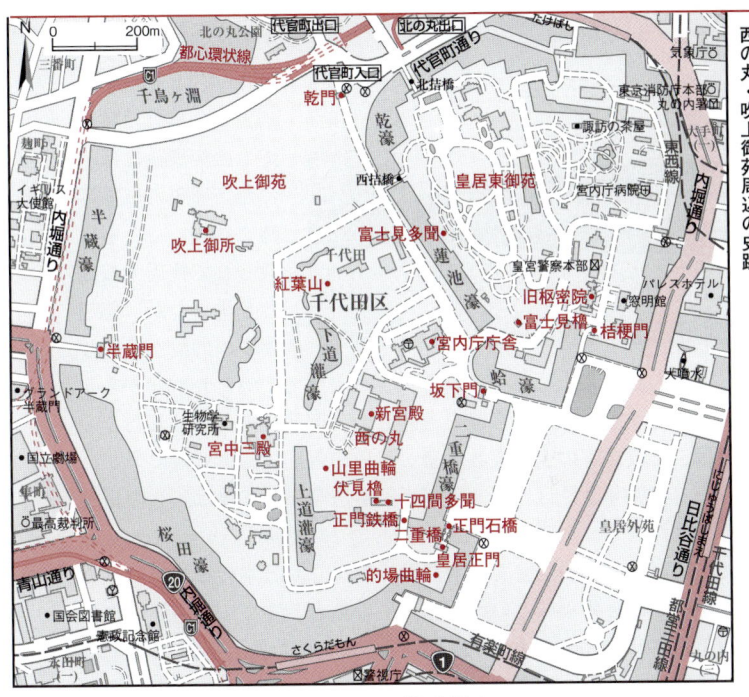

立していたのに対して、西の丸では、的場曲輪の一部以外は芝を植えた土塁の上部にやや低めの石垣を築いた鉢巻土居というつくりであった。西の丸の範囲は、宮内庁庁舎から北の紅葉山地区、新宮殿のある西の丸御殿地域（狭義の西の丸）、新宮殿西方の庭園や馬場があった山里曲輪、皇居正門（西の丸大手門）のある南の的場曲輪からなっている。西の丸の面積は約22.6ha（6万8385坪）あった。宮内庁庁舎は、1935（昭和10）年につくられた石造3階建ての建物である。第二次世界大戦の戦災によって明治宮殿が焼失し、新宮殿が完成されるまでの間、3階部分が仮宮殿として使用されていた。

宮内庁庁舎前から右手の坂をのぼると新宮殿に至る。海抜20mの台地上にあった西の丸御殿は、文禄の創建以来焼失と再建を繰り返してきたが、その内部は本丸御殿より規模は小さいものの、同様に表・中奥・大奥に分かれていた。1863（文久3）年本丸・二の丸御殿とともに焼失し、翌年急遽本丸御殿再建までの仮御殿として小規模で簡素な殿舎を再建した。

新宮殿と天皇の御所がある西の丸と吹上御苑　　23

新宮殿の長和殿と東庭

1868(明治元)年明治天皇は東京に移ってこの仮御殿にはいった。翌年の東京遷都に伴ってここを宮殿として使用することを決めたが，1873年この御殿も焼失してしまった。このため赤坂離宮を仮宮殿とする一方，1884年から4年の歳月をかけて跡地に宮殿を再建した。明治宮殿とよばれたこの建物は，正殿以下の表宮殿と天皇・皇后の起居する奥宮殿に分かれていた。1889年2月11日の大日本帝国憲法発布の式典は，この正殿で行われた。

1945(昭和20)年の空襲で明治宮殿は焼失し，日本の復興ができるまで新宮殿は必要ないという昭和天皇の意志ですぐには再建されず，1968年に4年の工期をかけた新宮殿が完成した。新宮殿は地上2階・地下1階，入母屋造の屋根，深い軒をもったゆるい屋根勾配など，伝統的な和風宮殿の外観をもつ鉄骨鉄筋コンクリート造りの建物である。1月2日と天皇誕生日に一般参賀をうける長和殿，饗宴場となる豊明殿，公式の儀式が行われる正殿，天皇が公務をとる表御座所などの建物が，回廊や渡り廊下で結ばれている。長和殿の前面の石畳みの広場が東庭で，その南端の中門をくぐって，正門鉄橋を渡ると的場曲輪である。正門鉄橋の左手には，皇居正門から皇居前広場が見渡せる。右手には，伏見櫓と十四間多聞の優美な姿を眼前にできる。

新宮殿前に戻り，豊明殿を左手にみな

伏見櫓と十四間多聞

24　皇居

がら山下通りに沿って進む。山下通りの左手奥は，江戸時代には紅葉山(鷲の森)という小さな丘であった。1618(元和4)年に徳川家康の霊をまつる東照宮の社殿を建造したことから，この地は江戸城中の聖域となった。また，金沢文庫の蔵書や，家康以来収集してきた書籍をおさめた文庫が紅葉山下にあったことから，紅葉山文庫(書物奉行が管理)とよばれていた。この蔵書は，のち内閣文庫におさめられ，現在は北の丸公園内の国立公文書館に移管されている。

乾門通りにでると西の丸と本丸とを分ける蓮池濠がある。正面の本丸裏手にあたる石垣は，水面からの高さが最大のところで22mあり，60～80mの間隔で側面の防御を考慮した「ひずみ」という屈曲がみられる。これは「横矢がかり」といわれる，側面から敵兵に射撃を加えるために考案されたものである。また，この位置からは富士見(御休息所前)多聞の姿がよくみえる。

吹上御苑 ❿ 〈M▶P.2, 23〉 千代田区千代田1-1
地下鉄東西線竹橋駅 徒7分

武蔵野の面影を残す手つかずの吹上御苑

道灌濠の西側から北側に広がる地域が，約43.1ha(13万568坪)におよぶ吹上御苑である。徳川家康が入国する前，西の丸からこの地域一帯にかけては局沢といい，16の寺院があったが，本丸の背後を守る重要な地域として，江戸城拡張の際に寺院を移転させ，深くて大きな半蔵濠・桜田濠をもった吹上曲輪を築造した。曲輪内には代官や家康の腹心の本多正信らの屋敷を配し，2代将軍秀忠のときには，徳川御三家とその付家老の邸地となった。

しかし明暦の大火後は，防火の立場から曲輪内に大名・旗本の邸宅をおかないこととなり，宝永年間(1704～11)までには，すべての邸宅を撤去して御花畠などの庭園とし，吹上御苑あるいは吹上御庭と称するようになった。さらに，正徳年間(1711～16)には，半蔵門内から竹橋に至る土手通りの道がつけかえられ，あらたに段堀がつくられた。代官町通りに今もみられる空堀がこれである。

明治以降は皇居の聖域として，樹木や野鳥の多い吹上御苑にはあまり手が加えられず，都心で武蔵野の面影を今に残す唯一の場所となった。苑内には現在，天皇・皇后の日常の住居である吹上御所や賢所(いわゆる三種の神器のうちの鏡をまつる)・皇霊殿(歴代の

乾門

天皇，皇族をまつる)・神殿(天神地祇八百万神をまつる)からなる宮中三殿，生物学研究所などの建物がある。

　竹橋を渡り平川濠に沿って代官町通りをのぼると，北桔橋前をとおって乾門に至る。乾門は，1888(明治21)年明治宮殿造営の際，皇居の通用門として新設された門で，西の丸裏門を移築したものである。本柱の後方に控柱2本をたて，切妻破風造の屋根をもつ薬医門形式で(裏門に多い)，移築の際に左右両袖を増築した。皇居の乾(北西)の方角にあたることから乾門と名づけられた。

　乾門から代官町通りに沿って歩き，千鳥ヶ淵と半蔵濠の間の土橋(1900年完成)を渡ると内堀通りにでる。濠端を南に進むと半蔵門土橋と半蔵門である。幕府は，本丸背後の防備の要として，ここに1620(元和6)年枡形をつくり，1627(寛永4)年門を建造した。1871(明治4)年に二ノ門の渡櫓が撤去され，現在の半蔵門は一ノ門だけである。三宅坂をくだって桜田門に至る深くて大きな濠と，1611(慶長16)年の工事で整えられたみごとな鉢巻土居と吹上御苑の樹木とがつくる歴史的景観は，東京随一の景勝といえる。

半蔵門土橋から眺めた桜田濠

④ 城門と近代建築を残す北の丸公園

広大な森林公園内に，公文書館・美術館・工芸館などの文化財公開施設と国重文の建築・城門が点在する。

竹橋 ⑪
〈M ▶ P.2, 28〉千代田区北の丸公園
地下鉄東西線竹橋駅 🚶 1分

大手前曲輪に連結する竹橋
竹橋門跡の石塁

竹橋駅の皇居東御苑口から地上にでると，竹橋のたもとである。江戸時代の竹橋は幅約8.2ｍ（4間3尺）の木橋で，大手前曲輪と北の丸とを連結しており，現在のコンクリート橋より南側にあった。現在の橋のたもとの石段下が，当時の橋台の跡である。橋の名は，徳川家康の入国時に竹を編んで橋をかけたからとか，後北条氏の家臣在竹彦四郎の屋敷があって在竹橋といっていたのが省略されたともいわれている。竹橋を渡ると平川濠側に石塁が残っている。これが竹橋門跡の枡形の石塁であり，渡櫓の櫓門（二ノ門）の辺りは代官町通りとなっている。ここに門がつくられたのは1620（元和6）年で，帯曲輪につうずる門も枡形内にあった。

北の丸公園 ⑫
〈M ▶ P.2, 28〉千代田区北の丸公園
地下鉄東西線竹橋駅 🚶 3分

竹橋騒動の舞台
旧近衛師団司令部庁舎

竹橋と一番町を結ぶ代官町通りと千鳥ヶ淵・牛ヶ淵・清水濠に囲まれた地域が旧北の丸である。本丸台地に続く田安台につくられた北の丸は，千鳥ヶ淵から乾濠につうじていた川の谷を埋めて拡張したものである。家康の入国当初は，代官頭内藤清成以下の代官衆が吹上御苑地域にかけて屋敷をあたえられていたので，この辺りは代官町とよばれていた。3代将軍家光のころは，家光の3男長松（甲府宰相徳川綱重）・春日局・千姫，家光の弟駿河大納言徳川忠長らの屋敷があった。2代将軍秀忠の娘千姫は，大坂落城後に再嫁した本多忠刻が1626（寛永3）年に死去すると，落飾して天樹院と号した。竹橋門内に住んだので，「北の丸様」とも称された。

明暦の大火（1657年）後は，火除地化が進められ，清水濠側の御蔵以外はいったん空き地となった。1719（享保4）年に吹上御苑側に馬場が設けられ，小笠原流の弓馬術を修練させた。朝鮮通信使の一行が江戸入りすると，馬上才（騎馬の名手）の曲馬を，将軍がこの馬場で上覧するようになったので，朝鮮馬場とも称された。1731年

北の丸周辺の史跡

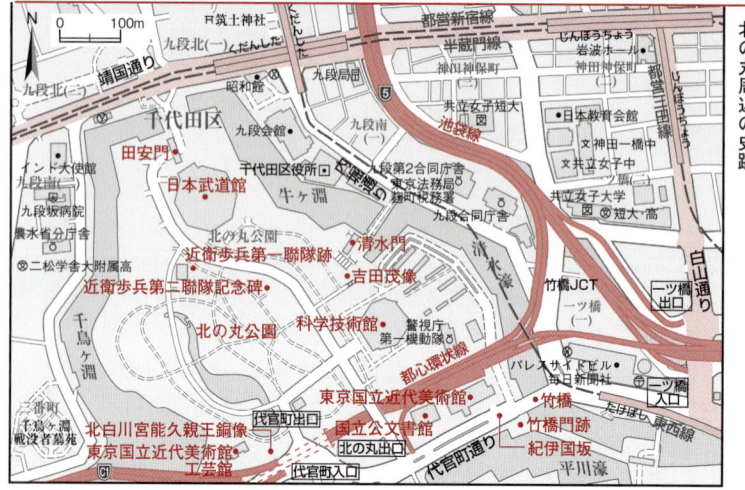

　田安門内の西に御三卿の1人徳川（田安）宗武が，さらに1759（宝暦9）年清水門内に徳川（清水）重好が，それぞれ屋敷を拝領した。以後，北の丸には両家以外の屋敷がおかれることはなかった。

　明治になると，北の丸に近衛兵の兵営がおかれた。1871（明治4）年，廃藩置県を断行するために薩摩・長州・土佐の3藩から集めた御親兵を，翌年近衛兵と改称して天皇護衛を専務させ，1874年には歩兵・砲兵の兵営が設置された。1878年，近衛砲兵第一大隊の兵260余人が，前年の西南戦争の論功行賞と減給に不満をいだいて反乱をおこし大隊長らを殺害，清水門前の参議大蔵卿大隈重信邸を砲撃した。さらに赤坂離宮の仮皇居の門前で嘆願しようとしたが，まもなく鎮台兵に鎮圧された。これが竹橋騒動である。

　現在，旧北の丸地域のほとんどが森林公園として整備され，1969（昭和44）年に昭和天皇の還暦を記念し，北の丸公園として一般に開放されている。竹橋を渡って最初に目にはいるのが東京国立近代美術館である。近代美術の普及・振興を目的として，20世紀の絵画・版画・彫刻を収集・展示している。ここの前庭からは，旧石器時代の石器と石器製作の場所と思われる礫群や，中世江戸城の城館の一部遺構，近世の遺物が出土した。江戸城のあった地域は，原始時代から人が住むのに適した環境であったことがわかる。

　東京国立近代美術館から北側の警視庁第一機動隊・皇宮警察住宅

御三卿

コラム

徳川将軍家の最近親、御三卿

徳川将軍家の一族である田安・一橋・清水の三家を、御三卿という。江戸幕府8代将軍吉宗の2男宗武が1731(享保16)年に田安家、4男宗尹が1740(元文5)年一橋家を創立。清水家は吉宗の長男で、9代将軍となった家重の2男重好の1759(宝暦9)年にはじまる。

江戸城の田安・一橋・清水の各門内に邸宅をあたえられ、賄料10万石を支給された。格式は尾張・紀伊・水戸の徳川御三家に準じた。創立の背景には、初期に分家した御三家と将軍家の血縁がしだいに疎遠となったので、その点を補って将軍継嗣をだすとともに、御三家をおさえる意図もあった。大名として分家した御三家とは違い、将軍家の家族の一員としてあつかわれ、家老以下おもな家臣は幕臣をあてた。

御三家以下の諸大名が大手門から登城するのに対して、御三卿は平川門から登城して、中奥の内玄関(御風呂屋口門)から中奥の詰所にひかえるという、将軍の最近親として特別の礼遇をうけていた。11代将軍家斉・15代将軍慶喜は一橋家から将軍家にはいり、16代家達は明治維新で慶喜が隠退・謹慎のあと、田安家からはいって徳川宗家をついでいる。

にかけての地域には、3代将軍家光の3男長松(綱重)の竹橋御殿や、幕府の御蔵があった。美術館前のゆるやかな坂道を紀伊国坂という。明暦の大火以前、竹橋門から半蔵門に向かう道に面して現在の吹上御苑側に紀伊徳川家、その南に水戸・尾張の徳川御三家の屋敷が並んでいた。しかし、大火後は吹上曲輪の火除地化が進み、紀伊徳川家は赤坂に移った(そこにある坂も紀伊国坂という)。

東京国立近代美術館の西隣には、国立公文書館がある。明治以来の国の各行政機関の公文書を集中保存し、評価・分類・整理して一般の閲覧に供することを目的に、1971年開館した。ここには江戸幕府の紅葉山文庫本・昌平坂学問所本・和学講談所本・医学館本などを中心に、各官庁所蔵の図書を集めた内閣文庫の蔵書約51万冊も収蔵されている。このなかには、金沢文庫創設者金沢(北条)実時が書写校合した旨の奥書をもつ金沢文庫旧蔵の『本朝続文粋』など、26件の国重文もある。

左手に北桔橋門、その奥の天守台をのぞみながらゆるいカーブを描く代官町通りを進むと、乾門がみえる。乾門前から北の丸公園に

城門と近代建築を残す北の丸公園

千鳥ヶ淵

はいると，左手の茂みのなかに北白川宮能久親王銅像がたっている。能久親王は，もと輪王寺宮公現法親王といい，明治維新時には，彰義隊や奥羽越列藩同盟に擁立され，新政府軍と対峙した。のち許されて北白川宮家をつぎ，近衛師団長として日清戦争に出征し，戦後台湾で病死した。

　この銅像のさきにある東京国立近代美術館工芸館は，東京国立近代美術館の分室として，日本の伝統工芸から現代工芸に至る各種の工芸品を展示している。この建物が，1910(明治43)年に建築された旧近衛師団司令部庁舎(国重文)である。赤レンガ造りの2階建てでスレート葺きの屋根，中央部に八角塔屋をもつ簡素なゴシック風の様式を整えている。明治時代の洋風建築の一典型で，官公庁建築の貴重な遺構である。この工芸館前から吹上御苑にかけて，3代将軍家光の弟徳川忠長の屋敷があった。

　工芸館をでて，木立のなかを進むと，千鳥ヶ淵をみおろす石垣の塁上に至る。ここからは対岸の千鳥ヶ淵公園も一望できる。千鳥ヶ淵は，番町地区の大小3つの谷を水源に，乾濠・蓮池濠・蛤濠を経て，日比谷入江に流れ込んでいた川の，代官町の谷を埋めてつくったダム様の濠である。南は半蔵門の土橋で仕切られ，北の田安門の土橋の水の落し口から牛ヶ淵にあふれた水を流して，水位調節がはかられていた。ここの水深は16mと内濠中もっとも深く，濠幅も最大部分160mに達している。なお，田安門に至る北の丸の石垣は，都心ではきわめて珍しいヒカリゴケ(国天然)の生育地として知られている。

　塁上からくだり，公園中央の池に沿った遊歩道を東に進むと科学技術館がある。科学技術館横の第1駐車場の辺りに，3代将軍家光の乳母で，大奥の制度を確立した春日局の屋敷があったとされている。

清水門・田安門 ⓭⓮

〈M▶P.2,28〉千代田区北の丸公園
地下鉄東西線・半蔵門線・新宿線九段下駅🚇4分

江戸の旧状を残す清水門
桜田門とみごとな土橋

　科学技術館脇の坂を少しくだって左側の小公園にはいり，石垣の塁上にたつと，枡形門の典型例といえる清水門（国重文）が一望できる。枡形内と，二ノ門の櫓門にくだるところにある雁木坂（棒や石を埋めてつくった階段）は，江戸時代の旧状をよく残している。1624（寛永元）年に創建された門は明暦の大火で焼失し，翌1658（万治元）年に再建された。現存する門はこのときのもので，脇戸つきの櫓門の大扉の肘金物の刻銘には，「御石火矢大工（大砲鋳造者）渡辺善右衛門 尉康種作　万治元年戌八月吉日」とある。高麗門（二ノ門）の扉釣金具にも同様の刻銘がある。その後，2度の修理を経て，1966（昭和41）年に解体修理・復元が行われて現状となった。

　門の名の由来は，古くこの辺りから清水がわきでたからとも，慈覚大師（円仁）の創建と伝える清水寺（のち浅草新堀端に移転）があったからともいわれている。一ノ門をでた土橋が牛ヶ淵の流れをせきとめるダムとなっており，水の落し口で水位調節が行われている。牛ヶ淵の名の由来は，濠の形が牛に似ていたからとも，昔ここへ銭を積んだ牛車がおちて，牛もあがらなかったからともいわれている。

　清水門から引き返して雁木坂をのぼり，案内図板横の石段をのぼって少し進むと，第二次世界大戦後の日本の方向を決めたといえる首相吉田茂像がある。この辺りから日本武道館にかけて清水家の屋敷があった。1861（文久元）年14代将軍家茂に降嫁した皇女和宮が，江戸にはいって最初に逗留したのはこの屋敷である。また1863年に西の丸についで本丸御殿も焼失した際には，家茂夫妻は一時ここに避難し，のち西の丸の仮御殿ができるまで，隣の田安家の屋敷へ移っている。吉田茂像前の遊歩道を進み，北の丸公園を南北に縦断している車道にでて西側の遊歩道を進むと，「近衛歩兵第二聯隊記念碑」「近衛歩兵第一聯隊跡」といった，かつて近衛師団の兵営であったことを示す記念碑がたてられている。

　遊歩道から車道にでると右側に日本武道館がある。1964（昭和39）年のオリンピック東京大会の柔道会場，日本古来の武道のデモンストレーション会場として建設された。法隆寺の夢殿を模した正八

城門と近代建築を残す北の丸公園　　31

清水門の枡形　　　　　　　　　　　　　　　田安門の二ノ門

角形の外観，銅板葺きの屋根，高さ43mの巨大な建物で，1万5000人を収容し，各種の催しに利用されている。日本武道館前の車道と第3駐車場から中央広場の池にかけて，田安家の屋敷があった。8代将軍吉宗の2男で田安家の祖の宗武は，賀茂真淵に師事して国学を学び，万葉風を好んだ歌人としても有名であった。寛政の改革を行った老中松平定信は，宗武の7男としてこの屋敷内で生まれた。

　日本武道館前を北に進むと，田安門の二ノ門（櫓門）がみえる。田安門（国重文）は北の丸の北端部に位置し，江戸五口の1つで，上州道の起点となっていたことから，古くは飯田町口とよばれ，また代官町御門ともいわれた。この辺りは，家康の入国以前は田安台といい，門の名の由来はここからきている。北の丸曲輪の構築に伴って，これらは牛込門の内側にあたる下田安に移された。田安門は慶長年間（1596〜1615）にはすでにあったが，1629（寛永6）年に福井藩主松平忠昌が，堅固な枡形門にたて直した。一ノ門の高麗門の扉釣金具に「寛永十三丙子暦（1636年）九月吉日九州豊後住人御石火矢大工渡辺石見守康直作」の刻銘があるので，この年に再建されたと考えられている。この年は，江戸城の総構が完成した年でもある。この釣金具をつくった渡辺康直は，おそらく清水門の肘金物をつくった渡辺康種の父か，親族にあたると思われる。

　なお，神田明神の祭礼のときは，山車・練物や神輿がこの田安門をはいり，田安・清水家の間の道から将軍の上覧所前をとおって，竹橋門に向かうのが通例であった。現在の門は，1963（昭和38）年に解体修理されたもので，その際に，関東大震災で大破した二ノ門の櫓門の渡櫓部分が本瓦葺きで復元された。

Marunouchi・Yūrakuchō
Kasumigaseki・Kanda

皇居周辺

山下町日比谷外さくら田（歌川広重画『名所江戸百景』）

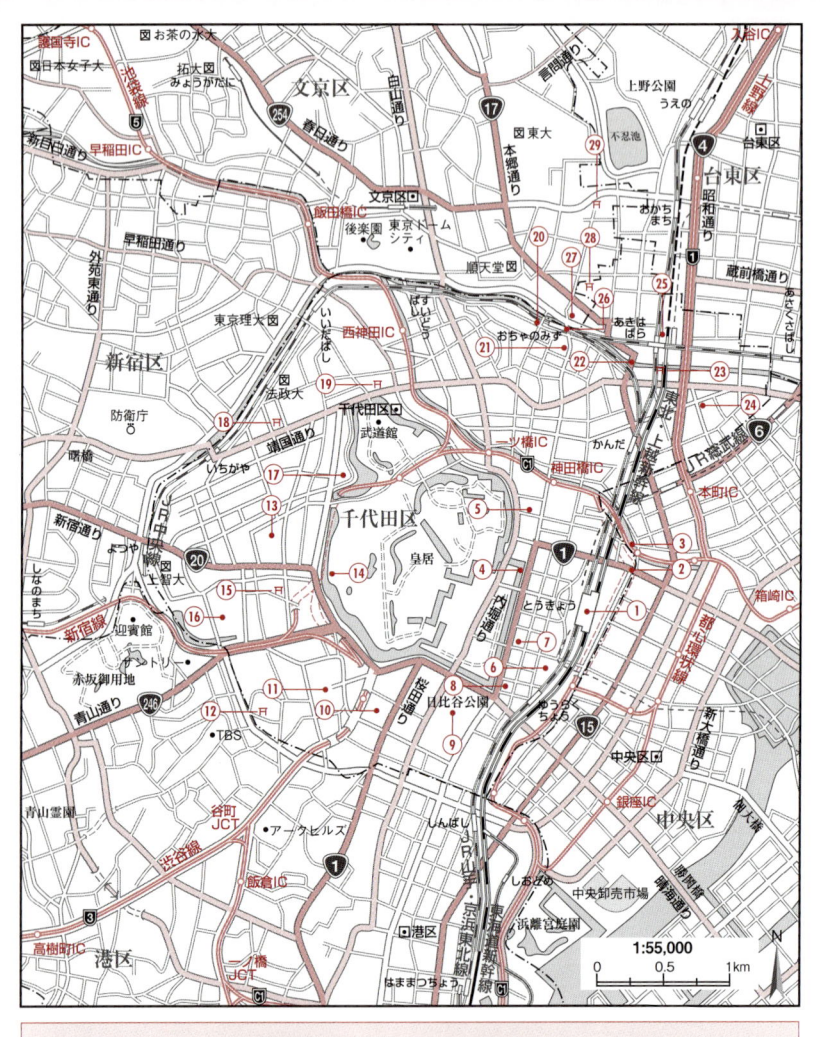

①東京駅	⑨日比谷公園	⑰千鳥ヶ淵戦没者墓苑	㉔神田お玉ヶ池
②呉服橋	⑩霞が関	⑱靖国神社	㉕秋葉原
③常盤橋	⑪国会議事堂	⑲筑土神社	㉖聖橋
④和田倉橋	⑫日枝神社	⑳お茶の水記念碑	㉗湯島聖堂
⑤将門塚	⑬麹町	㉑ニコライ堂	㉘神田明神
⑥東京府庁舎跡	⑭半蔵門	㉒万世橋	㉙湯島天神
⑦明治生命館	⑮平河天満宮	㉓柳森神社	
⑧旧第一生命館	⑯清水谷公園		

皇居周辺

◎皇居周辺散歩モデルコース

1. JR・地下鉄丸ノ内線東京駅_1_北町奉行所跡_3_呉服橋_2_港屋絵草紙店跡_2_常盤橋門跡_8_日本工業倶楽部_6_和田倉門_5_将門塚_3_地下鉄丸ノ内線ほか大手町駅

2. JR・地下鉄丸ノ内線東京駅_5_東京国際フォーラム（東京府庁舎跡）_5_明治生命館_3_出光美術館_1_旧第一生命館_10_南町奉行所跡_5_数寄屋橋公園_5_泰明小学校_10_JR・地下鉄有楽町線有楽町駅

3. JR・地下鉄有楽町線有楽町駅_5_日比谷公園_3_日比谷公会堂_5_帝国ホテル・鹿鳴館跡_15_法務省旧本館_5_汐見坂_5_霞が関コモンゲート_10_国会議事堂_5_日本水準原点_3_憲政記念館_2_国立国会図書館_15_日枝神社_10_李王家東京邸_2_地下鉄銀座線・丸ノ内線赤坂見附駅

4. 地下鉄半蔵門線半蔵門駅_5_半蔵門_5_国立劇場_3_最高裁判所庁舎_2_渡辺崋山生誕地（三宅坂小公園）_10_平河天満宮_15_清水谷公園（贈右大臣大久保公哀悼碑・玉川上水石桝）_5_紀尾井坂_10_上智大学・聖イグナチオ教会_5_心法寺（井沢弥惣兵衛墓）_5_JR・地下鉄丸ノ内線ほか四ツ谷駅

◎番町・九段〜外神田・湯島散歩モデルコース

1. JR・地下鉄南北線ほか市ケ谷駅_8_二七山不動院_2_東郷元帥記念公園_8_滝廉太郎居住地跡_10_千鳥ヶ淵戦没者墓苑_5_和学講談所跡_5_靖国神社・遊就館_2_大山巌・品川弥二郎銅像_1_常燈明台_5_昭和館・蕃書調所跡_1_旧九段会館_5_築土神社_5_滝沢馬琴宅跡_5_JR・地下鉄新宿線ほか九段下駅

2. JR・地下鉄丸ノ内線御茶ノ水駅_1_お茶の水記念碑_5_大久保彦左衛門屋敷跡_2_明治大学博物館_5_太田姫稲荷神社_5_神田古書店街_10_ニコライ堂_5_昌平橋_3_講武稲荷神社_10_神田青果市場発祥之地碑_10_柳森神社_10_お玉ヶ池種痘所の碑_15_秋葉原電気街_3_JR・地下鉄日比谷線ほか秋葉原駅

3. JR・地下鉄丸ノ内線御茶ノ水駅_3_お茶の水貝塚碑_5_湯島聖堂_2_昌平坂_5_神田明神_10_妻恋神社_10_霊雲寺_5_湯島天神_5_地下鉄千代田線湯島駅

首都東京の表玄関大手町・丸の内

1

オフィスビルがたち並ぶ大手町・丸の内には幕府機関の史跡や近代建築の遺構も多い。

東京駅周辺 ❶ 〈M▶P.34,37〉 千代田区丸の内1・大手町1
JR・地下鉄丸ノ内線東京駅🚶すぐ

辰野金吾設計の東京駅舎原敬・浜口雄幸の遭難現場

1872(明治5)年の鉄道開通以来,明治時代の東京の玄関は新橋駅であった。三菱による丸の内オフィス街の形成によって,東京の中心部へ鉄道を乗り入れ,中央停車場を建設することが決定したのは,1906年である。鉄道の線路竣工は1910年であったが,東京中央停車場(現,東京駅・国重文)開業は,1914(大正3)年12月であった。

設計は,ジョサイア・コンドルから西洋建築を学び,明治建築界を主導した辰野金吾である。外面は,六角球形の典雅なドームをもつ屋根が特徴的な,明治期最後の西洋建築の遺構である。外壁は赤レンガ・白御影石,ルネサンス様式の表現を用いて,駅舎というより町並みのような印象の壁面でかざられている。

左右のドームの両翼は間口約335mにもおよぶ巨大建築である。当初の平面計画では,中央正面出入口は皇室専用とされ,一般の人びとの出入口は左右のドームの下にあった。関東大震災をくぐりぬけた東京駅ではあったが,第二次世界大戦の空襲で屋根や内部を焼失し,戦後,大ドームは三角屋根に,3階建ては2階建てにつくりかえられた。現在は,2007年から2012年にかけて行われた保存・復原工事によって創建当時の姿が再現されている。

東京駅

東京駅では,現職の内閣総理大臣の遭難事件が2度ある。1921年11月4日,首相原敬は,丸の内南口の改札口手前で18歳の山手線大塚駅員中岡艮一に刺殺された。丸の内南口改札口の手前,券売

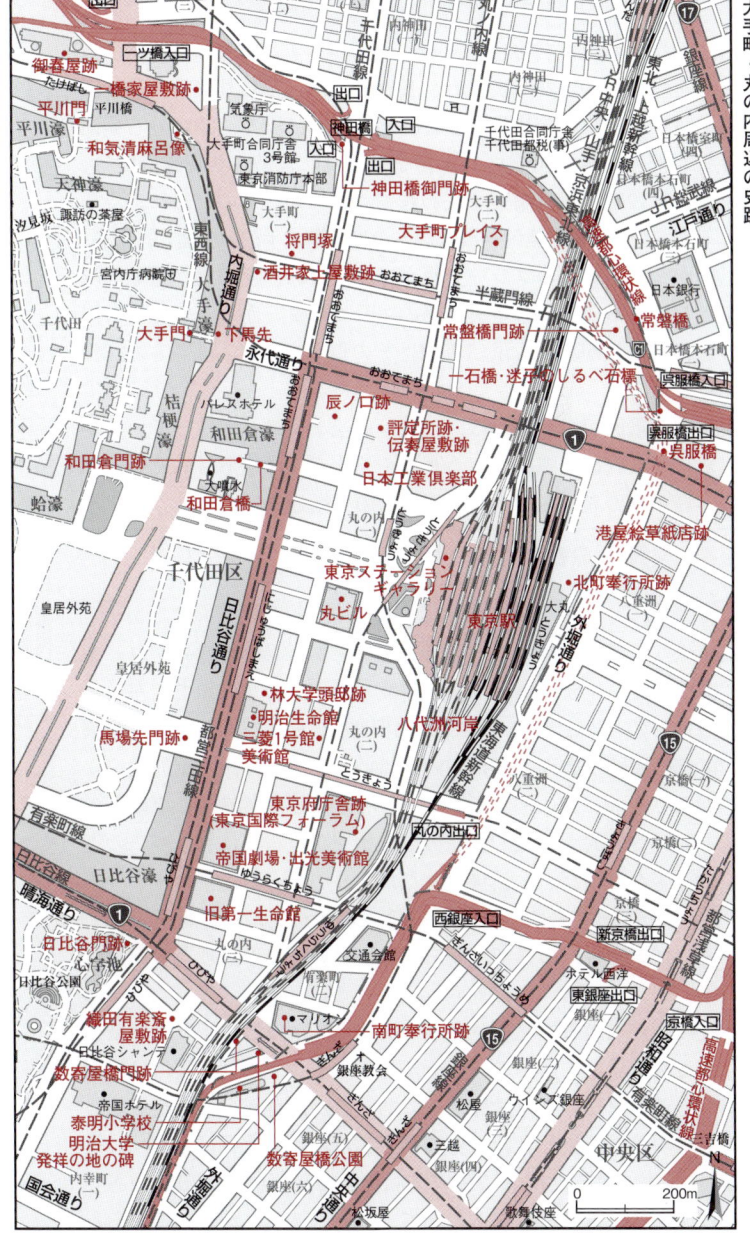

大手町・丸の内周辺の史跡

- 御茶屋跡
- 一橋家屋敷跡
- 平川門
- 和気清麻呂像
- 神田橋御門跡
- 大手町プレイス
- 将門塚
- 酒井家上屋敷跡
- 大手門
- 下馬先
- 常盤橋門跡
- 一石橋・迷子のしるべ石標
- 辰ノ口跡
- 評定所跡・伝奏屋敷跡
- 日本工業倶楽部
- 和田倉門跡
- 和田倉橋
- 港屋絵草紙店跡
- 東京ステーションギャラリー
- 北町奉行所跡
- 丸ビル
- 東京駅
- 林大学頭邸跡
- 明治生命館
- 三菱1号館・美術館
- 八代洲河岸
- 馬場先門跡
- 東京府庁舎跡(東京国際フォーラム)
- 帝国劇場・出光美術館
- 旧第一生命館
- 日比谷門跡
- 織田有楽斎屋敷跡
- 数寄屋橋門跡
- 南町奉行所跡
- 泰明小学校
- 明治大学発祥の地の碑
- 数寄屋橋公園

首都東京の表玄関大手町・丸の内

37

機の左側に説明板がある。説明板前の床のタイル中央には，原敬遭難現場を示す○印がある。また，1930（昭和5）年11月14日，首相浜口雄幸は，駅構内の中央通路8番線北側上り階段で，23歳の右翼団体社員左郷屋留男に狙撃され重傷をおった。当時の8番線階段は，東京駅の新幹線ホーム増築で失われてしまった。そのために，現場の真下にあたる東海道新幹線改札口へのぼる階段手前の床面に，真鍮の○印がついた茶色のプレート板がはめこまれ，浜口雄幸遭難の場所を示している。また，中央通路のエレベーターからみて左手の円柱の壁に案内板がある。浜口首相はその傷がもとで，翌年8月26日に死亡した。

東京駅八重洲口の前面には，1950年前後まで外濠が残っていたが，第二次世界大戦後，戦災による瓦礫や焦土を処理する目的でこの部分の外濠が埋め立てられ，八重洲口前の外堀通りになった。

呉服橋と常盤橋 ❷❸

〈M▶P.34,37〉千代田区大手町2−7，中央区日本橋本石町1・2
JR・地下鉄丸ノ内線東京駅🚶5分

竹久夢二の絵草紙屋跡
国史跡の常盤橋門跡

東京駅八重洲口には，新たなランドマークとして南北のタワーを結ぶ商業施設「グランルーフ」が完成した。その北口をでて左，日本橋口前の辺りが北町奉行所跡（都旧跡）である。正しくは呉服橋門内町奉行所跡という。江戸城内にはいる呉服橋は，八重洲北口から外堀通りを北に250mほどいった永代通りとの交差点にその名のみ残っている。大正時代，現在の呉服橋交差点辺りに竹久夢二の港屋絵草紙店があった。大正ロマンただよう版画・封筒・カード・手拭・半襟を売っていた。呉服橋交差点の北東側にある新呉服橋ビルディング東側入口の横に，夢二の絵がはいった赤大理石の記念碑がある。

呉服橋交差点から外堀通りをさらに北へ50mほどいくと，外濠につながる日本橋川にかかる一石橋がある。かつての日本橋川は江戸市中へ物資を運びいれる幹線運河であったが，首都高速道路が建設されて昔の景観が失われた。一石橋の名は，橋の北側に金座改役後藤庄三郎の役宅，南側に幕府呉服御用の後藤縫殿助の店があり，後藤（五斗）と後藤（五斗）をあわせて「一石」としゃれたものである。

常磐橋

一石橋の南詰め西側に迷子のしるべ石標（都旧跡）がたっている。石柱の上部には，左には尋ね人の紙を貼るくぼみ，石には迷子をあずかっていることを知らせる紙を貼るくぼみがある。江戸時代，迷子は町内で保護することが義務づけられていたため，地元の西河岸町が建立したもので，裏面には「安政四丁巳（1857年）二月，西河岸町」ときざまれている。

　一石橋西側は，江戸城の大手町曲輪の外濠となる日本橋川の上流と大名小路曲輪（現在の丸の内）の外濠，内濠の竜の口から日本橋川につうじる道三堀の合流点で，堀と川がまじわるところであった。

　一石橋から北へ常盤橋交差点を渡ると，左側に1877（明治10）年にかけ替えられた都内最古の洋式石造アーチ橋である常磐橋と，江戸時代の常盤橋門跡（国史跡）がある。常磐橋は，もと大橋あるいは高橋とよばれた。この辺りは，太田道灌（持資）が江戸城を開いた戦国時代には江戸湊の中心であった。江戸時代は，大手町曲輪の日光・奥州道中口の要衝で，常盤橋門は大手門に対応する追手口として重視されていたため，敵の侵入を防ぐコの字型の枡形の石垣が残る。1631（寛永8）年から1806（文化3）年まで，中断はあるが，門内に北町奉行所が設置されていた。

　常盤橋門跡のある常盤橋公園には，1933（昭和8）年，ここを復旧整備した渋沢青淵翁記念会によって建てられた，朝倉文夫制作の渋沢栄一像がある。公園の南側の通りを西へ進み，JRの高架線のガードをぬけて西へ向かうと，右側に大手町プレイスがある。この一帯には，幕末まで，福井藩・越前松平家の上屋敷があり，藩主松平慶永（春嶽）や家臣の橋本左内らはここを拠点に活動した。

和田倉橋周辺 ❹　〈M ▶ P.34, 37〉千代田区丸の内1・大手町1
JR・地下鉄丸ノ内線東京駅 大 すぐ

　東京駅丸の内側のランドマークは，新しく2002（平成14）年に建築された地上36階建ての丸ビルである。その向かいに昔ながらの新丸

首都東京の表玄関大手町・丸の内

日本工業倶楽部ビル

評定所・伝奏屋敷跡
日本工業倶楽部ビル

ビル,その北側,丸の内1丁目4番地の一角は,江戸時代の評定所・伝奏屋敷跡(都旧跡)である。1666(寛文6)年に設立された評定所は,三奉行(町・勘定・寺社)と老中で構成される江戸幕府の最高の合議機関であった。伝奏屋敷は,幕府との連絡・調整を行う朝廷の武家伝奏が,天皇の勅使や上皇の院使として江戸へ下向したときに使用する宿泊施設である。その接待には中小の大名が割り当てられた。1701(元禄14)年,勅使接待役に任命された播州赤穂藩主浅野内匠頭長矩が,江戸城松之廊下で吉良上野介義央に対して刃傷におよび,即日切腹を命じられたのは有名である。

この一角には日本工業倶楽部(クラブ)のビルがある。日本工業倶楽部は1917(大正6)年に設立された実業家の団体であり,初代理事長は血盟団事件でテロに倒れた三井財閥の団琢磨である。日本工業倶楽部ビルは,2003(平成15)年に新しく高層ビルにうまれかわったが,1920(大正9)年にたてられた様式を上手に残した。正面の玄関軒上におかれた人物像は,男性はハンマー,女性は糸巻を手にし,大正時代の二大工業であった石炭業と紡績業を象徴している。

三菱一号館美術館

江戸時代には,この辺りを竜の口とよんでいた。徳川家康の江戸入府直後,江戸湊大橋(のちの常盤橋)ぎわから江戸城の和田倉へ幅約25mの舟入堀が掘削された。当時,この河岸に,幕府の御用医

師曲直瀬道三玄朔の屋敷があったことから道三堀と名づけられた。江戸城の内濠が完成すると、その余り水を和田倉橋ぎわで道三堀におとしたことから、その落し口を竜の口とよんだのである。

　この辺りは、江戸城の大名小路曲輪の跡に明治中期以降に形成された丸の内オフィスビル街である。軍用地として空地になっていた約8万5000坪（約28万500㎡）の地を、1890（明治23）年に三菱の岩崎弥之助が払い下げをうけて開発した。1894年には、ここにジョサイア・コンドルが設計した赤レンガ造りの洋風事務所が建てられた（三菱一号館）。この建物は、1968（昭和43）年に老朽化を理由に解体されたが、現在は、ほぼ同じ場所に原設計に基づいて復元された三菱一号館美術館が建てられている。続いて、同年に東京府庁舎、1899年東京商業会議所、1911年帝国劇場がたち並んだ。明治末期には、赤レンガのロンドンのような街並みが出現し、人びとは三菱赤煉瓦街とか、一丁ロンドンとよんだ。大正・昭和にはいり、鉄筋コンクリートの高層ビルが出現して現在の景観に近くなった。

将門塚 ❺
〈M ▶ P.34,37〉千代田区大手町1-2
JR・地下鉄丸ノ内線東京駅🚶10分

　竜の口跡の北方300m、大手濠につきあたる直前の右手に将門塚（都旧跡）がある。将門塚は三井物産ビルの東側、ビルにはさまれた谷間に残されている。塚には、供養碑の後ろにもともとの将門の墓といわれる石灯籠がある。供養碑は第二次世界大戦後に改修されたものである。

　平将門は、伯父の平国香を殺し、下総・常陸で反乱をおこして関東を制覇した。新皇と称したが、940（天慶3）年、国香の子・平貞盛や藤原秀郷に討たれた（承平・天慶の乱）。その将門の首塚がこの地にあったという伝承は、鎌倉時代末期には成立していたらしい。江戸幕府編纂の『文政寺社書上』に収録されている「時宗日輪寺縁起」によると、日輪寺（現、

将門塚

和気清麻呂像

東国独立をめざした英雄
平将門の首塚

台東区西浅草)の前身の芝崎道場がこの地にあり，将門塚があった地には，平将門を祭神とする明神社があった。芝崎道場は，嘉元年中(1303～06)，時宗の2代遊行上人となった他阿真教が，この明神社の将門首塚の前で将門の怨霊を供養して祟りをしずめ，その縁でここに開かれたという。

将門塚がある地は，江戸時代，譜代の重臣酒井雅楽頭(上州前橋藩主，のち播州姫路藩主)の上屋敷であった。それ以前，幕府は大手門正面を整備するため，この地にあった寺社や民家を北の神田橋御門の外へ移した。このため，将門の霊をまつった明神社は以後，神田明神とよばれるようになる。明神社移転後も，将門の首塚(円墳)は酒井家邸内に残っていた。明治維新後，酒井家屋敷は大蔵省の敷地となり，関東大震災後，墳丘は整地されて供養碑がたてられた。

将門塚から内堀通りにでて北に進むと，濠端に和気清麻呂像がある。和気清麻呂は，宇佐八幡宮の神託といつわって皇位につこうとした道鏡の野望を打ちくだいた忠臣とされる。皇居外苑の武臣楠木正成像に対し，1940(昭和15)年，文臣の象徴として「皇紀2600年」記念に，陸軍大将林銑十郎らによって建立された。

2 東京のかつての中心有楽町界隈

東京府・東京都の庁舎がおかれたかつての首都行政の中心地。
敗戦後の連合国軍による占領行政の中心地でもあった。

東京府庁舎跡 ❻

〈M▶P.34,37〉 千代田区丸の内3-5-1
JR・地下鉄丸ノ内線東京駅🚶5分

東京国際フォーラムの太田道灌像 朝倉文夫作

　JR東京駅丸の内南口をでると，南に東京国際フォーラムのガラス張りのモダンな建物がみえる。ここが東京府庁舎跡(都旧跡)である。東京国際フォーラムの南側の入口に「東京府廳舎」の石柱がたっている。東京都庁の前身東京府庁が，現在の内幸町1丁目からここ旧土佐藩山内家上屋敷跡へ移ったのが1894(明治27)年である。都庁舎が1991(平成3)年に新宿区西新宿2丁目へ移転したのち，国際会議や各種のイベントを行う東京国際フォーラムが建設された。東京国際フォーラムは，日本初の国際建築家連合公認コンペで設計が募られ，アメリカのラファエル・ヴィニオリの設計が当選した。旧都庁のシンボルであった太田道灌像は，今，船形の総ガラス張りのG館北隅におかれている。制作者は朝倉文夫で，1957(昭和32)年12月に除幕された銅像は，等身大，鷹狩りにでかける姿である。

　内濠沿いの日比谷通りの馬場先門を中心とした600m余りは，かつて八代洲河岸とよばれていた。今はJR東京駅の東側になった「八代洲」の名称は，1600(慶長5)年にリーフデ号で日本へきた，オランダ人ヤン・ヨーステン(耶揚子)の邸宅が，この濠端(河岸)にあったことによるという。

明治生命館 ❼
03-3283-9252

〈M▶P.34,37〉 千代田区丸の内2-1-1
JR・地下鉄丸ノ内線東京駅🚶5分

国重文の昭和建築 建築家岡田信一郎の遺作

　馬場先門交差点の北東角に，1934(昭和9)年竣工の明治生命館(国重文)がある。設計者は歌舞伎座も手がけた岡田信一郎である。敗戦後の1945(昭和20)年に米軍に接収され，2階の会議室は1952年まで対日理事会の会場として使用されていた。明治生命館は，コリント式の列柱が美しいネオ・ルネサンス様式のオフィスビルで，昭和の建造物ではじめて重要文化財に指定された。江戸時代，この地には八代洲河岸定火消屋敷があった。浮世絵師歌川(安藤)広重は，八代洲河岸定火消安藤徳右衛門の子で，この屋敷内の組長屋で生ま

明治生命館

れ、成人後しばらく火消同心をつとめていた。

　明治生命館北隣の千代田ビル一帯は、林大学頭邸跡（都旧跡）である。林家は徳川家康に儒官としてつかえた朱子学者の林羅山を祖とする。1691（元禄4）年、4代目の林鵞峯が8代将軍徳川吉宗から大学頭に任じられて世襲した。御茶の水の湯島聖堂と昌平坂学問所を管掌・主宰し、林家とよばれた。

旧第一生命館 ❽
03-3216-1211
〈M ▶ P.34,37〉千代田区有楽町1-13-1
JR・地下鉄有楽町線有楽町駅🚶5分

昭和初期の代表的建築かつてのGHQ本部

　JR有楽町駅の北口をでると、正面は東京国際フォーラムの南側である。東京国際フォーラムを右手にみて日比谷通りにでる角の国際ビルに、出光美術館と帝国劇場がある。出光美術館は帝劇ビルの9階にあり、出光石油の創始者出光佐三が収集した書画や陶磁器などの美術館だが、『伴大納言絵巻』やルオーの宗教画も所蔵し、公開している。帝国劇場は、1911（明治44）年、わが国最初の本格的なヨーロッパ様式の劇場として開場され、「今日は三越、明日は帝劇」は、大正時代流行の言葉となった。帝国劇場の南隣が旧第一生命館（現、DNタワー21）である。東京国立博物館本館や銀座の和光ビルを設計した渡辺仁の設計である。列柱の並ぶ古典様式の骨格を、装飾を廃したストイックな形態のなかにおさめた昭和初期を代表する

旧第一生命館

建築であり，1938（昭和13）年に竣工した。第二次世界大戦降伏直後の1945年9月，連合国軍に接収され，1952年4月まで連合国軍最高司令官総司令部（GHQ）がおかれていた。6階にあったマッカーサーの執務室は現在も保存されているが，2001（平成13）年9月11日のアメリカの同時多発テロ事件以降非公開となっている。

晴海通りの東宝ツインタワービルの前から日比谷シャンテにかけて，江戸時代初期，織田信長の末弟有楽斎長益の屋敷があったといわれ，明治になって有楽町の町名がうまれた。JR線のガードをくぐった辺りが，江戸時代の数寄屋橋門のあったところで，有楽町イトシアの辺りが南町奉行所跡（都旧跡）である。有楽町駅中央口前広場に碑が建てられ，出土した石組が一部再現されている。また，地下広場には穴蔵が復元展示されている。

さらに晴海通りを東へ向かうと，高架の高速道路手前には，1881（明治14）年，明治法律学校として設立された明治大学発祥の地の碑がたつ。高速道路下が外濠跡で，ここに数寄屋橋がかかっていた。橋名の由来は，江戸時代初期，橋の東側に江戸城中の茶道を管掌し，御数寄屋坊主を配下とする御数寄屋頭の屋敷があったことによる。高速道路をくぐった東側の小さな数寄屋橋公園には，ラジオドラマ「君の名は」の作者菊田一夫の筆による，「数寄屋橋ここにありき」ときざんだ数寄屋橋の碑がある。この碑の石材は，かつての数寄屋橋の橋材を用いたものである。

数寄屋橋公園を南へまわりこみ，みゆき通りを少し西へいくと，1878（明治11）年創立の歴史を誇る泰明小学校がある。泰明小学校の玄関脇に「島崎藤村　北村透谷　幼き日　ここに学ぶ」ときざんだ碑がある。なお，みゆき通りは，明治天皇が明治初期に，築地の海軍兵学校に行幸するときにとおったことに由来する。行幸は「みゆき」とも読み，天皇の外出を意味する。

泰明小学校藤村・透谷の碑

東京のかつての中心有楽町界隈

③ 官庁街の霞が関から赤坂見附へ

日比谷公園内には史跡が多くあり、時間をかけて見学したい。赤坂見附にかけては、みるべき近代建築が点在している。

日比谷公園 ⑨
03-3501-6428
(公園管理所)

〈M ▶ P.34, 47〉 千代田区日比谷公園
JR山手線・地下鉄有楽町線有楽町駅🚶5分、地下鉄日比谷線・千代田線・三田線日比谷駅🚶1分

明治時代のドイツ式庭園
日比谷焼打ち事件

日比谷公園は、1903(明治36)年に開園されたドイツ式庭園である。針葉樹と西洋式の構成が特色。長州藩毛利家上屋敷・佐賀藩鍋島家の上屋敷の跡で、明治初年の火災で焼失したのち、陸軍練兵場となっていた。日本最初の西洋式庭園として市民に愛されている。

日比谷交差点の有楽門をはいると、左手の石垣と心字池は、江戸時代の日比谷門(見附)に続く石垣土手と濠の一部を今に伝えたもの。公園の北側にある結婚式場フェリーチェガーデン日比谷(旧公園資料館、都有形)は、1910(明治43)年11月に竣工したドイツ・バンガロー風の建物。明治期の数少ない木造洋風建築として貴重なものである。公園の南側にある日比谷公会堂は、1929(昭和4)年に、安田財閥の創始者である安田善次郎の寄付によってできた。ネオ・ゴシック風の建物は、早稲田大学大隈講堂の設計で知られる佐藤功一の作品の1つである。この公園でおきた最大の事件が日比谷焼打ち事件である。日露戦争のポーツマス条約で賠償金をとれなかったことに不満をもつ民衆の暴動は、旧野外音楽堂(現在の大噴水の場所)で発生している。

日比谷公園東側の帝国ホテルは、明治時代の国賓を迎えるホテル

フェリーチェガーデン日比谷　　　　　　　　日比谷公会堂

霞が関・赤坂見附周辺の史跡

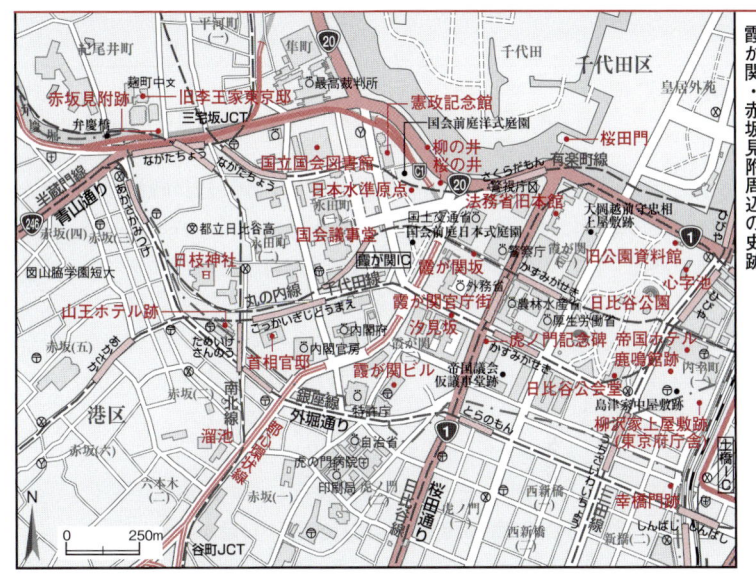

として1890(明治23)年に創立された。2代目の建物は，1916(大正5)年に来日した，アメリカ人建築家フランク・ロイド・ライトの傑作の1つであった。1967(昭和42)年改築のために取りこわされ，玄関部分のみが愛知県犬山市の明治村に移築されている。

　帝国ホテルの南隣一帯は，かつての薩摩藩島津家中屋敷で，表門はその色調から黒門とよばれた。琉球使節が出府した際にこの屋敷で装束を改めたところから，装束屋敷ともいわれた。この跡地に，1883(明治16)年11月28日，鹿鳴館が開館した。日本へ西洋建築学を教えにきたイギリス人建築家ジョサイア・コンドルの設計による，レンガ造り2階建ての洋館である。不平等条約の改正をめざす外務大臣井上馨が，改正交渉を有利に進めるため，外国要人接待の社交場として建築した。そのことから，明治20年前後の時代を，鹿鳴館時代という。しかし，鹿鳴館は7年余で廃止され，1933(昭和8)年までは華族会館として使用されたが，1940年に取りこわされた。大和生命ビルの地下駐車場口に，鹿鳴館跡を示す標識がある。

　内幸町と新橋の境の通りは，虎ノ門・溜池・赤坂見附と続く外濠跡で，現在の第一ホテル辺りに幸橋門(見附)があり，将軍の増上寺参詣の道筋にあったところから，御成門ともよばれていた。

官庁街の霞が関から赤坂見附へ　　47

霞が関界隈 ❿

〈M▶P.34,47〉千代田区霞が関1～3
地下鉄銀座線虎ノ門駅🚶1分，丸ノ内線・日比谷線霞ケ関駅🚶3分

日本初の超高層ビルの霞が関ビル
国重要文化財の法務省旧本館

　霞が関コモンゲートの前を東西に走る外堀通りが，江戸時代の外濠跡で，濠の北岸には石垣土手が延々と築かれていた。石垣の一部は，地下鉄虎ノ門駅の新庁舎連絡通路内と文部科学省構内のラウンジ前に展示され，説明パネルも設けられている。虎ノ門(見附)は，現在の虎ノ門交差点の北東約200mの位置にあった。虎ノ門交差点の北東角に虎ノ門記念碑がある。虎ノ門の名称は，古代以来の陰陽道の四神相応思想によって，道三堀の竜の口に対して，虎ノ門の称が用いられたものらしい。

　大正天皇の病気中，摂政として政務を代行していた皇太子裕仁(のちの昭和天皇)が，1923(大正12)年12月27日，自動車で帝国議会に向かう途中，虎ノ門交差点で無政府主義者難波大助に狙撃されるという虎ノ門事件がおきた。車の一部が損傷する程度であったが，国民に衝撃をあたえ，当時の第2次山本権兵衛内閣は総辞職した。

　霞が関コモンゲートの西隣にある，地上36階・高さ147mの霞が関ビルは，1968(昭和43)年に竣工した。柔構造理論によって建設された，わが国最初の超高層ビルである。

　財務省と外務省の間の坂道は，眼下に江戸湾をのぞめたことから汐見坂とよばれる。桜田通りを隔てて財務省と向かいあう郵政公社と経済産業省の敷地には，1890(明治23)年の第1帝国議会の召集以来，1936(昭和11)年11月，現在の国会議事堂に移るまでの46年間，帝国議会衆議院・貴族院の仮議事堂(木造2階建て，ドイツ様式の洋館)があった。後日本格的な議事堂建設の意図があったことから仮議事堂と称したが，通算69議会，47年の間議会はここで開かれた。

　地下鉄霞ケ関駅から霞が関1丁目交差点にでる。現国会議事堂前庭南地区辺りを江戸時代から霞が関とよんでいたようである。古代の和歌に用いられる歌枕にも「あづまの路の霞の関」とあるが，その由来はよくわからない。

　北西の一角に法務省旧本館(合同庁舎第6号館赤レンガ棟・国重文)がある。明治政府は不平等条約改正交渉をするにあたり，近代

明治の東京改造計画

コラム

東京改造と赤レンガ建築

　明治政府は1886(明治19)年,諸外国との条約改正にさきだち,近代国家としての体制を整えるため,西洋式の建築による官庁集中計画に着手,外務大臣井上馨を総裁とする臨時建築局を設けた。その計画を実現するために招かれたのが,ドイツ建築界を代表するエンデとベックマンであった。

　また,この計画のために総勢12人のドイツ人技師を雇いいれるとともに,日本人の左官や屋根職人を含めた20人の留学生もベルリンに送った。

　しかし,虎ノ門事件による井上馨外相の辞任など政治状況の変化に加え,膨大な資金を要することから反対者が増加し,またレンガの大建築をのせるのにあまりに軟弱な地盤の悪さが表面化して諸官庁の移転計画は縮小されていった。

　臨時建築局も,1890年廃局となった。そのため,実際にたてられたのはすでに着手されていた司法省と大審院(現在の最高裁判所)のみであった。

　最高裁判所の赤レンガ建築が取りこわされた現在,法務省旧本館は,明治建築のなかではもっとも壮大で美しいものであり,明治の東京改造計画を伝える唯一の建物となった。

　国家の体制を整えるため,1886(明治19)年から官庁集中計画に着手し,ドイツ建築界を代表するヘルマン・エンデとヴィルヘルム・ベックマンを招聘した。この建物は,司法省庁舎として1895(明治28)年に竣工したものである。1991(平成3)年から3年間の保存改修工事で,創建時の姿に復元された。このなかに法務史料展示室があり,日本の司法史料や当時の建築史料・建築材料が展示されている。

法務省旧本館

国会議事堂 ⓫　〈M▶P.34, 47〉千代田区永田町1-7
地下鉄有楽町線桜田門駅🚶3分,または地下鉄千代田線・丸ノ内線国会議事堂前駅🚶1分

　桜田門駅の永田町駅寄りの出口から表へでると,国会議事堂正面

官庁街の霞が関から赤坂見附へ　　49

加藤清正の屋敷跡と標庫
日本水準原点

がみえる。国会議事堂正門へ向かうゆるやかな坂道の両側に，広大な国会前庭がある。幅50mの道路で南地区（日本式庭園）と，北地区（洋式庭園・憲政記念館）に分けられている。

南地区は，明治以降，皇室用地の霞が関離宮跡を主体とする一角で，江戸時代には摂州三田藩（兵庫県三田市）九鬼家の上屋敷があった。小字名を霞関とよばれた景勝地で，霞が関の地名発祥の原点であるが，昭和40年代に進められた住居表示区画整理で，永田町に編入されてしまった。

北地区は，明治時代の陸軍参謀本部および陸軍省跡であるが，この地は肥後熊本藩52万石加藤清正の屋敷跡（都旧跡）と伝えられる。また，近くの濠端の湧水は，柳の井・桜の井（都旧跡）とよばれていた。柳の井は憲政記念館の下の濠端に，桜の井は首都高都心環状線のトンネル出口付近にある。

加藤家は2代忠広のとき，謀反の疑いにより江戸幕府3代将軍徳川家光によって改易され，1632（寛永9）年に断絶した。その後，加藤家の藩邸を拝領したのが，近江彦根藩30万石の井伊直孝である。以後，井伊家の上屋敷として幕末におよんだ。

幕末に大老となった直弼は，1860（万延元）年3月3日，上巳の節句の賀詞言上に登城しようとしてこの上屋敷をでてまもなく，水戸藩の浪士におそわれて殺害された。これが桜田門外の変である。

国会議事堂北地区の東部には，もと陸軍参謀本部陸地測量部があり，わが国の精密な5万分の1の地図はここでつくられた。標高基準として1891（明治24）年に設置された，日本水準原点（東京湾の海面から標高約24.4m）がここにある。水準原点は，ローマ神殿風の日本水準原点標庫のなかにある大理石の台座に取りつけた水晶板に，

日本水準原点標庫

50　皇居周辺

憲政記念館の尾崎行雄像

赤い線がきざまれている。日本水準原点標庫の設計者佐立七次郎は，ジョサイア・コンドルに教えをうけた辰野金吾（日本銀行本店・東京駅）・片山東熊（東京国立博物館表慶館・迎賓館）・曽禰達蔵（慶応義塾図書館旧館）らと並ぶ工部大学校第1期生である。佐立七次郎の現存する作品は，このほか北海道小樽市立博物館（旧日本郵船小樽支店）しか残っていない。

　国会議事堂前庭北地区の尾崎行雄記念公園に，憲政記念館がある。憲政記念館は，わが国の国会開設80周年記念事業として，1972（昭和47）年に設立されたもので，近代日本にかかわる内外の政治関係資料が収集・公開されている。また，憲政記念館内には，尾崎メモリアルホールがある。第1帝国議会から60年7カ月の間衆議院に議席をもって日本の憲政発展に尽力し，95歳で没した尾崎行雄を顕彰記念したものである。中庭の尾崎行雄像は，1950（昭和25）年アメリカからの帰途，ハワイで別れを告げているときの姿である。

　現在の国会議事堂は，じつに3回の木造の仮議事堂を経て，1919（大正8）年に行われた新議事堂設計図の懸賞公募で，一等に当選した渡辺福三の作品をもとに，大熊喜邦を中心とする臨時議院建築局が本設計したものである。翌年から建築に着手したが，1923年9月1日の関東大震災で一時中断，1936（昭和11）年11月ようやく竣工した。耐震・耐火を考慮した外装花崗岩張り，鉄骨・鉄筋コンクリート3階建で，高さ65.45mの吹抜けの中央塔を中心に，向かって左側が衆議院，右側が参議院である。内部は大理石をはじめ，木彫・高級布地などによる工芸品を使用する本格的装飾施工になっており，資材および材料はすべて国産品が用いられている。正面玄関をはいった中央ホールには，わが国の議会政治の発展に寄与した伊藤博文・大隈重信・板垣退助の銅像が並んでいる。

　国会議事堂の北側には，国会付属の国立国会図書館がある。国会議員の職務上の調査・研究に必要な，内外・新旧の膨大な資料や図書が収集・整理されており，一般にも公開されている。

官庁街の霞が関から赤坂見附へ

国会議事堂の裏側を南へ進むと，右側に参議院議員会館，衆議院第二・第一会館が並んでいる。そのさき，衆議院側の左手前方に首相官邸がある。内閣の機能充実をめざして2003(平成15)年新しい首相官邸が竣工し，使用されている。古い首相官邸は，1928(昭和3)年に，大蔵省管財局が設計を担当し，旧鍋島藩邸跡に翌年竣工した。この旧首相官邸は多くの歴史的事件の舞台となった。1932年5月15日，海軍中尉三上卓ら陸海軍将校におそわれ，首相犬養毅が殺害された(五・一五事件)。さらに4年後の1936年2月26日，陸軍歩兵第1連隊中尉栗原安秀の指揮する下士官・兵約300人におそわれ，首相岡田啓介は奇跡的に難をのがれたが，義弟で秘書の松尾伝蔵が誤殺された(二・二六事件)。

　この建物は，水平線の強調や，スクラッチタイルの使用など旧帝国ホテルの設計者フランク・ロイド・ライトの作品に似ていることから，ライト風建築の1つに数えられているが，直接的な関係はない。内部広間や大食堂の装飾は，幾何学的なデザインのアール・デコ様式といえる。塔屋にみられるミミズク4羽は知恵の象徴である。

　首相官邸を右側にみながら南へ坂をくだり，首都高都心環状線がうえをとおる六本木通りをこえ，特許庁脇で江戸城の外濠を埋め立てた外堀通りにでる。

　この辺りの外堀通りと南側一帯，現在の赤坂1〜3丁目の高層ビルがたち並ぶ一帯は，溜池とよばれ，江戸時代初期に築造された人工池であった。徳川家康の命をうけた浅野幸長(当時，紀州和歌山藩37万6000石の大名)が工事を担当し，1606(慶長11)年に完成した。現在の特許庁の東側と，アメリカ大使館前の榎坂の線が溜池の堰堤で，特許庁前の洗い堰で余水がおとされていたことから，赤坂のドンドンとよばれていた。落ち水は幅30mの外濠

紀の国坂赤坂溜池遠景(歌川広重画『名所江戸百景』)

52　皇居周辺

川となり，東に流れて汐留橋付近で江戸湾にでた。溜池は外濠をかねた江戸初期の上水源で，赤坂・六本木の開発にも役立った。明和年間(1764～72)にハスが植えられて名所となったが，現在ではバス停と交差点にその名を残すのみである。

日枝神社 ⑫　〈M ▶ P.34,47〉千代田区永田町2－10－5
03-3581-2471　　地下鉄丸ノ内線・銀座線赤坂見附駅 徒 7分，南北線溜池山王駅 徒 5分

山王権現・山王さん　将軍もわが氏子

　赤坂見附駅から外堀通りを南へ向かうと，左手に山王パークタワーがある。そこは，1936(昭和11)年二・二六事件で反乱部隊が占拠した山王ホテル跡で，反乱部隊が1936年2月29日の最後まで抵抗したところである。そのさきに日枝神社の赤坂大鳥居があり，参道の脇にはエスカレーターもある。

　また，溜池山王駅の永田町寄りで地上にでて，キャピタル東急ホテルをまわりこむように日枝神社の下にでると，表参道の大鳥居がホテルの前にあり，そこから一気に本殿に至る急階段の山王男坂がある。日枝神社は標高約28mの山王台の突端に位置し，社地の南西部は高さ十数mの崖をなし，現在その崖下(山王下)が外堀通りとなっているという地形がわかる。

　日枝神社は，江戸時代以来，山王権現・山王さんなどとよばれて親しまれてきた。太田道灌が江戸城の鎮守として，川越(埼玉県)の星野山無量寿寺から移したとされていたが，熊野那智山実報院の「米良家文書」に，南北朝時代の1362(正平17)年，豊島郡江戸郷山王宮住僧3人が参詣宿泊したことが記されていることから，道灌の築城以前から存在していたことになる。もと山王神は天台宗の守護神で，平安時代初め，最澄が延暦寺を比叡山に創建する際，山霊に日吉山王を勧請したことにはじまる。中世の江戸郷に山王社が分

日枝神社

祀されたことは，江戸郷がかつて天台宗系寺院領だった可能性を示唆する。

　1590(天正18)年の徳川家康江戸入城後も太田道灌時代と同様に，山王社は城内で奉祭されていたが，1613(慶長18)年2代将軍秀忠が半蔵門外貝塚村(現，隼町)に移し，江戸城鎮守として社殿を造営，一般にも開放した。「将軍様もわが氏子」と祭礼の山車が城内にはいる天下祭りとしての山王祭は，3代将軍家光の1634(寛永11)年からである。

　明暦の大火(1657年)で社殿が類焼したことから，4代将軍家綱は社地を現在地に移し，1659(万治2)年に再建した。やがて氏子の町数160余町を擁して，山王祭は江戸最大の祭りになっていった。明治にはいると，神仏分離・廃仏毀釈の運動がおこり，祭神山王権現を『古事記』に基づいて大山咋神，社号も日枝神社に改めた。桃山建築様式の華麗な社殿は，1945(昭和20)年の戦災で焼失し，現在は鉄筋コンクリート造りで再建されている。

　赤坂見附駅から地上にでると外堀通りと青山通りの交差する赤坂見附交差点である。江戸時代に赤坂見附門のあったところで，相模の大山(標高1246m)石尊権現参詣(大山詣)の道があったことから，大山口ともいわれた。この道は現在の国道246号線である。

　また，交差点の北側に面した外濠の弁慶橋は，清水谷・紀尾井町方面への近道として，1889(明治22)年にかけられた。橋名の由来は，江戸初期に，大工の名棟梁弁慶小左衛門がつくった東神田にあった弁慶橋の廃材を中心に，神田橋・一ッ橋の廃材で構築されたことによるらしい。擬宝珠・勾欄の曲雅な木橋であったが，破損がはなはだしく，現在はコンクリート造りに改造されている。

赤坂見附跡

皇居周辺

旧李王家東京邸

　弁慶堀に沿って青山通りの富士見坂をのぼると，左側に赤坂見附門の石垣土手がわずかに残っており，赤坂見附跡の標識がたっている。1850(嘉永3)年の「江戸切絵図」によると，この坂道は50mほどの急な土手道で，両側の濠の水が赤坂見附門の枡形のすぐ下まではいりこんでいる。土手道両側の濠の水位は違っていたと思われるが，この門は濠の水面から15mほどうえにあった。1636(寛永13)年福岡藩主黒田忠之が構築したもので，ここの枡形がとくに秀抜であったところから「北斗の縄張り」と称されていた。これは土手道と枡形を北斗七星のひしゃく形にみたてたのであろうか。

　赤坂見附門跡から左折して諏訪坂をのぼると，左側は，江戸時代に紀州徳川家の中屋敷があったところで，明治以降は北白川宮邸となっていたが，関東大震災後は，日本の韓国併合により日本の皇族に組み込まれた李氏朝鮮の王家の邸宅となった。現在の旧李王家東京邸(都有形)は，1930(昭和5)年に建てられたもので，田舎家風に仕上げた濃褐色の木部をあらわすゴシック・チューダー様式を基本に，スパニッシュスタイルなども混在する西洋館であり，昭和初期の邸宅建築の貴重な遺構である。戦後は，赤坂プリンスホテル(のちにホテル別館)として利用されてきた。現在は，建てられた当時の姿に整備され，赤坂プリンスクラシックハウスとしてレストラン，結婚式場となっている。また，ホテルの庭には，1959年に移築した旧自証院霊屋(都有形)があったが，ホテル改造工事で解体され，現在は都立江戸東京たてもの園(小金井市小金井公園内)に移築・復元されている。自証院とは，3代将軍徳川家光の側室振の方のことで，尾張2代藩主徳川光友に嫁した家光の長女千代姫の生母である。1652(慶安5)年，千代姫が生母の菩提を祈り，一寺をおこしておさめた御霊屋の小建築で，幕府御用大工甲良豊前守宗清の手になる。

④ 甲州道中沿いの街麴町界隈

かつて山手最大の町屋だった麴町。平河天満宮門前に，往時の繁華をしのぶ。

麴町 ⑬

〈M ▶ P.34,57〉千代田区麴町1～6，新宿区四谷1・2
地下鉄半蔵門線半蔵門駅 大 すぐ

帯状の街道町四谷見附跡

　地下鉄半蔵門駅の2番出口をでると，すぐ前に広い新宿通りが東西に走っている。東へ約200mさきに皇居の半蔵門がみえる。反対の西約1kmさきが外濠の四谷見附になる。

　江戸時代の麴町は，この新宿通り両側の町屋を主とし，半蔵門前から四谷見附をこえ，現在の新宿区四谷2丁目におよぶ，帯状の甲州道中沿いの街道町で，13丁からなっていた。町名の麴町は，「東西髪の如き」小路町とも，麴製造業者が多かったともいわれ，武蔵国府と江戸湊を結ぶ道にあることから，この道の旧名「国府路」の替え字ともいう。

　街道筋の町屋であるが，背後は番方（軍事部門を担当する）の旗本屋敷がひかえている町店であった。武家屋敷から注文をとる商法であったことから，店前売りを中心とする店舗とは異なる瓦屋根の丈夫な店が並び，山手最大の町屋であった。間口28間（約51m）の大構えの店で，奉公人200人余といわれた呉服商岩城桝屋は，この5丁目の北側にあった。

半蔵門 ⑭

〈M ▶ P.34,57〉千代田区千代田
地下鉄半蔵門線半蔵門駅 大 6分

江戸城搦手内濠の城門伊賀の服部半蔵が警備

　新宿通りを東に進むと半蔵門にでる。半蔵門は皇居吹上御苑への通路であるが，江戸時代は江戸城搦手（裏門）内濠の重要な城門であった。半蔵門の名は，槍の名手で徳川家康16将の1人服部半蔵正成が，与力30騎・伊賀同心（伊賀忍者）200人を配下に，この門内に組屋敷をあたえられていたことによるという。濠は深く掘りさげられ，門前から西に四谷見附に至る麴町筋の両側には旗本の屋敷を配置して，本城の背後をかためるとともに，いざというときは八王子・甲府に避難する態勢であったと伝える。

　半蔵門交差点から，内堀通りを桜田濠沿いに三宅坂をくだると，右側に国立劇場がある。1966（昭和41）年，わが国の伝統芸能の保存

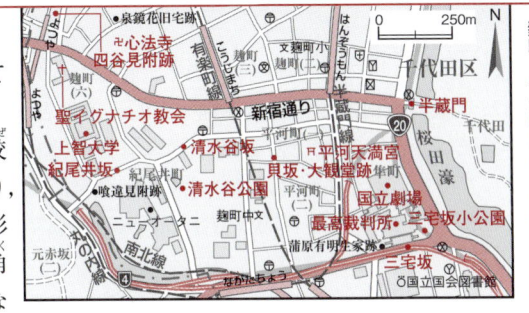

麴町・平河町周辺の史跡

と振興を目的として竣工したもので、正倉院を模した校倉造風の外観の飾り、内部の打上げ花火形のシャンデリアや角行灯形のスタンドなど、内・外観のデザインは、現代建築における伝統的様式の導入のあり方を示している。歌舞伎中心の大劇場、文楽や伝統芸能の発表会を行う小劇場のほかに、落語・色物の国立演芸場があり、伝統芸能の企画展示を行う伝統芸能情報館もある。

国立劇場の南隣は、1974年に竣工した最高裁判所庁舎である。わが国の司法の頂点にたつ最高裁判所らしく、茨城県稲田産「稲田みかげ」でかざられた重厚な外装に特色がある。

内堀通りを三宅坂交差点で右折すると、その角が三宅坂小公園で、その背後の最高裁判所庁舎の敷地は、江戸時代の三河（愛知県）田原藩主三宅家（1万2000石）の上屋敷跡である。1839（天保10）年5月、蛮社の獄で犠牲となった家老渡辺崋山は、藩邸内の長屋で1793（寛政5）年に生まれ、蛮社の獄でとらえられるまでこの地に住んでいた。公園の奥に渡辺崋山生誕地の説明板がある。

平河天満宮 ⓯
03-3264-3365
〈M ▶ P.34,57〉 千代田区平河町1-7-5
地下鉄半蔵門線半蔵門駅 6分

地下鉄半蔵門駅の半蔵門方面出口からでると、隼町交差点である。そこを南へ歩くと右手に平河天満宮がみえる。平河天満宮は、一般に平河天神とよばれ、徳川家康の入城まで江戸城内にあった。皇居東御苑の平川門内の天神橋・梅林坂がその名残りという。太田

平河天満宮

甲州道中沿いの街麴町界隈

道灌(持資)が、1478(文明10)年城内に創祀したものである。

1477年末、太田道灌は豊島泰経・泰明兄弟を石神井城(練馬区)と平塚城(北区)に攻め、翌1478年正月これを滅ぼした。彼はこの年剃髪して法号道灌を名乗り、あわせて天神社を江戸城内に奉祀した。非業のうちに死んだ敵・味方に対する鎮魂の供養であったかと思われる。

1590(天正18)年江戸入りした徳川家康は、天神社を平川集落の薬師堂(竜眼寺)に引きとらせ、寺僧の管理にゆだねた(当時は神仏混淆)。ついで2代将軍秀忠の大手門曲輪築造で、再び町ぐるみで現在地に移転させられた。

その後、江戸時代をつうじて、学問の神として平河天神の名声が高まり、境内では芝居・相撲の興行も行われ、門前町も繁華となって山手の代表的な盛り場となった。明治初年の神仏分離令によって、祭神は菅原道真、社号を平河天満宮と改めた。

太田道灌が天神を創祀　門前は山手の盛り場

清水谷公園 ⓰　〈M ▶ P.34,57〉千代田区紀尾井町2
地下鉄銀座線・丸ノ内線赤坂見附駅 🚶 8分

大久保利通の哀悼碑　玉川上水の石桝

平河天満宮西出口から、平河町1丁目と2丁目の境の通りを西に進むと、約100mで十字路にでる。左におれる坂道が貝坂で、1830(天保元)年この坂の下に高野長英の蘭学塾大観堂が開かれた。長英が1839年蛮社の獄で投獄されるまで、その多彩な活動拠点となったところである。

文藝春秋社を左手にみながら少しいき、紀尾井町交差点を西に進む。清水谷坂を200mほどくだると、ホテルニューオータニの下の丁字路にでる。直進する上り坂が紀尾井坂で、外濠の喰違見附にでる。紀尾井坂・紀尾井町の名は、この一帯に紀伊徳川家・尾張徳川家・彦根藩主井伊家の中屋敷があったことによる。

清水谷公園の大久保公哀悼碑

玉川上水石枡

　左におれる坂をくだると清水谷で、かつて清浄な地下水がわきでることで知られていた。下り坂の左側に清水谷公園がある。園内に贈右大臣大久保公哀悼碑がある。1878(明治11)年5月14日の朝、明治の元勲大久保利通が太政官へ馬車で出勤の途中、紀尾井坂にさしかかったとき、有司専制を批判する石川県士族島田一良ら6人におそわれて殺害された(紀尾井坂の変)。大久保利通追悼のため、10年後の1888年に建碑されたもので、その2年後に公園が完成した。

　この碑の右手奥に、江戸時代の水道に使われていた玉川上水石枡が展示されている。1970(昭和45)年麴町通りの道路工事中に出土したもので、4段重ねの石枡は水をくみとる施設で、江戸の上水施設の巨大さを今に伝えている。同時に出土した木管は、千代田区立四番町歴史民俗資料館で保管されている。

　再びホテルニューオータニ下の丁字路に戻り、直進して上智紀尾井坂ビルと麴町31MTビルの間から上智大学の東側の道をぬけて新宿通りにでる。ホテルニューオータニの敷地は井伊家の中屋敷跡で、聖イグナチオ教会および上智大学の構内は、尾張徳川家の中屋敷跡である。

　新宿通りの、イグナチオ教会と反対側に慶長年間(1596～1615)に創建されたという心法寺(浄土宗)がある。千代田区内最古の寺といわれるこの寺の境内には、もと紀州藩士で、8代将軍徳川吉宗に登用され、紀州流土木工法を創始し、河川改修や新田開発に多くの業績を残した勘定吟味役井沢弥惣兵衛の墓がある。

⑤ 番町から九段界隈へ

幕末から明治前半期にかけての隠れた史跡が多数。リニューアルされた靖国神社遊就館は見応え十分。

千鳥ヶ淵戦没者墓苑 ⑰
03-3262-2030
〈M ▶ P.34, 62〉 千代田区三番町2 P
地下鉄半蔵門線半蔵門駅 🚇 20分

無名戦没者35万人が眠る国・諸団体による慰霊

JR市ヶ谷駅から靖国通りを神保町方面に向かい、「東郷公園入口」の信号表示板で右折して東郷通りにはいる。道なりに進むと東郷元帥記念公園がある。その手前の交差する道は二七通りとよばれ、交差点を左折した左手に通りの名の由来となった二七山不動院があった。昭和30年代ごろまでは、2と7がつく日の縁日には多くの人出で賑い、その後も地元の人びとの信仰を集めていたが、2005（平成17）年に火災で全焼。現在は、東京家政学院大学の少し先に移転しているが、かつての面影は全く失われている。

東郷元帥記念公園は高低の2段からなっている。その高い部分には、日露戦争のときの日本海海戦で、ロシアのバルチック艦隊を破った連合艦隊司令長官東郷平八郎の邸宅があった。東郷は、ここに1881（明治14）年から1934（昭和9）年88歳で死去するまで居住していた。東郷没後に邸宅と敷地が寄付され、昭和4年から公園として開園されていた隣接する低い部分と併せ、1938（昭和13）年から現在のような公園とされたのである。公園中央に置かれたライオンの像は、屋敷の玄関脇にあったものだという。

公園脇の東郷坂を下りきった右側に、千代田区立四番町歴史民俗資料館がある。1階と地階の展示室では、武家屋敷跡から出土した茶椀や徳利、急須といった日用生活品などが紹介されている。

東郷坂に続く行人坂・南法眼坂をいき、丁字路を左折する。この辺りは一番町で、番町という地名は、江戸幕府がこの一帯に大番組を構成する直参旗本の役宅を配置したことに由来する。大番組は、平時には江戸城警護や江戸市中の巡回などを順番で行う軍事的組織であった。

一番町の交差点を左折して、大妻女子大学方面へと向かう。袖摺坂をのぼった左側が、滝廉太郎居住地跡（都旧跡）である。滝廉太郎は、ここにあったいとこの滝大吉方に1894（明治27）年から住み、

皇居周辺

滝廉太郎居住地跡

「荒城の月」「花」などの名曲をつくった。

袖摺坂上の十字路を右折して五味坂(ごみ)をくだり内堀(うちぼり)通りにでる。この通りを渡ると千鳥ヶ淵(ちどりがふち)である。名の由来は，濠(ほり)の形が千鳥状に屈折しているからとも，千鳥が羽を広げた姿に似ているからともいう。この辺りはサクラの名所として知られるが，英国大使館前の桜並木は，幕末の英国外交官アーネスト・サトウが寄贈したものを始まりとする。

千鳥ヶ淵に沿って進むと，左手に千鳥ヶ淵戦没者墓苑(せんぼつしゃぼえん)がある。第二次世界大戦の際に海外で戦没した人びとのうち，遺族に返すことができなかった約35万人分の遺骨が六角堂に納められている。墓苑は，1959(昭和34)年国によって建設されたもので，厚生労働省が主催する礼拝式が毎年行われるほか，諸団体による慰霊の行事が年間をつうじて行われている。

内堀通りに戻り，再び渡って大妻通りにでたら右折して進むと，左側が大妻女子大学である。「番町にすぎたるものが二つあり，佐野の桜(さ)と塙保己一(はなわほきいち)」という江戸時代の川柳(せんりゅう)があるが，ここにはその佐野政言(まさこと)の屋敷があった。佐野政言は，1784(天明4)年江戸城内で，当時老中(ろうじゅう)として幕政を支配していた田沼意次(たぬまおきつぐ)の子意知(おきとも)に斬りつけ，意知はその傷がもとで死去した。政言は切腹させられたが，田沼の政治に不満をいだいていた人びとは，彼を「世直し大明神(だいみょうじん)」とたたえたという。屋敷にはみごとなサクラの大樹があったというが，現存していない。

大妻通りをさらにいくと，左角にさきの川柳に詠まれた塙保己一の和学講談所跡(わがくこうだんしょ)(都旧跡)の標柱がある。盲目の国学者として著名な塙保己一は，武蔵国児玉郡保木野村(むさしのくにこだまごおりほきの)に生まれた。子どものころに失明した保己一は，15歳のときに江戸にでて盲人座にはいった。鍼(はり)・

番町から九段界隈へ　61

番町・九段周辺の史跡

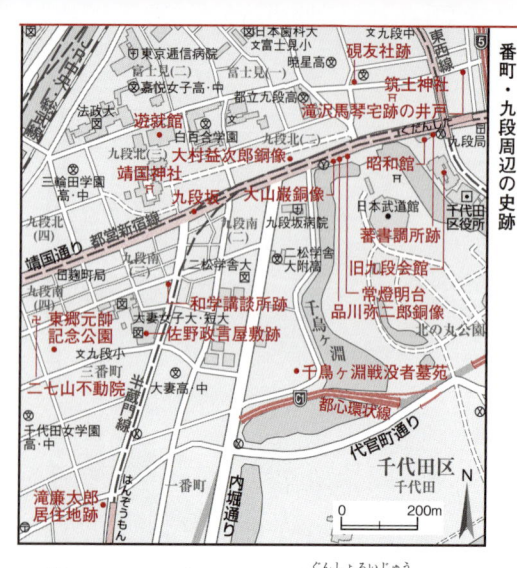

灸・琵琶などは上達しなかったが、萩原宗固・賀茂真淵らに学んだ和歌・国学などではすぐれた才能を発揮した。1793(寛政5)年、保己一は幕府の許可と下付金を得てこの地に和学講談所を開き、国史の講義や史料の編纂などを行った。530巻におよぶ『群書類従』は、ここで編集・刊行されたものである。

靖国神社 ⑱　〈M▶P.34,62〉千代田区九段北3-1
03-3261-8326　地下鉄東西線・半蔵門線・新宿線九段下駅 6分

前身は東京招魂社
遊就館で遺品などを展示

御厩谷坂をのぼって靖国通りにでると、向かいが靖国神社である。もとは1869(明治2)年、政府が戊辰戦争で没した政府軍側の兵士を慰霊するために設けた東京招魂社であった。ここには、かつて神道無念流の斎藤弥九郎が主宰する練兵館があり、弟子には桂小五郎(木戸孝允)、高杉晋作らがいた。東京招魂社は、1879年に靖国神社と改称され、現在ではペリー来航以降第二次世界大戦に至るまでの戦没者ら約250万人がまつられている。境内参道の中央には、招魂社の設立に尽力した大村益次郎の銅像がある。1893年の建立で、その姿は彰義隊討伐のため政府軍を指揮する様子をあらわしているという。大村は、維新後、兵部大輔として徴兵による近代的軍制の整備につとめた人物である。

社殿右奥にある遊就館は、1882年に設立された軍事博物館で、2002(平成14)年にリニューアルオープンされた。ここには、戦没者の遺品や絵画などのほか、零式艦上戦闘機(ゼロ戦)、九七式中戦車などの兵器やタイで運行されていたC56蒸気機関車などが展示され

常燈明台

ている。

　靖国神社前の坂が九段坂である。もとは飯田坂とよばれていた。宝永のころ(1704〜11)に幕府がこの坂に沿って9段からなる長屋をつくり、江戸城お花畑の役人をおいたことから九段坂となった。坂の上は観月の名所であったという。

　この坂を少しくだった右手の濠沿いに九段坂公園があり、騎乗姿の大山巌と品川弥二郎の銅像がある。大山巌は、薩摩出身で西郷隆盛のいとこにあたり、維新後は陸軍に重きをなした。品川弥二郎は長州出身で、幕末には倒幕派として活動した。明治政府では、松方正義内閣の内務大臣をつとめ、大規模な選挙干渉を行ったことで知られる。

　その並びに常燈明台がある。正式には高燈籠といい、1871(明治4)年に当時の招魂社にまつられた霊のためにたてられた。もとは靖国神社前にあって、その明かりは遠く房総半島からもみえたという。1930(昭和5)年、道路改修の際に現在地に移された。

　旧江戸城の田安門(国重文)を手にみながら行くと昭和館がある。厚生労働省が戦没者遺族への援護事業の一環として1999(平成11)年に設立した施設で、おもに戦中・戦後(昭和10〜30年ごろまで)の国民生活を実物資料や映像などを用いて伝えている。昭和館の横に蕃書調所跡(都旧跡)の標柱がたてられている。はじめは洋学所という名称で、1855(安政2)年、幕府により神田小川町に設けられたが、翌年この地に移され蕃書調所と改称された。ここでは外国事情が調査され、旗本の子弟に洋学が教授されていた。現在の東京大学は、蕃書調所の後身である。

　昭和館の隣にあった九段会館は、帝国在郷軍人会が軍人会館として建てたもので、二・二六事件のときには戒厳司令部がおかれた。帝冠様式と呼ばれる和洋折衷の建築様式が特徴であったが、東日本大震災の被害を受けて廃業した。跡地に建設された複合ビルに一部が残されている。

番町から九段界隈へ

筑土神社 ⓘ
03-3216-3365

〈M▶P.34, 62〉千代田区九段北1-14
地下鉄東西線・半蔵門線・新宿線九段下駅🚶5分

平将門鎮魂の神社
千代田区内最古の狛犬

　九段下駅をでて目白通りを飯田橋方面に向かい，左折して中坂をのぼる。坂のなかほどにあるビルの1階部分が筑土神社である。もとは，承平・天慶の乱に敗死した平将門を鎮魂するため，940（天慶3）年に豊島郡上平川村にたてられた津久土明神であるという。所在地はその後転々とし，1954（昭和29）年，現在地におちついた。1994（平成6）年に大改修され現在に至っているが，社殿前には区内最古とされる「安永九(1780年)庚子十一月」の銘のある狛犬がおかれている。

　中坂をのぼりきった十字路の右角に硯友社跡の標柱がある。硯友社は，『金色夜叉』を著した尾崎紅葉を中心として1885（明治18）年に結成された文学結社で，同人には山田美妙・巖谷小波らがいた。

　中坂を戻り，目白通りをこえて直進すると，右側のマンションの前庭のような趣きで滝沢馬琴宅跡の井戸（都旧跡）が残っている。『南総里見八犬伝』の著者として知られる滝沢（曲亭）馬琴は，1793（寛政5）年，この地で下駄・傘をあきなう伊勢屋（会田氏）の婿となり，1824（文政7）年までここで暮らした。

　目白通りをさらに進むと北辰社牧場跡の標柱がある。箱館戦争で明治新政府軍に敗れ，のちに新政府の官僚となった榎本武揚が明治初年に旧幕臣の子弟のために開いたのが北辰社牧場である。最盛期には40～50頭もの乳牛がいて，近在に牛乳を供給したという。そのすぐ先を左折して大神宮通りをいくと右手に東京大神宮がある。1880（明治13）年，伊勢神宮の遥拝所として日比谷に創建されたが，1928（昭和3）年に現在地に移って飯田橋大神宮とよばれ，第二次世界大戦後東京大神宮と改められた。現在広く行われている神前結婚式は，この神宮ではじめられたものとされる。

旧滝沢馬琴宅跡の井戸

❻ 多様な街の顔をもつ神田界隈

駿河台の学生街，神保町の古書店街，秋葉原の電気街。お茶の水から秋葉原へ，近世から近現代へと街の変貌をたどる。

お茶の水記念碑 ⑳ 〈M▶P.34, 66〉千代田区駿河台2-3
JR総武線・中央線・地下鉄丸ノ内線御茶ノ水駅🚇すぐ

2代将軍徳川秀忠ゆかりの地　将軍御用のお茶の水

　JR御茶ノ水駅の下を流れるのが神田川である。この川は，三鷹市にある井の頭池を水源とする人工の堀割で，徳川家康の命により神田上水として開削されたのをはじめとする。その後，1616(元和2)年に神田山を東西に開いて堀割とし，洪水の危険が大きかった平川を三崎町と堀留間で閉塞，江戸川・小石川と合流させてこの堀割に導き，さらに隅田川に流しいれた。神田川は，江戸城の外濠でもあり，これによって江戸城北側の防備が整えられたのである。また，1661(寛文元)年の伊達綱宗(伊達政宗の孫)による拡張工事により，神田川の舟運も活発となった。人工ではあったが，神田川の渓谷は江戸名所となり，中国の名勝赤壁になぞらえて小赤壁，あるいは茗渓(茗は茶の意)とよばれた。

　駅の西口をでると交番脇にお茶の水記念碑がある。鷹狩りをおえた2代将軍秀忠が，順天堂病院近くにあった高林寺に立ち寄った際，境内の湧き水でいれた茶を献呈したところ，将軍はその茶の味をたいそう褒めた。以来，この水が将軍家御用のお茶の水として毎日献上されたことから，これが地名となったという。高林寺は明暦の大火(1657年)で焼失して駒込に移り，残された井戸も神田川の拡張工事によって川底に沈んでしまった。

　記念碑から明大通りの坂を南に少しくだる。この辺り一帯は駿河台とよばれているが，もとは神田川によって切り離された神田山の南端部にあたっていた。1603(慶長8)年，江戸市街の拡張のためこの部分が

お茶の水記念碑

多様な街の顔をもつ神田界隈　65

神田周辺の史跡

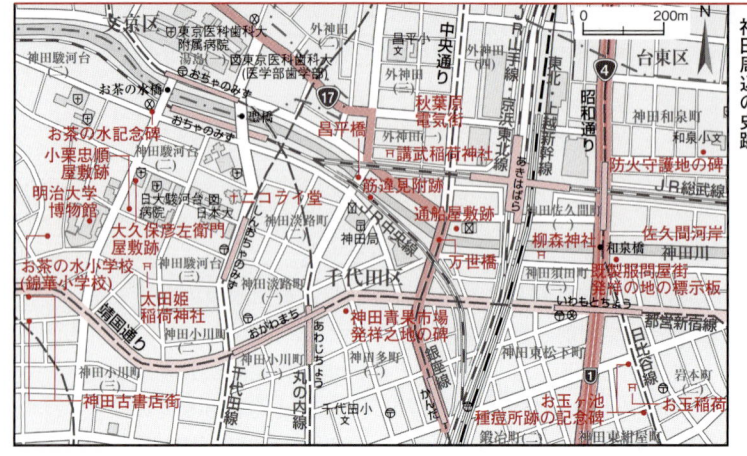

掘りくずされて台地となった。大御所として駿府にいた徳川家康が死去したのち、その家臣団が江戸に引き揚げ、ここに屋敷を構えたことから駿河台の名称がうまれたのである。その家臣の1人が「天下のご意見番」として知られる大久保彦左衛門で、屋敷は、明治大学の向かい側の辺りにあった。

　明大通りのなかほど、通りをはさんで明治大学と日本大学理工学部がある。江戸時代、旗本屋敷がたち並んでいたこの辺りには、維新後多くの学校が設けられ「学生街」の様相を呈するようになった。明治大学は、1880（明治13）年麹町区有楽町に設立された明治法律学校が前身であり、駿河台には1886年に移転してきた。日本大学は、日本法律学校として1889年に飯田町に設立され、のちに三崎町に移転した。このほか、専修学校（現、専修大学）、英吉利法律学校（現、中央大学、八王子市に移転）などもこの地に設立されている。

　2004（平成16）年4月に開館した明治大学アカデミーコモン

大久保彦左衛門屋敷跡

66　皇居周辺

神田古書店街

の地階には，商品・刑事・考古の3部門からなる明治大学博物館があり，一般に公開されている。商品部門では，漆器・染織品など日本の伝統工芸品の製造工程や意匠などを紹介し，刑事部門では，十手など江戸時代の捕り物道具やギロチンをはじめとする世界の刑具・拷問具を展示している。また考古部門では，岩宿遺跡や夏島貝塚など，明治大学がこれまでに発掘調査を行った遺跡の出土品が常時展示され，戦後考古学の歩みが示されている。

明治大学本館後ろのお茶の水小学校の前身は，1874（明治7）年創立の錦華小学校である。文豪夏目漱石がここで学んだ。校庭横には『吾輩は猫である』の一文をきざんだ碑がたてられている。

明大通りをくだって明大前交差点を左におれると，東京YWCA会館がある。この辺りに幕臣小栗忠順の屋敷があった。小栗は，幕末期にフランス式の軍制を取りいれて幕府軍の近代化をはかるなど，幕府の軍事・財政の改革を推進し，戊辰戦争では主戦論をとなえ，薩長打倒をめざした人物である。

明大通りに戻ってさらにくだり，交差する駿河台道灌道を左にはいると，左側に太田姫稲荷神社がある。太田道灌の娘が疱瘡にかかったとき，病気平癒に霊験ありとして名高かった京都伏見の一口稲荷社に祈願したところ全快した。そこで道灌は，江戸築城に際してこの社を城内に勧請し，これが太田姫稲荷神社の始まりとなったという。その後，徳川家康はこの社を，江戸城西の丸の鬼門にあたる駿河台東側に移した。現在地に移されたのは，1931（昭和6）年道路拡張工事に伴ってのことである。

明大通りをくだりきったところの駿河台下交差点から右，靖国通り沿いの左手とその南一帯が神田古書店街である。明治の初め，神田には多くの学校が開校したが，当時は書籍が高価であったため，学生や教師を相手とする古書店がつぎつぎに開店した。神田古書セ

多様な街の顔をもつ神田界隈

ンター1階で現在も営業中の高山本店はもっとも古く，1875(明治8)年の開業である。第一次世界大戦後，高等教育の発展に伴い神田の私立大学も拡張されて学生が増加し，古書店街は大きく発展した。現在は，全国の3分の2の古書がここに集まるといわれる。

ニコライ堂 ㉑

〈M▶P.34,66〉 千代田区神田駿河台4-1-3
JR総武線・中央線・地下鉄丸ノ内線御茶ノ水駅 🚶 3分

ハリストス正教会の聖堂　コンドルの設計・監督

　駿河台下交差点の左手には，スキー・テニスなどのスポーツ用品店が並ぶ。この通りを進み，小川町の交差点で左折し本郷通りの坂をのぼると，左手にニコライ堂(国重文)のドーム型の屋根がみえてくる。ニコライ堂は，正式名称を日本ハリストス正教会東京復活大聖堂教会という。創建者は，1861(文久元)年，箱館(函館)のロシア帝国領事館付司祭として来日したイワン・デミトロヴィッチ・カサーツキン(修道名ニコライ)である。彼は，1891(明治24)年大津事件がおこったとき，明治天皇とロシア皇帝の仲立ちとなって事件解決に尽力し，また日露戦争の際には，ロシア人捕虜のため収容所に司祭を派遣するなどの慈善活動を行った。

　建物は，ロシアの建築家シチュールポフによる基本設計，ジョサイア・コンドルによる実施設計・監修で，1891(明治24)年に竣工した。ドーム屋根の本堂と尖塔の鐘楼を特徴とする建物であったが，関東大震災で被災し，1929(昭和4)年，修復・再建されて現在の姿となった。近年の再修復工事により，堂内はいっそう荘厳な雰囲気となっている。

万世橋界隈 ㉒

〈M▶P.34,66〉 千代田区外神田
JR山手線・京浜東北線・総武線・地下鉄日比谷線秋葉原駅
🚶 3分

交通博物館と旧万世橋駅　神田青果市場発祥の地

　JR御茶ノ水駅東口から中央線に沿って淡路坂をくだる。左手の神田川にかかる橋が昌平橋である。かつて一口橋(芋洗橋)または相生橋とよばれていたが，江戸幕府5代将軍徳川綱吉が湯島に聖堂を創設した際，孔子生誕地である中国魯の昌平郷にちなんで昌平橋と改名された。現在の橋は1928(昭和3)年に架設されたものである。

　橋の北詰め一帯は，明暦の大火後，一時加賀藩の中屋敷とされたが，その後火除地となった。幕末になるとこの地は町屋に編入され，

講武稲荷神社

その地代が講武所の維持費にあてられた。講武所とは、1860(万延元)年に幕府が設立した旗本・御家人やその子弟を対象とする武芸の講習所である。秋葉原ファーストビル横にこの名を残す講武稲荷神社がある。

昌平橋から赤レンガ造りの中央線高架橋に沿って進むと「御成道」の標示板がある。将軍が江戸城から神田橋をとおって上野寛永寺に向かう道で、この道と日本橋から本郷に至る中山道とがまじわる要所に筋違見附があった。現在の神田郵便局の辺りである。筋違見附の枡形と門は、寛永年間(1624～44)に加賀藩主前田利常によって建造された。見附内の広場にはさまざまな方面に向かう道が集まり、「八つ小路」とよばれて明治時代まで賑わったという。

筋違見附に付随して神田川には筋違橋がかけられていた。1872(明治5)年、筋違見附が取りこわされた際、門の石垣に使われていた大量の石材を利用して、筋違橋は石造のアーチ橋にかけ替えられた。これが万代橋と名づけられ、やがて万世橋ともよばれるようになった。1903年、この橋の下流に鉄橋がかけられて、あらたに万世橋と命名され、その3年後に万代橋(もとの万世橋)は解体された。現在の万世橋は、1930(昭和5)年にかけられたものである。

万世橋の南詰めにみえる連続する赤レンガのアーチは、旧国鉄万世橋駅高架橋の遺構である。万世橋駅は、1912(明治45)年4月甲武鉄道(現、JR中央線)の始発駅として開業した。駅舎は、東京駅と同じく辰野金吾の設計で、東京駅に似た赤レンガ造り・ルネサンス様式の建物であったが、関東大震災で崩壊し、その後、小規模な駅舎が建てられたが、乗降客の減少により、第二次世界大戦中の1943(昭和18)年には駅も廃止された。現在、高架橋下は商業施設になっているが、駅開業当時のプラットホームは「2013プラットホーム」として、ホームに上る2つの階段とともに整備・保存され歩くことができる。

多様な街の顔をもつ神田界隈

旧万世橋駅高架橋

万世橋の北詰め東側の河岸には、江戸時代、通船屋敷とよばれた高田家の屋敷があった。享保年間（1716～36）、幕府勘定吟味役井沢弥惣兵衛を中心とする見沼干拓事業に参画した高田茂右衛門は、その際につくられた見沼代用水路を利用する通船堀を開削し、江戸との舟運を実現した。この功により高田家は通船堀の差配権を得るとともに、神田川河岸にあった旗本屋敷を拝領したのである。

中央通りを南に進み、須田町交差点を左折して靖国通りをいく。左手の多町大通りにはいってすぐ右側、ビルの前の歩道上に神田青果市場発祥之地の碑がある。

神田市場は、慶長のころ（1596～1615）に、河津五郎太夫という町名主が多町に菜市を開いたのが起源という。しかし、神田市場の始まりが多町の菜市1つであったとはいいがたい。当時、神田川筋の柳原河岸には葛西方面から、鎌倉河岸辺りには上総・安房方面からの野菜が荷揚げされていた。また、陸路を利用して練馬や三河島からもダイコンなどの蔬菜が運ばれてきていた。これらの場所に分散していた青物商を、明暦の大火後の市街地整備の一環として、貞享年間（1684～88）に多町を中心とする一帯に集めた。こうして市場の形ができたというのが妥当のようである。享保のころには、江戸城の青物御用にあたる御納屋（のちの青物役所）がここに移され、神田市場は幕府の御用市場となった。

神田青果市場発祥之地の碑

御用札をたてて江戸城賄所に向かう荷は，大名行列もさけるほどの勢いがあったという。ヤッチャ場ともよばれ，江戸っ子の威勢のいい声が響いていた神田市場であったが，1928(昭和3)年に廃止され，秋葉原駅北側にあらたに東京都中央卸売市場神田分場が開設された。その後，1990(平成2)年には大田区に移転している。

　靖国通りに戻って西に進むと淡路町交差点にでる。この辺りは，江戸時代の初期に堀丹後守の屋敷があったことから丹後殿前とよばれ，やがて略して「丹前」となった。その後，この地に湯女をおく風呂屋があいついで開業すると，ここに集まる男たちの間では人気のある湯女の気を引こうと派手な服装がはやり，それが丹前風とよばれるようになった。浴衣のうえに羽織る着物を丹前というが，このよび名はここからうまれたといわれる。

柳森神社 ㉓
03-3251-6422
〈M ▶ P.34,66〉千代田区神田須田町2-25
JR山手線・京浜東北線・総武線・地下鉄日比谷線秋葉原駅 🚶5分

桂昌院と「おたぬき様」
寛政改革時の籾蔵跡

　万世橋の南，神田川に沿って和泉方向へいく道を柳原通りという。江戸時代には筋違橋から浅草橋までの土手が柳原土手とよばれ，歌川(安藤)広重の浮世絵にも描かれる名所となっていた。柳原は，太田道灌が江戸築城に際し，城の鬼門にあたるこの辺りに，魔除けの力があるといわれていたヤナギを植えさせたことにはじまる。神田川が開削されてからは，南岸が柳原，北岸が向柳原とよばれた。川の拡張工事でヤナギはなくなったが，享保年間に，8代将軍吉宗の命によって再び多くのヤナギが植えられたという。

　土手に沿った地域には，江戸時代中ごろから古着などをあつかう露店が多く集まるようになり，江戸市中の古着マーケットの1つとなった。それは近代になってもうけつがれ，第一次世界大戦後の洋服の普及に伴って，あつかう商品は古着から新品の洋服で安価な既製服へとかわった。和泉橋の南，南東児童公園には既製服問屋街発祥の地の標示板がある。

　柳原土手は，1873(明治6)年に切りくずされたが，土手下に設けられていた柳森神社にそれをしのぶことができる。神社は柳原通りにかかるJR山手線の高架橋をくぐるとすぐ左手にある。1458(長禄2)年，太田道灌が江戸の鎮守としてまつったもので，創建当時は

多様な街の顔をもつ神田界隈

柳森神社

現在地の対岸にあった。現在地に社殿が完成したのは、1695（元禄8）年のことである。社殿は、道路と神田川護岸の間の一段低い場所にあり、階段の右側には、溶岩を積みあげた富士塚がある。明治時代以降に一度すたれ、1930（昭和5）年に再建したものであるが、千代田区に残る唯一の富士塚である。

境内にある福寿社は、木製のタヌキ像をまつっていて「おたぬき様」とよばれている。5代将軍綱吉の生母桂昌院が江戸城内に屋敷神としてまつっていたものが、のちに向柳原の旗本瓦林邸内に移された。この社は、庶民の出であった桂昌院が高位にのぼったことから、これにあやかろうという庶民の広い信仰を集めたという。明治維新の際に柳森神社内に合祀された。「たぬき」を「他にぬきんでる」の意とし、勝負事や立身出世などにご利益があるとして現在も多くの人びとに信奉されている。また、境内近くには、寛政改革の際に松平定信が七分積金の制を運用する町会所と、飢饉に備えた救いを貯蔵する籾蔵があった。

神田お玉ヶ池 ㉔

〈M ▶ P.34, 66〉 千代田区岩本町
地下鉄新宿線岩本町駅 🚶 3分

江戸後期の学問の中心地／日本初の種痘所跡

柳原通りを進み、和泉橋のたもとで右におれ水天宮通りにはいる。岩本町三丁目交差点から南一帯は、江戸時代にはお玉ヶ池（都旧跡）とよばれていた。ここには、桜ヶ池という広い池があったが、池のほとりにあった茶店の娘玉がこの池に身を投げたことから、お玉ヶ池とよばれるようになったという。池は、江戸時代のうちに埋め立てられて姿を消し、現在は水天宮通りから少し右にはいったところにあるお玉稲荷に名を残すのみとなっている。

この辺りは、江戸時代後期から幕末にかけて著名な文人・学者がつぎつぎと私塾を開き、学問の中心地の1つとなっていた。寛政異

お玉稲荷

学の禁により昌平黌を辞した市河寛斎は，1790（寛政2）年ここに江湖詩社を開いた。儒学者東條一堂は瑶池塾を構え，また，漢詩で著名な大窪詩仏は詩聖堂を開いたが，火災にあったのち梁川星巌が玉池吟社をたてた。その隣には，佐久間象山の象山書院があった。さらに，北辰一刀流千葉周作の玄武館や磯又右衛門の天神信揚流柔術道場なども開かれた。1858（安政5）年には蘭方医伊東玄朴らの願い出により，日本初の公設種痘所が勘定奉行川路聖謨の屋敷内に設けられた。岩本町三丁目交差点の近くに，お玉ヶ池種痘所の記念碑がたてられている。また，岩本町二丁目交差点のさき，加島ビルの角にもお玉ヶ池種痘所跡の碑がある。この種痘所は，現在の東京大学医学部の前身となった。

秋葉原界隈 ㉕

〈M ▶ P.34,66〉千代田区佐久間町・神田和泉町・神田花園町・神田練塀町・外神田
JR山手線・京浜東北線・総武線，地下鉄日比谷線秋葉原駅
🚶 すぐ

材木商が並んでいた佐久間河岸
日本最大の電気街

和泉橋を渡った神田川北岸が佐久間河岸である。神田川沿いには，舟運を利用する材木商・竹木薪炭商・米穀商が多かったが，この辺りにはとくに材木商が多く，神田材木町という通称があった。また，地廻米をあつかう米穀問屋も多かったという。その北が神田佐久間町で，江戸時代には，ここがしばしば大火事の火元となった。しかし，関東大震災のおりには，町民が懸命に消火活動にあたり，町内は奇跡的に焼け残った。これを記念する防火守護地の碑（都旧跡）が和泉小学校校庭脇にたてられている。

和泉橋交差点から外堀通りを西に進むと秋葉原電気街である。秋葉原は，江戸時代には下級武士の住居と商店とが雑居する地域であった。1869（明治2）年暮れの相生町の大火を契機に，東京府はここを火除地とし，火伏せの神である秋葉大権現を鎮火神社としてまつ

秋葉原電気街

った。のちに神社は，秋葉神社（現在は台東区松が谷にある）と改められ，火除地は「あきばがはら」とよばれるようになった。1890（明治33）年，鉄道が上野から延長されて駅がつくられたとき「あきばがはら」から転訛した「あきはばら」が駅名とされ，やがて駅周辺一帯もそうよばれるようになったのである。

　秋葉原一帯が電気街となったのは第二次世界大戦後のこと。それは，神田小川町から須田町にかけてたち並んでいた露天商からはじまった。このうちの1店が中古の真空管をあきなうと，とぶように売れたことから，これ以降電気部品をあつかう露天商が急増した。その後，GHQによる露天撤廃の命令がだされると，これらの商店は代替地とされた秋葉原駅ガード下に集まり，ここに電気街が形成されることとなった。

　高度経済成長期にはいると家電製品を主力とする大型量販店が進出・台頭し，その後は，電子ゲームのソフトや音楽CD，パソコンなどの情報機器を扱う店舗も増加した。また，最近は，アニメやコミック，電子ゲームのキャラクターグッズやフィギュアの販売店，アイドルグループの劇場などもできて人気をよび，秋葉原は「アキバ」とよばれるサブカルチャーのメッカともなっている。

コラム

江戸の消防

江戸の町の防火をになう
定火消と町火消

　江戸市政の大きな課題の1つに防火対策があった。江戸の火事は、北西の季節風の吹く冬に多く、全市が風下となり、しばしば大火に見舞われた。「火事と喧嘩は江戸の華」といわれたのはこうした事情による。幕府は、火事が発生したときの消火活動はもちろんのこと、防火としての火気取り締まりや火付け犯人の厳罰などを、市中の自治と治安に結びつけていた。

　江戸時代の初期は、定まった消防組織はなく、武家屋敷の火災は大名・旗本などが各自で消火にあたり、町屋の火災は町人自身の消火活動にまかせていた。しかし、1657(明暦3)年、市中の大半を焼きつくして多くの人命を失っただけでなく、江戸城内にも飛び火した明暦の大火ののち、幕府はさまざまな防火対策に着手した。

　その1つが、翌1658(万治元)年、幕府常設の消防組織として若年寄配下に創設した定火消であった。4人の旗本に、それぞれ臥煙とよばれる火消人足をかかえるための役料300人扶持を給し、与力5人・同心30人をしたがえて火消屋敷に常勤させ、防火と警戒にあたらせた。火消屋敷は、麹町半蔵門外・飯田町・御茶ノ水上・市谷佐内坂の4カ所にあった。その後、定火消の定員は10人となり、3000石から5000石程度の、若年の旗本で、指揮能力のすぐれた人物が選ばれ、十人火消ともよばれた。

　1718(享保3)年、南町奉行大岡忠相は、町人自身による消防体制の組織化をはかり、町奉行の管轄下に町火消を編成した。その後「い」「ろ」「は」48組の町火消と、深川の16組が整備され、消火範囲も従来の町屋にかぎらず、江戸市中に拡大した。加賀藩などが編成した大名お抱え火消もあった。

　消し口をめぐる紛争から、大火を除いて定火消は、町方の消防には出動しなくなり、1819(文政2)年その管轄は郭内にかぎられた。幕末には組数も減少し、1866(慶応2)年には4組、翌年には1組だけとなった。

月岡芳年画絵馬
「ま組の火消し」

7 小説と演劇の舞台外神田と湯島

銭形平次の神田明神,「婦系図」の湯島天神。小説・演劇の舞台を中心に,江戸の人びとの息吹が感じられる史跡をめぐる。

聖橋 ⑳
〈M ▶ P.34,67,77〉 千代田区神田駿河台
JR総武線・中央線・地下鉄丸ノ内線御茶ノ水駅 ❋1分

美しいアーチ型 2つの聖堂を結ぶ橋

　JR御茶ノ水駅の西口をでる。神田川にかかるのはお茶の水橋で,橋上から下流にみえるアーチ型の美しい橋が聖橋である。この橋は,関東大震災後の帝都復興事業の一環として1927(昭和2)年に架橋されたもので,全長92.5m,神田川にかかる橋としては最長である。聖橋の名は,公募の結果,橋が湯島台側の湯島聖堂と駿河台側のニコライ聖堂とを結んでいることにちなんで決定された。

　お茶の水橋を渡った正面が東京医科歯科大学で,すぐ右側の植込みのなかにお茶の水貝塚の碑がある。

聖橋

　貝塚の存在は明治時代から知られていたが,1952・53年ごろ地下鉄御茶ノ水駅の造成や病院の増築工事の際に,多数の貝殻と土器片・獣骨などが出土し,貝塚の所在地点が確認された。

湯島聖堂 ㉗
03-3251-4606
〈M ▶ P.34,77〉 文京区湯島1-4
JR中央線・総武線・地下鉄丸ノ内線御茶ノ水駅 ❋5分

5代将軍徳川綱吉による開設 宝永年間建造の入徳門

　東京医科歯科大学前の外堀通りをくだる。聖橋をくぐった左手が湯島聖堂(国史跡)である。聖堂は,江戸幕府の侍講林羅山が上野忍岡に開いた私塾に付属してたてた先聖殿(孔子廟)を始めとする。1690(元禄3)年,文治政治を進めた5代将軍綱吉は,先聖殿を現在地に移して大成殿と改称し,御成殿や学寮をたてるなど施設を整備拡充した。聖堂とは,大成殿とこれら付属の建物の総称である。聖堂の祭主に就任したのは,大学頭となった林鳳岡(信篤)である。

湯島聖堂入徳門

神田・湯島周辺の史跡

1790(寛政2)年、老中松平定信は、朱子学を正学とし、聖堂での正学以外の学問の講義を禁止する「寛政異学の禁」を発令した。さらに1797年には学制改革を実施し、この結果、林家の私塾は幕府直轄の学問所(昌平坂学問所)とされ、幕末に至るまで旗本・御家人の子弟の教育をになうこととなった。

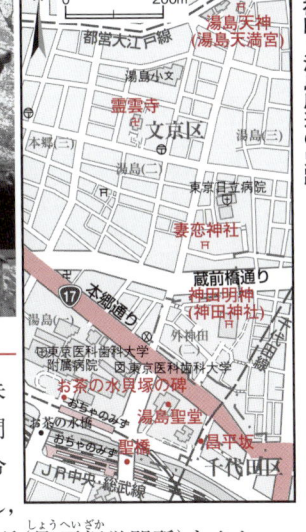

聖堂は、たび重なる火災で創建当時の建物が失われている。江戸時代の建物では、1704(宝永元)年築造の入徳門・水屋が残るのみで、ほかは1935(昭和10)年の再建である。仰高門からはいり、左側の石段をのぼって入徳門に進み、さらに杏壇門をはいると東西に石畳の回廊、正面に大成殿がある。大成殿は、寛政期の様式を踏襲した入母屋造で、殿内外とも黒色に塗られている。殿内にまつられている孔子像は、明末の遺臣朱舜水が亡命時にたずさえてきたものであるという。

神田明神 ㉘
03-3254-0753
〈M ▶ P.34,77〉 千代田区外神田2-16-2 P
JR総武線・中央線地下鉄丸ノ内線御茶ノ水駅 徒10分

江戸っ子の氏神様　神田祭は天下祭り

湯島聖堂の東側の塀に沿った坂は昌平坂とよばれ「古跡昌平坂」の碑がある。将軍綱吉が名づけた本来の昌平坂ではない。もとの昌平坂は、松平定信による湯島聖堂の拡張で敷地内に取り込まれてしまい、その名がこの坂に移されたのである。

昌平坂をのぼり、左折して本郷通りの湯島坂を進むと神田神社(神田明神)の大鳥居がみえる。大鳥居の手前左側、「明神甘酒」で知られる天野屋は、1846(弘化3)年の創業という。江戸時代、この

小説と演劇の舞台外神田と湯島

神田明神

一帯では湯島台を構成する関東ローム層をいかして麴室が掘られ、酒・味噌・糀などがつくられていた。天野屋では創業時からの室が現在も使われている。

大鳥居をくぐると極彩色の随神門があり、その正面が本殿である。神田神社の創建は730(天平2)年とされ、大己貴命(大国主命)を祭神とし、創建当時は武蔵国豊島郡芝崎村(現、千代田区大手町)にあった。その後、天慶の乱(939〜41年)に敗れた平将門の首が神社近くに葬られると、鎮魂のため将門の霊をまつるようになった。1603(慶長8)年江戸城拡張に伴い駿河台へ、さらに1616(元和2)年には江戸城の鬼門にあたる現在地に移転。2代将軍秀忠の命により豪壮な社殿が築かれ、江戸の総鎮守とされた。

以後、将軍家代々の崇敬をうけるとともに、江戸の民衆からも産土神、氏神として篤く信仰されるようになった。明治維新後、平将門を逆賊とする政府によって将門は祭神からはずされ、1874(明治7)年常陸国鹿島郡にある大洗磯前神社の少彦名命の分霊がまつられた。将門が本殿に戻るのは、関東大震災で被災した社殿が復興する1934(昭和9)年、三之宮として正式にまつられるようになるのは、1984年のことである。

江戸時代、隔年で行われた神田祭は、江戸の各町が山車・練物をきそって装飾は華美をきわめ、本社の神輿を中心とする山車や、付祭とよばれる歌舞の行列は数kmにおよんだという。この祭礼は、赤坂日枝神社の山王祭とともに、天下祭りあるいは御用祭りとよばれて幕府の支援をうけ、行列は江戸城内に繰り込んで将軍も上覧した。現在も氏子は、神田・日本橋・大手町・丸の内の108町を数え、5月の祭礼には、200基におよぶ神輿と鳳輦を中心とした祭礼が繰り広げられる。

明神会館脇、明神男坂の石段は、天保初年に神田の町火消が献

妻恋神社

納したものと伝える。石段をおりた辺りは明神下とよばれ、その台所町には銭形平次が住んでいたことになっている。平次は、野村胡堂の名作『銭形平次捕物控』の主人公で、神社の本殿裏右手には、1970（昭和45）年にたてられた平次の碑がある。そのかたわらにある国学発祥の碑は、江戸にくだった荷田春満がはじめて国学の教場を開いた地を記念したものである。

　明神下をぬけて左折し、蔵前橋通りを渡ってすぐにまた左折する。清水坂下交差点を右におれ、右の道にはいると、左手に妻恋神社がある。祭神は日本武尊と弟橘姫、それに倉稲魂命の3柱である。社伝では、東征に向かう日本武尊が、横須賀（神奈川県）の走水から海路房総半島に渡る途中大暴風雨となった。そこで同乗の弟橘姫が海に身を投じたところ、海神の怒りはおさまり波風がしずまった。尊が仮宮をたててしばらく滞在した地には、妻を慕う尊を哀れに思った郷民たちにより、尊と姫をまつった社がたてられた。これを妻恋神社の始まりとしている。

　その後、倉稲魂命を合祀して稲荷社となり、徳川家康が2町四方の土地を寄進したと伝える。この地に社殿を構えたのは明暦の大火後で、関東総社として多くの参詣者を集め、王子稲荷と勢いをきそうほどであった。この社で頒布する「夢枕」の札は、万治年間（1658～61）から伝わる版木を復刻したもので、正月2日の夜に枕の下にしいて寝ると、よい夢をみることができるという。

湯島天神 ㉙
03-3836-0753

〈M ▶ P.34,77〉 文京区湯島 3 - 30 - 1 　P
地下鉄千代田線湯島駅 🚶 5分

江戸三天神と大江戸三富
寛文7年銘の青銅製鳥居

　妻恋神社の西側の清水坂をのぼり、三組坂上交差点を左折すると霊雲寺がある。1691（元禄4）年、江戸幕府5代将軍徳川綱吉の命により庶民教化と武運長久を祈願して建立され、1694年には関八州の真言律宗総本寺となった。本堂は震災・戦災で焼失し、1979（昭和54）年に再建されたものであるが、境内には焼け残った子育て地

湯島天神

蔵尊と銅鐘がある。

三組坂上交差点をまっすぐ約400m北に進むと湯島天神（湯島天満宮）がある。縁起では，458年雄略天皇の命により天之手力雄命をまつったのを始まりとする。その後1355（文和4）年，湯島の郷民が古松の下に天神を勧請したことから湯島天満宮と称されるようになった。1478（文明10）年，太田道灌が荒廃した社殿を再興，1591（天正19）年には徳川家康が湯島郷内の朱印地5石を寄進したという。江戸時代には亀戸天神・谷保天神と並ぶ「江戸三天神」として知られ，境内は，歌川（安藤）広重の『名所江戸百景』などの画題とされる名勝であった。毎月10・25日の縁日には行楽をかねた多くの参詣人で賑わったが，1812（文化9）年幕府公許となった富籤が興行されるようになると，その賑わいは1年中となり，周辺には岡場所ができるなど天満宮界隈は江戸有数の盛り場となった。湯島天神の富籤は，谷中感応寺・目黒不動と並んで「大江戸の三富」と称され人気があったが，天保の改革により禁止された。

「寛文七（1667）年」の銘がある青銅製の鳥居（都有形）をくぐると右手に宝物殿があり，神輿や数々の天神画像が展示されている。左手には梅園がある。ここは江戸時代からウメの名所であったが，泉鏡花の『婦系図』の舞台となったことで，演劇・映画・歌謡曲をとおして「湯島の白梅」の名が広まった。戦災にあったが復旧され，現在約400本の白梅・紅梅があり，泉鏡花の筆塚がたてられている。梅園の端にある「奇縁氷人石」ときざまれた石柱は，1850（嘉永3）年にたてられた迷子探し石で，「氷人」とは取りもつ人のこと。石柱の右側に「たつぬるかた」，左側に「をしふるかた」ときざまれていて，迷子の名前や人相を書いた紙を右側に，迷子をみつけたらその特徴を書いた紙を左側に貼って知らせた。このことからも，境内が多くの人で賑わっていたことが想像できる。

Ueno 上野の山周辺

日暮里寺院の林泉（歌川広重画『名所江戸百景』）

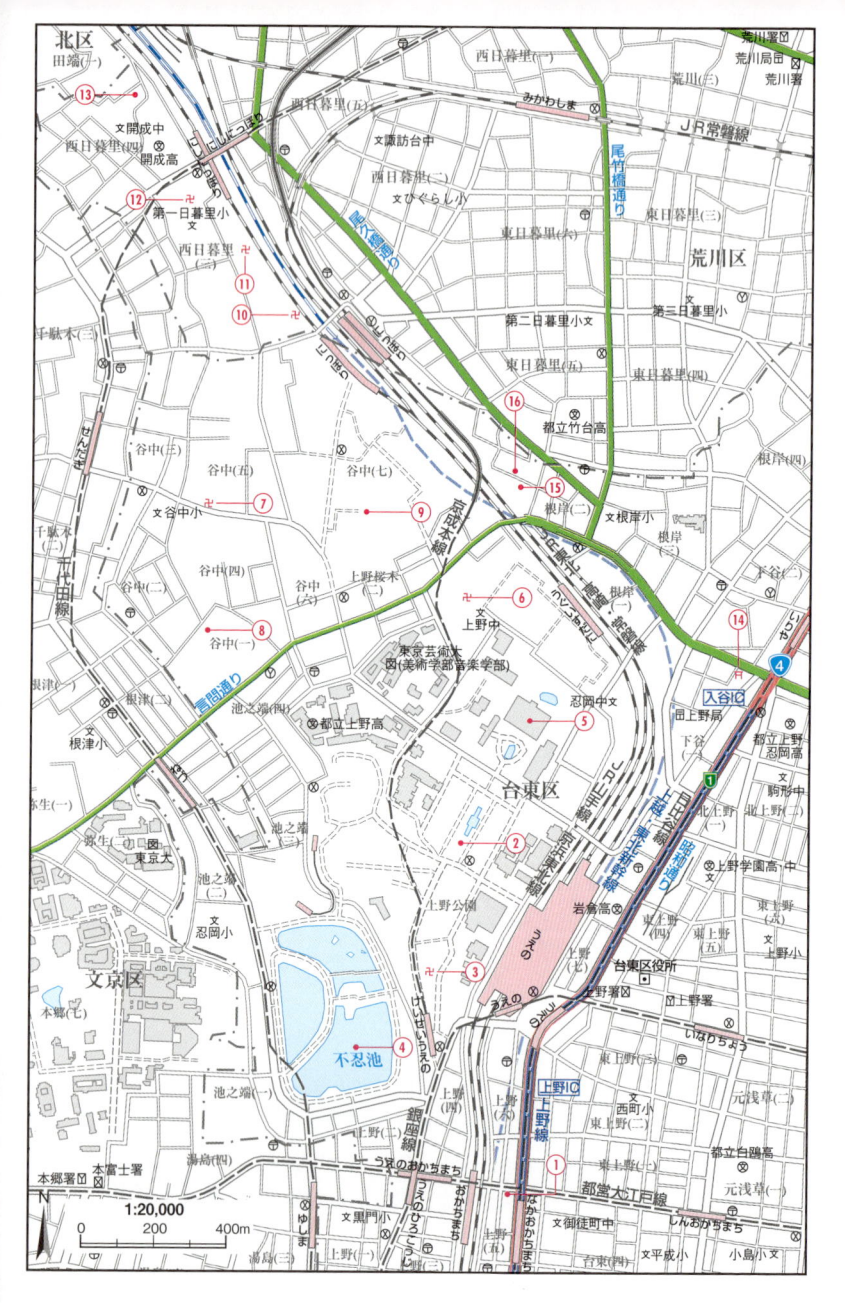

上野の山周辺

北区
田端(一)
西日暮里(一)
荒川区
荒川署
荒川局団
荒川(五)
西日暮里(五)
みかわしま
JR常磐線
文開成中
西日暮里(四)
開成高
文諏訪台中
尾竹橋通り
西日暮里(二)
東日暮里(三)
文ひぐらし小
東日暮里(六)
第一日暮里小
文
西日暮里(三)
荒川区
第二日暮里小文
第三日暮里小
東日暮里(五)
東日暮里(四)
千駄木
谷中(三)
谷中(五)
谷中(七)
根岸(四)
文谷中小
谷中(四)
上野桜木
根岸(二)
文根岸小
谷中(二)
谷中(六)
根岸(一)
根岸(三)
千駄木
根津
上野中
文
根津小
池之端(四)
都立上野高
東京芸術大
図(美術学部音楽学部)
忍岡中文
入谷IC
池之端(三)
池之端
台東区
下谷
都立上野忍岡高
文京区
忍岡小
上野公園
北上野(一)
上野学園高・中
上野(七)
東上野(五)
本郷(七)
岩倉高
弥生
図東大
上野(六)
上野署
東上野(四)
弥生(二)
不忍池
台東区役所
上野局
池之端(一)
いなりちょう
駒形(一)
上野(四)
東上野(三)
湯島(四)
上野(五)
上野IC
上野(三)
西町小
東上野(二)
元浅草(四)
本郷(三)
銀座線
都立白鴎高
上野(一)
東上野(一)
本富士署
上野(二)
うえのおかちまち
都営大江戸線
元浅草
本富士署
文黒門小
なかおかちまち
文御徒町中
しんおかちまち
湯島(三)
上野(六)
ゆしま
台東(四)
文平成中
小島小文

1:20,000
0   200   400m

◎上野・谷中・日暮里・下谷・根岸散歩モデルコース

1. JR・地下鉄銀座線ほか上野駅_5_西郷隆盛像_1_彰義隊士の墓_2_天海僧正毛髪塔_1_秋色桜の句碑_1_清水観音堂_3_不忍池・弁天堂_10_台東区立下町風俗資料館_15_横山大観記念館_20_寛永寺(厳有院霊廟・常憲院霊廟)_10_寛永寺旧本坊表門_3_国立科学博物館_1_東京国立博物館_3_台東区立旧東京音楽学校奏楽堂_10_上野東照宮_3_寛永寺の時の鐘_10_JR・地下鉄銀座線ほか上野駅

2. 地下鉄千代田線千駄木駅_3_大円寺(笠森阿仙之碑・鈴木春信顕彰碑)_2_全生庵(山岡鉄舟の墓・三遊亭円朝の墓)_5_岡倉天心記念公園_15_大名時計博物館_10_臨江寺(蒲生君平の墓)_5_天眼寺(太宰春台の墓)_10_一乗寺(太田錦城の墓)_10_谷中霊園_10_JR・京成本線日暮里駅

3. JR・京成本線日暮里駅_3_本行寺(道灌物見塚の碑,市河寛斎・米庵父子の墓,永井尚志の墓)_2_経王寺_5_養福寺(談林派歴代の句碑)_5_浄光寺_3_諏方神社_5_青雲寺_5_道灌山_3_JR・地下鉄千代田線西日暮里駅

4. JR鶯谷駅_5_入谷鬼子母神(真源寺)_3_入谷乾山窯元之碑・入谷朝顔発祥之地碑_5_金杉通りの商家_5_小野照崎神社_10_根岸小学校前の庚申塔_2_笹乃雪_5_子規庵_1_台東区立書道博物館_3_御隠殿址の碑_10_羽二重団子の店_10_JR・京成本線日暮里駅

①御徒町
②上野公園
③清水観音堂
④不忍池
⑤東京国立博物館
⑥寛永寺
⑦全生庵
⑧大名時計博物館
⑨谷中霊園
⑩月見寺
⑪雪見寺
⑫花見寺
⑬道灌山
⑭入谷鬼子母神
⑮子規庵
⑯書道博物館

寛永寺の境内・彰義隊が戦った上野の山

1

上野の山から、谷中・根津・根岸に至る町並みは、今でも江戸の雰囲気を残す。古い寺々の由緒も訪ねてみたい。

御徒町 ❶ 〈M ▶ P.82, 84〉台東区上野3
JR山手線・京浜東北線御徒町駅

御徒町駅の東側一帯は、江戸時代に御徒組屋敷のあったことからの俗称御徒町が、明治以後も引きつがれて現在に至っている。御徒組は20組からなり、将軍出行のときに沿道の警備にあたり、普段は江戸城の玄関などにつめていた小禄（100石以下）の武士である。また、御徒町駅から上野広小路までの春日通り南側は、江戸時代初期に同朋衆の屋敷地であったところから同朋町とよばれていた。同朋衆は、江戸城内で諸大名の世話をし、将軍の出入りにしたがう者であった。

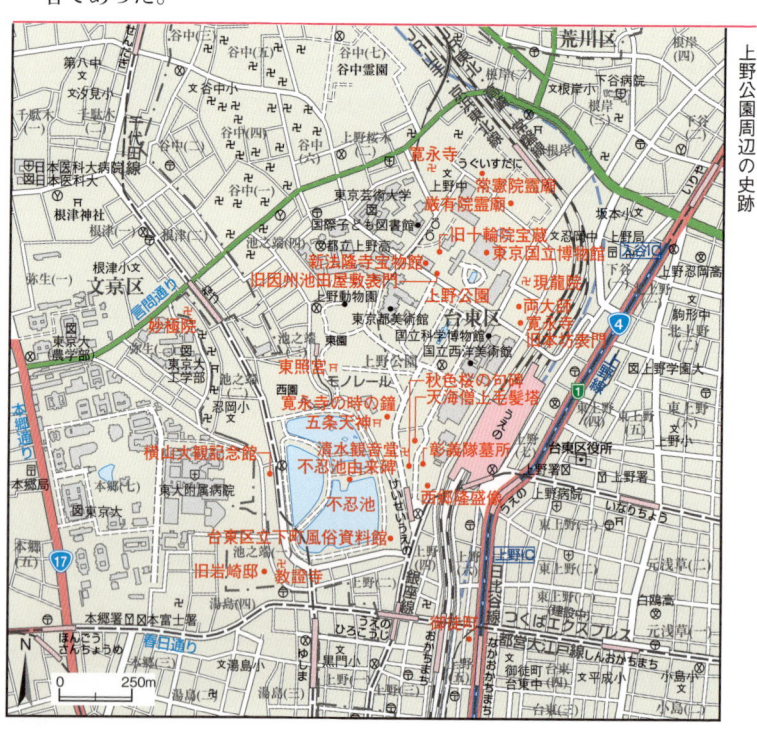

御徒組屋敷跡 広小路とアメヤ横丁

上野公園周辺の史跡

広小路

コラム

火事と広小路

　18世紀初めの江戸の人口は100万人を数え、当時、世界最大の都市であった。江戸全体のわずか15％の町地に、50万の町人や下層民が密集するという過密地域であっただけに、火災による被害も甚大であった。とくに、日本橋・神田などの下町は、明暦から天保までの約190年間に、江戸市中を焼きつくす8回もの大火にみまわれた。「火事と喧嘩は江戸の華」といわれるように、江戸では大小の火災が絶えず発生した。

　1657(明暦3)年1月18～19日におこった明暦の大火「振袖火事」は、赤坂・四谷をのぞく江戸の大半を焼きつくした。大きな衝撃をうけた幕府は、江戸の町づくりを再検討するとともに、防火対策にも力をいれた。その1つが、住民を強制的に移転させて道路を拡張し、火除地(空地)を設定することであった。上野山下の御成道を広げた上野広小路、両国橋西詰めの両国広小路、浅草寺前の浅草広小路など、要所要所に広小路が設けられた。

　江戸の庶民は、これらの広小路が、寺社の門前町や人が集まりやすい橋詰めにつくられたため、娯楽の場・社交の場など、別の目的に利用するようになった。たとえば、両国広小路では、手品・奇術・軽業・曲独楽などの曲芸、からくり・ギヤマン細工などの見世物、ゾウ・ラクダ・トラなどの珍しい動物をみせたり、居合抜きをみせて薬を売る大道芸などが行われた。両国広小路には、見世物小屋がたち並ぶようになり、食べ物屋・茶店などの店も軒をつらね、江戸随一の盛り場となった。

　松坂屋の角を北上し、春日通りから中央通りにはいると、上野広小路である。明暦の大火(1657年)後、火除地として各所で道幅を広げたが、ここでも上野山下の御成道が広げられて、広小路が設けられた。当時の上野広小路は、今の上野公園入口から松坂屋新館北側付近まであり、上野寛永寺の門前町となっていた。地図でみると、松坂屋の通りの西側、北へ直進していた御成道から上野広小路が拡

上野広小路

寛永寺の境内・彰義隊が戦った上野の山

大された跡が，三角形の土地として残されている。松坂屋は伊勢商人の伊藤次郎左衛門が1768(明和5)年，江戸上野の松坂屋を買収したものである。

　現在の上野駅正面広場は，1737(元文2)年の火災でできた上野山下火除地で，見世物小屋や水茶屋の並ぶ盛り場であった。また，広小路と平行する現在のアメ屋横丁(アメ横)は，東京大空襲で焼け野原になった跡にできた露店から出発したものであるが，延宝年間(1673～81)に市店が並んでできた上野仲見世(上野町通り)であった。

上野公園 ❷

〈M ▶ P.82, 84〉 台東区上野公園
JR山手線・京浜東北線・地下鉄銀座線・京成線上野駅🚶1分

彰義隊と上野戦争／日本最初の公園

　徳川家康の帰依をうけた天台僧天海は，2代将軍秀忠・3代家光にすすめて，江戸城艮(東北)の鬼門にあたる上野の山に，祈禱寺としての寛永寺(天台宗)を創建した。1625(寛永2)年土井利勝が総奉行となって本坊をつくり，ついで，塔・大仏殿・清水観音堂・根本中堂その他の堂宇が整い，1718(享保3)年には，寺領1万1790石を有する大寺院となった。

　1868(慶応4)年，鳥羽・伏見の戦いに敗れた15代将軍慶喜は，寛永寺の子院大慈院に謹慎した。その際旧幕臣を中心に結成されたのが彰義隊であった。5月15日政府軍と彰義隊との間に上野戦争がおこり，子院36を含めた70の堂塔伽藍は，清水観音堂・五重塔などを残してすべて灰燼に帰した。明治にはいって寛永寺は寺領を失い，寺地の一角を確保するにとどまった。文部省用地となった根本中堂跡は，大学東校(東京大学医学部の前身)の付属病院の地に指定された。それを，長崎医学校の一等軍医ボードワンが，自然公園に適していると太政官に建白したことから，1873(明治6)年上野の山は日本最初の公園(上野公園)として出発することになった。

清水観音堂 ❸
03-3821-4749

〈M ▶ P.82, 84〉 台東区上野公園内
JR山手線・京浜東北線・地下鉄銀座線・京成線上野駅🚶5分

京都清水寺を模す／国重文の懸崖造の舞台

　京成上野駅脇の上野公園入口に不忍の滝があり，その左側の植込みのなかに，蜀山人(大田南畝)の歌碑がたっている。この辺りにかつて寛永寺総門の黒門があり，上野戦争の最大の激戦地ともなっ

西郷隆盛像

彰義隊士の墓

　た。1868(慶応4)年5月15日の上野戦争で戦死した彰義隊士を，円通寺(荒川区)の住職らが荼毘に付した縁で，その円通寺境内に今でも弾痕の残る当時の黒門が移されて残っている。

　右手の石段をのぼると，上野公園のシンボル西郷隆盛像がある。この像は明治期の代表的彫刻家高村光雲(詩人・彫刻家高村光太郎の父)の作で，犬は皇居外苑の楠公銅像の馬を制作した後藤貞行の作である。1898(明治31)年に除幕式が行われた。隆盛像の背後に，彰義隊士の墓がある。この地で彰義隊隊士は荼毘に付されたのである。明治政府に遠慮して「戦死之墓」とだけきざんだ墓碑(山岡鉄舟筆)は，1881(明治14)年にたてられたものである。その手前の「彰義隊戦死之墓」ときざんだ小さな碑は，寛永寺の塔頭護国院の清水谷慶順と寒松院の多田孝泉が明治政府をはばかりながらたてたものである。

　彰義隊墓所の裏手に，はじめて儒教を伝えた渡来人王仁を記念した碑があり，さらにその奥に天海僧正毛髪塔(都旧跡)がある。寛永寺開山天海の弟子義海が，1652(慶安5)年師天海の毛髪をおさめて建立した石造の五輪塔である。王仁の碑の向かい側，清水観音堂の裏に秋色桜の句碑がある。元禄(1688〜1704)のころ，日本橋小網町(中央区)の菓子屋の娘秋(宝井其角の弟子，俳号秋色)が，古井戸のそばの枝垂れ桜をみて，「井のはたの　桜あふ(ぶ)なし酒の酔」の句をつくった。これを聞いた輪王寺宮が，古井戸のかた

寛永寺の境内・彰義隊が戦った上野の山　　87

清水観音堂

わらのサクラを秋色桜と名づけたという故事を記念したものである。井戸はそれにちなんでつくられた。

この辺りの台地を山王台（さんのうだい）というが、その南、不忍池に面したところに清水観音堂（国重文）がある。天海が京都の清水寺の観音堂を模して、1631（寛永8）年背後の摺鉢山（すりばちやま）にたてたものが、1698（元禄11）年に焼失したのち、この地に再建された。ここから眺める不忍池は、比叡山（ひえいざん）から眺める琵琶湖（びわこ）に見立てられている。不忍池側は懸崖造（けんがい）（舞台造）になっている。欄干（らんかん）の擬宝珠（ぎぼし）の1つに「寛永十三（1636年）天十一月吉奉寄進御大工椎名兵庫（しいなひょうご）」とある。

不忍池（しのばずのいけ）❹ 〈M ▶ P.82, 84〉台東区上野公園内
JR山手線・京浜東北線・地下鉄銀座線上野駅🚶9分

琵琶湖になぞらえた池
池畔の下町風俗資料館

不忍池の名は、上野の山一帯を「忍が岡」といったのに対して名づけられたという。地名の由来は、ササが輪のようにおい茂っているので「篠輪津（しのわず）」とも、カヤ・ススキが多くて道境もはっきりしないのに池ばかりがみえ「忍ぶ（しのぶ）ことができない」からきたともいわれている。上野台地と本郷（ほんごう）台地にはさまれたこの地域は、古くは海で、海岸線の後退で沼のようになったのは平安時代であった。寛永年間（1624～44）の寛永寺造営に際して、琵琶湖になぞらえた不忍池に、竹生島（ちくぶ）にならった弁天島がつくられ、弁財天がまつられたことで、

上野不忍池

時の鐘

コラム

鐘は上野か浅草か

　「花の雲　鐘は上野か　浅草か」の句ができたのは、1687（貞享4）年のことで、この年松尾芭蕉は、深川の芭蕉庵で暮らしていた。時計のない江戸時代の人びとは「時の鐘」で時刻を知った。当時、江戸市中には9カ所の時の鐘があり、2時間ごとに時刻を告げていたのである。寛永寺の鐘は現在の上野精養軒入口の左側にあり、浅草寺の鐘は境内の弁天山にある。

　『万葉集』の歌に「皆人を　寝よとの鐘は　打つなれど　君をし思へば　寝ねかてぬかも」とあるように、時の鐘の歴史は古い。

　『延喜式』には、子（真夜中の12時ごろ）と午（昼の12時ごろ）の刻は九つ、丑（午前2時ごろ）と未（午後2時ごろ）は八つとあるように、およそ2時間ごとに太鼓を打ち、その4分の1、つまりおよそ30分ごとに鐘をついたとある。

　寺院でも、仏事をおさめる時刻を知らせるために、晨朝（午前6時ごろ）・日中・日没など、1日6回鐘楼の梵鐘をついた。この鐘の音が庶民に親しまれ、一応の目安として時報の役割をはたし、やがて意識して、時の鐘として時刻を知らせるようになったのである。

　江戸で最初の時の鐘は、「石町の時の鐘」と親しまれた日本橋本石町（中央区）の鐘で、時鐘役の辻家が代々世襲して鐘をついた。江戸唯一の公営の鐘で、おおむね公費でまかなわれたが、鐘の音の聞こえる範囲の町々の町人が、1軒につき月永楽銭1文の割で時鐘役の生活費を負担した。現在この鐘は十思公園（中央区）に保存されている。時の鐘は、寄付金や境内地貸付料で賄われるものもあった。

　江戸の発展とともに、つぎつぎと多くの時の鐘が設けられた。代表的なものをあげると、浅草寺境内の弁天山、市谷の市谷八幡境内、目白の当時の目白不動の境内、四谷の天竜寺境内、赤坂の円通寺（のち成満寺）境内、芝の芝切通し、西久保八幡境内、上野の寛永寺境内、深川の富岡八幡宮境内などがある。

上野寛永寺の時の鐘

寛永寺の境内・彰義隊が戦った上野の山

現在の景観ができあがった。陸道と橋によって弁天島の不忍弁天堂に直接いけるようになったのは、1670(寛文10)年のことで、長寿・福徳の神として信仰を集めた。弁天堂は1945(昭和20)年の空襲で焼失し、1958年に再建された。参道の天竜橋きわの不忍池由来碑には池の歴史が記されている。

弁天島には大小20余の碑があるが、弁財天が音曲の神でもあることから、管弦・舞踊関係の碑も多くみられる。弁天堂右横につきでた聖天島の聖天宮は、縁結びの神として名高く、その脇に役行者の石像がある。1671(寛文11)年の絵図に「エンノ行者」の書き入れがあることから、その当時からここにたてられていたと考えられる。この石像を背後からみると男性の性器をかたどっており、男女和合の石仏として信仰されたのであろう。

不忍池畔の東南に台東区立下町風俗資料館がある。1階には明治・大正期の長屋(駄菓子屋・銅壺屋)を実物大に再現し、2階には生活用品や遊具を展示している。展示してある調度品や生活道具は実際に使用されたもので、明治・大正期の下町の生活がにおう。

不忍池西側一帯の池之端は、かつて池畔の沼沢地であったが、16世紀末に埋め立てられて水田となり、寛永年間に多くの寺院が建立され、元禄年間には本格的な門前町が発達した。1632(寛永9)年創建の教證寺(浄土真宗)はその1つで、江戸中期の歌人柳瀬美仲の墓(都旧跡)がある。

教證寺の少しさき、左手の路地をはいると旧岩崎邸(国重文)がある。かつて越後高田藩榊原家の中屋敷であった1万5000坪(約4万9500m²)余りの敷地に、三菱財閥の3代目岩崎久弥がその本邸として20棟をこえる建物を建設した。現在は洋館と和館の一部、それに撞球室(ビリヤードルー

旧岩崎邸

権現思想と権現造

コラム

権現造の神社建築

　権現とは神号の1種で、徳川家康の死後、朝廷から東照大権現の神号を宣下されたのは、家康を神としてまつろうということである。「権現」の権は仮で、仮にあらわれるという意味である。もともとは、仏が人びとを救うために、方便として権(仮)に神に化してあらわれる(化身と同じ)ことをいう。権現信仰としては、古くは箱根権現・蔵王権現などが有名であった。中世の神仏習合の神道の重要な論拠となるのが権現思想で、多くの神社が権現を称するようになった。

　徳川家康の遺体は久能山に葬られるが、「権現」としてまつるか、豊臣秀吉のように「大明神」としてまつるか、意見の対立があった。天海が天台宗の神道理論である**山王一実神道**によって「権現」を主張したのに対し、金地院崇伝が吉田神道の理論から「大明神」を主張した。天台宗の発展を願う僧天海の「明神は悪い。豊国大明神をみよ」という強い主張がとおり、権現としてまつられることとなった。

　その後家康は日光東照社に改葬されるが、3代将軍家光のとき、朝廷から正一位をさずかり、宮号をあたえられて、日光東照社を日光東照宮と改めた。日光東照宮の社殿も、家光によって大改築されて現在の姿となった。

　日光東照宮の社殿の様式をもっとも代表的な実例とする**権現造**は、本殿と拝殿の間を別棟の石の間(相の間)で連結したものである。広々とした拝殿には畳がしきつめられ、大勢の参拝者を収容することができるようになっている。

　こうした権現造は、芝の増上寺や上野の寛永寺の歴代将軍の御霊屋建築にも採用され、全国的にも流行し、神社建築の一般的な様式となった。東京都内でも**根津権現**(文京区)の社殿は、みごとな権現造である。

ム)が残されている。ジョサイア・コンドル設計の木造2階建て地下室つきの洋館は、17世紀英国のジャコビアン様式を基調としたもので、1896(明治29)年に竣工。角形ドーム屋根の塔屋をもつ玄関の左部分が主屋で、外国人や賓客を招いてのパーティーなど社交場として使用された。洋館と地下道で結ばれた撞球室もコンドルの設計で、スイスの山小屋風のつくりとなっている。和館は書院造を基調としたもので、岩崎家の生活の場として主人以下家族の各部屋などが設けられていた。現存する大広間には、明治時代を代表する日本画家橋本雅邦の障壁画がある。

寛永寺の境内・彰義隊が戦った上野の山

東照宮社殿(左)と東照宮青銅灯籠

　不忍池に沿って北に進むと，横山大観記念館がある。最初の文化勲章受章者，近代日本画史上の巨匠横山大観は，1909(明治42)年からここに住んだ。戦災焼失後，1954(昭和29)年に再建，1958年，90歳で死去するまで制作を続けた。その2階家に，大観の完成品と見紛うばかりの習作や下書きを展示している。池之端2丁目の奥に，1698(元禄11)年創建の妙極院(真言宗)がある。ここには，元禄期の真言宗の高僧浄厳律師の墓(都史跡)や，幕末の剣豪で馬庭念流18代の樋口定伊の墓(都旧跡)がある。

　弁天島から不忍池を左にみながら不忍坂をのぼると，不忍池の東側に古い社歴をもつ五条天神があり，その裏手の高台が大仏山である。上野精養軒入口の左に時の鐘，右にパゴダがある。寛永寺の時の鐘は，松尾芭蕉の句「花の雲　鐘は上野か　浅草か」で知られるが，現在のものは1787(天明7)年につくられた。時を知らせる鐘は，最初3つついて注意させ，そのあと時刻の数だけついたという。現在でも朝夕の6時と正午の3回つかれている。パゴダのあるところは，かつて大仏殿が建立されていたが，関東大震災で崩壊した。震災でおちた大仏の頭部だけがパゴダの左側にはめこまれている。

　精養軒前の道を進むと，1651(慶安4)年3代将軍家光の命で再造営した東照宮がある。参道に着く手前，右側の1631(寛永8)年佐久間勝之の寄進した巨大な石灯籠は，あまりに大きいので，通称おばけ灯籠とよばれている。参道を少し戻ったところにある大鳥居は，1633年上州前橋藩(群馬県)主酒井忠世の寄進になる石造明神鳥居(国重文)である。参道の両側には，諸大名が寄進した280余基の石

灯籠と50基の青銅灯籠(国重文)が並ぶ。明神鳥居にもっとも近い青銅灯籠は，藤堂高虎が寄進したものである。寛永寺創建以前の上野の山には藤堂家の下屋敷があり，1627(寛永4)年すでにその屋敷内に東照宮を創建していた。高虎寄進の青銅灯籠はそのときのものである。東照宮は徳川家康をまつる神社で，幕府直営の宮として，江戸城紅葉山・久能山・日光・上野の4宮があった。いずれも本殿と拝殿を別棟の石の間で連結する権現造の社殿建築であったが，上野東照宮だけは本殿と拝殿の間が畳の間である。1866(慶応2)年に勅使門・回廊が焼けたが，唐門・透塀・拝殿・本殿(いずれも国重文)は家光の造営した当時のものである。唐門左右の昇り龍・降り龍は左甚五郎の作ともいわれ，拝殿正面の金文字の「東照宮」の勅額は，後水尾天皇の宸筆である。また，拝殿内の天井絵「唐獅子」は，狩野探幽の筆になる

東京国立博物館 ❺
03-3822-1111

〈M ▶ P.82,84〉台東区上野公園13
JR山手線・京浜東北線・地下鉄銀座線上野駅，京成線京成上野駅🚶8分

もと寛永寺の伽藍の中心／日本最初の博物館

東照宮参道の前面を竹の台といい，大噴水の向こうに東京国立博物館がみえる。大噴水のあるところが寛永寺根本中堂跡，博物館本館のあるところが本坊跡で，かつての寛永寺の伽藍の中心であった。

わが国最初の博物館は，1872(明治5)年湯島聖堂の大成殿に文部省博覧会の名称で設けられた。1881年寛永寺本坊跡に，ジョサイア・コンドルの設計によるレンガ造り2階建ての上野博物館が完成し，ここに移された。1900年帝室博物館と改称され，1908年には皇太子(大正天皇)成婚記念として別館の表慶館(国重文)が完成した。コンドルの弟子片山東熊の代表作であるが，1923(大正12)年の関東大震災で本館は失われ，1937(昭和12)年に，「日本趣味を基調

東京国立博物館本館

寛永寺の境内・彰義隊が戦った上野の山　93

旧東京音楽学校奏楽堂

とする東洋式」の重々しい瓦屋根をもつ帝冠様式の現在の本館が完成した。懸賞競技設計による渡辺仁の作品である。第二次世界大戦後の1947(昭和22)年に宮内省から文部省の所管となり，国立博物館と改称した。また表慶館の西南に法隆寺宝物館(1999〈平成11〉年完成)，本館に向かって右手前に東洋館(1968年完成)，本館左奥には特別展示に使われる平成館(1999年完成)がある。本館裏の内庭は寛永寺本坊の庭園であったが，そこに応挙館・九条館・六総庵(金森宗和の茶室)などがある。表慶館裏の旧十輪院宝蔵(国重文)は鎌倉時代の校倉造である。正門の西に旧因州池田屋敷表門(国重文)がある。江戸城内大名小路(千代田区)にあった，鳥取32万石の大名池田家の上屋敷の門で，江戸末期の武家屋敷の遺構である。

このほか，公園内のおもな施設を公園南側から順にあげてみると，上野の森美術館・日本芸術院会館・東京文化会館・国立西洋美術館・国立科学博物館・恩賜上野動物園・東京都美術館・台東区立旧東京音楽学校奏楽堂・国立国会図書館国際子ども図書館・東京芸術大学などがある。

国立西洋美術館 川崎造船所社長松方幸次郎が，ヨーロッパで収集したいわゆる松方コレクション。フランス政府から戦後日本に返還され，1959(昭和34)年に設立。建物の設計はル・コルビジェで，2016(平成28)年に世界遺産に登録された。前庭にロダンの作品「考える人」「カレーの市民」を展示している。

国立科学博物館 1931(昭和6)年に完成した現・日本館(国重文)と，隣接して新たに建設された地球館からなる自然史・科学技術史に関する総合科学博物館。恐竜の骨格標本など日本列島の歴史を物語る資料や地球環境の変動を示す展示のほか360°シアターもある。

恩賜上野動物園 1882(明治15)年に日本最初の動物園として開設さ

小泉八雲記念碑

れた。動物園および東照宮の敷地は、かつて藤堂高虎の下屋敷のあったところで、正門脇に藤堂高虎の墓と、高虎が3代将軍家光の接待用につくった茶室閑々亭(再建)がある。また、第二次世界大戦後動物園が拡張されたことから、東照宮の五重塔(旧寛永寺五重塔・国重文)も園内にある。この塔は1631(寛永8)年に土井利勝が寄進し、8年後に再建されたものである。

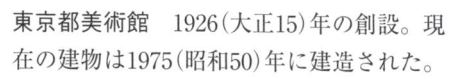

東京都美術館　1926(大正15)年の創設。現在の建物は1975(昭和50)年に建造された。美術館脇に、遺作展開催(1934年)を記念して谷文晁碑がたてられている。

台東区立旧東京音楽学校奏楽堂(国重文)　1890(明治23)年に完成した旧東京音楽学校(現、東京芸術大学)の本館中央部にあった講堂兼ホールで、日本の音楽教育の中心的役割をはたしてきた建物である。現在も使われており、内部のパイプオルガンは世界的に貴重なものである。

国立国会図書館国際こども図書館　前身は1874(明治7)年創立の官立図書館浅草文庫で、現在の建物は1906年建造のものを、昔の建物を残しながら、2002(平成14)年5月5日に児童書専門図書館として開館した。図書館前に天使像の小泉八雲記念碑がある。詩人土井晩翠が若くして亡くなった長男のため、長男が慕っていた小泉八雲を記念してたてたものである。

東京芸術大学　1949(昭和24)年、東京美術学校と東京音楽学校(ともに1887年設立)を統合して開校した。美術学部の構内にある東京芸術大学美術館は、大学所蔵の美術品を中心とした特別展が人気を集めている。所蔵品のなかには日本近代洋画の黎明期の名作「鮭」(高橋由一画・国重文)、「収穫」(浅井忠画・国重文)、「悲母観音」(狩野芳崖画・国重文)などがある。旧博物館動物園駅の向いにある黒田記念館には、「読書」や「湖畔」など黒田清輝の代表作が収蔵されていて、新年と春・秋に公開されている。

寛永寺 ❻
03-3821-1259
〈M ▶ P.82, 84〉台東区上野桜木町1-14
JR上野駅🚶15分またはJR山手線鶯谷駅🚶9分

江戸城の鬼門鎮護の寺院
徳川将軍家の菩提寺

　江戸時代の寛永寺(天台宗)は，上野の山一帯(118万8000m²)の広大な寺地を有する36ヵ院の総称であった。その本坊(円頓院)は，1625(寛永2)年天海を開山として創建された。関東の比叡山たる東叡山の山号を川越の喜多院から移して，江戸城の鬼門(北東)を鎮護する祈禱所とした。さらに，慶安年間(1648~52)に延暦寺の例にならって，寺号を年号によるという勅許を得て，創建時の年号「寛永」をとって寛永寺とした。その後，東照宮・仁王門・五重塔・大仏殿・清水観音堂などのおもな建物が建造され，1698(元禄11)年には寛永寺最大の建造物根本中堂(瑠璃殿)も落成した。将軍の参詣に参列する諸大名が，着替えの場所としての宿坊をきそって建立・寄進したことから，多くの子院がうまれ，1709(宝永6)年に最後の将軍徳川慶喜が謹慎したことで知られる大慈院が建立されて，子院36坊が完成した。4代将軍家綱・5代綱吉が葬られて，将軍家の菩提寺となるに伴い，寺領も年を追って増加し，1718(享保3)年には1万1790石という天下一の寺領を誇った。また，後水尾天皇の皇子尊敬(守澄)法親王が3世門主となり，天台座主に任じられ，輪王寺宮と称されて以降皇族が就任するようになった。

　東京国立博物館の東側に，両大師がある。平安中期の天台座主良源(慈恵大師)をまつる慈恵堂を移した現在の本堂(1792〈寛政4〉年再建)と，寛永寺の開山天海(慈眼大師)をまつる開山堂(1781〈天明元〉年再建)があることから，両大師とよばれている。1644(正保元)年建造の奥の院には，木造天海僧正坐像(都有形)が安置されている。境内の青銅灯籠と山門横の銅鐘は，ともに大猷院(家光)霊廟

徳川家綱霊廟勅額門

徳川将軍家菩提寺

コラム

増上寺と寛永寺

　1590(天正18)年、江戸城にはいった徳川家康は、江戸を本拠とすることをあきらかにするため、まず徳川家の菩提寺を定めた。徳川家の宗旨は浄土宗であったので、竜の口の東(現在のパレスホテル付近)にあった増上寺を菩提寺とした。その後、江戸城拡張工事のために、1598(慶長3)年増上寺は、東海道に面した現在地(港区芝公園)に移った。こうして菩提寺は増上寺、祈禱寺は江戸の鬼門の方向にあたり、それを守護する天台宗の浅草寺と、宗教面での制度が整った。

　天台僧天海は、2代将軍秀忠・3代家光にすすめて、1625(寛永2)年上野寛永寺を創建し、浅草寺にかえて寛永寺を将軍家の祈禱寺とした。家光にとって、祖父家康の存在は大きく、敬慕の念が厚いものがあった。

　家康の死後、家光の精神的な支柱となったのが天海であった。父秀忠が増上寺に葬られているにもかかわらず、1651(慶安4)年家光はその死にのぞんで、自分の遺骸は寛永寺に移し、初七日に日光山(栃木県)に埋葬してほしいと遺言した。

　こうして、寛永寺が将軍家の菩提寺となる第一歩がふみだされた。4代家綱・5代綱吉もその遺命で寛永寺に埋葬されると、寛永寺は将軍家の菩提寺の地位を確立することとなった。

　菩提寺の地位を奪われた増上寺は、幕閣に激しく抗議した。難問に直面した幕閣は、両寺の体面をそこなうことのない解決策として、将軍の「遺命」としながらも、どちらにもかたよらないように調整して、埋葬することとした。

徳川歴代将軍霊廟

代	名	法　名	霊 廟 場 所
1	家康	安国院東照宮	日光東照宮
2	秀忠	台徳院	芝 増 上 寺
3	家光	大猷院	日　　　光
4	家綱	厳有院	上野寛永寺
5	綱吉	常憲院	上野寛永寺
6	家宣	文昭院	芝 増 上 寺
7	家継	有章院	芝 増 上 寺
8	吉宗	有徳院	上野寛永寺
9	家重	惇信院	芝 増 上 寺
10	家治	浚明院	上野寛永寺
11	家斉	文恭院	上野寛永寺
12	家慶	慎徳院	芝 増 上 寺
13	家定	温恭院	上野寛永寺
14	家茂	昭徳院	芝 増 上 寺
15	慶喜		谷中徳川墓地

に奉納されたものである。両大師堂の東側の黒塗り山門は、寛永寺旧本坊表門(国重文)が移建されたもので、かつては東京国立博物館の正門の位置にあり、博物館の表門として使われていたことがある。上野戦争で奇跡的に焼け残ったもので、弾痕が数多くみられる。両

大師の北側は寺町で、かつての寛永寺の子院が集まっている。そのうちの現龍院は、寛永年間(1624〜44)に稲葉正成が建立したもので、この寺町の東にある墓地には、1651(慶安4)年3代将軍家光の死に殉じた堀田正盛(佐倉藩主)・阿部重次(岩槻藩主)とその家臣の墓がある。

　現在の寛永寺本堂(根本中堂)は、上野戦争で旧寛永寺の伽藍のほとんどが焼失したあと、川越の喜多院の本地堂を、1879(明治12)年に寛永寺子院の大慈院の跡地に移建したものである。本堂には、本尊の木造薬師如来像および両脇侍立像(ともに国重文)、両界曼荼羅図(国重文)がある。また、寛永寺書院の一部には、将軍を辞した徳川慶喜が、1868(慶応4)年の2月から4月にかけて蟄居・謹慎した葵の間が残されている。境内には、隠元禅師に師事した黄檗宗の僧で、経典7000巻を寛永寺に寄贈した了翁禅師塔碑、伊勢長島藩主増山雪斎が昆虫の死骸を供養した虫塚、寛永寺4世の学頭慈海僧正の墓があり、いずれも都旧跡に指定されている。

　裏手の寛永寺霊園には6人の将軍の霊廟がある。第二次世界大戦の戦災で、本殿・拝殿・中門などを焼失したものの、1687(貞享4)年に造営され、1698(元禄11)年に再建された厳有院(4代家綱)霊廟と、1709(宝永6)年造営の常憲院(5代綱吉)霊廟の勅額門・水盤舎・宝塔・唐門(いずれも国重文)がそれぞれ東京国立博物館の裏と霊園横に残っている。現在、厳有院霊廟には、家綱のほか10代家治・11代家斉が合祀され、常憲院霊廟には、綱吉のほか8代吉宗・13代家定が合祀されている。3代家光は、日光の大猷院霊廟にまつられたが、寛永寺にも遺品・毛髪をおさめる供養塔と位牌所の大猷院霊殿がつくられていた。

寛永寺本堂(根本中堂)

② 江戸・明治の面影を残す寺町谷中

明暦の大火後に多くの寺院が移転してきてできた寺町。震災・戦災を免れたために江戸〜昭和初期の建物が残る。

全生庵 ❼ 〈M▶P.82,99〉 台東区谷中5-4
地下鉄千代田線千駄木駅【徒】5分

山岡鉄舟の創建
三遊亭円朝の墓所

　谷中の地名は，上野台地と本郷台地の間の谷間で，かつ下谷に対しての名であるというが，現在では谷中とよばれる地域は大半が上野台地のうえにある。したがって，三崎坂・三浦坂・善光寺坂などとよばれる坂の多いところでもある。この地域は，明暦の大火（1657年）後，神田・日本橋から寺院が移転してきたことで，現在のような寺町が形成された。関東大震災・第二次世界大戦の戦災を免れたので，明治・大正，さらには江戸時代の建物が残っている。

　千駄木駅南口をでて三崎坂に向かう。文京区と台東区の境の道は，音無川（石神井川）の分流藍染川の流路で，不忍池に流れ込んでいた（現在は暗渠となっている）。三崎坂の途中，右側に江戸千代紙を伝える伊勢辰がある。そのさき左側，谷中小学校の正門向かいに笠森お仙ゆかりの大円寺（日蓮宗）がある。明和年間（1764〜72），鈴木春信が笠森稲荷境内の茶屋鍵屋の娘仙を描いた錦絵が大評判となり，ひと目お仙をみようと人びとが押しかけたという。

　境内には，手前に笹川臨風のお仙と春信の顕彰碑と，奥のほうに先端のとがった永井荷風の笠森阿仙之碑（1919年建立）がある。これは1803年（享和3）年に小石川白山にあった笠

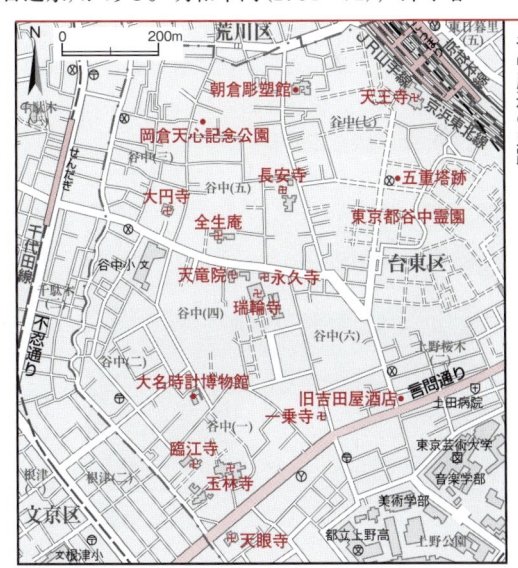

谷中周辺の史跡

江戸・明治の面影を残す寺町谷中　99

岡倉天心記念公園六角堂

森稲荷を勧請したことからはじまったもので，笠森を大円寺の瘡守稲荷に結びつけたことによる。実際のお仙の茶屋は天王寺福泉院の境内にあり，その跡には功徳林寺(浄土宗)がたてられている。

大円寺東側の道にはいると，右側が岡倉天心記念公園(都旧跡)で，園内の六角堂には，金色にひかる平櫛田中作の天心像がおさめられている。天心は東京美術学校(東京芸術大学の前身)の創設に尽力し，校長辞職後，この地の自宅に日本美術院を創設した。天心記念公園から，日暮里駅へ向かう大通りにでて右折すると，彫刻家朝倉文夫の旧宅を利用した朝倉彫塑館があり，アトリエを利用して「墓守」「市川団十郎」などの作品が展示されている。

朝倉彫塑館前の通りを南にいくと，右手に谷中七福神の寿老人で知られる長安寺(臨済宗)がある。フェノロサに見いだされ，代表作「悲母観音」を描いた日本画家狩野芳崖の墓と，鎌倉・室町時代の板碑4基がある。長安寺脇の観音寺の築地塀は，江戸時代の寺町の雰囲気を今に伝えている。

長安寺のさきを右折すると三崎坂である。坂の南側の永久寺(曹洞宗)には，明治初期の代表的戯作者仮名垣魯文の墓があり，その裏手の瑞輪寺(日蓮宗)には，神田上水の開設者大久保主水忠行の墓(都旧跡)と，大日本帝国憲法・教育勅語の起草者井上毅の墓

全生庵

上野の山周辺

がある。

　三崎坂をくだると，右側に，1880（明治13）年に山岡鉄舟が剣禅一致の道場としてたてた全生庵（臨済宗）があり，墓地中央に山岡鉄舟の墓と鉄舟の愛した明治の落語家三遊亭円朝の墓（ともに都旧跡）がある。8月11日の円朝忌前後には，円山応挙らの幽霊画も公開される。全生庵の向かいの天竜院（臨済宗）には，長崎でシーボルトに西洋医学を学び，最初の種痘所を開いた伊東玄朴の墓（都旧跡）がある。

大名時計博物館 ❽
03-3821-6913　〈M▶P.82,99〉台東区谷中2-1-27
地下鉄千代田線根津駅🚶8分

江戸時代の高度な技術 多くの和時計を展示

　根津駅の北東約400m，三浦坂をのぼった左手に大名時計博物館がある（休館日に注意）。全生庵からいくには，東南角の三崎坂の谷中小学校の東側を道なりに進めばよい。この博物館には，櫓時計・台時計・香盤時計・日時計・印籠時計など，12種類の和時計が展示されている。そのほとんどが江戸時代の大名お抱えの時計師（御時計師）の手になるものであることから，大名時計とよばれている。展示品のうち，30基58個が都の有形文化財（工芸品）の指定をうけている。

　大名時計博物館の塀に沿って三浦坂をくだり，台東区と文京区の境を左にはいると臨江寺（臨済宗）で，蒲生君平の墓（国史跡）がある。君平は，寛政の三奇人の1人で，『山陵志』をあらわし，幕末の尊王論の先駆となった。

　境の道をさらに進むと言問通りにでる。言問通りの坂道は，古くから善光寺坂とよばれている。江戸時代初め，坂上に信濃善光寺の宿院があったので善光寺坂といったが，1703（元禄16）年大火で現在の青山に移転し，地名だけが残った。信号を渡った向こう側の天眼寺（臨済宗）に太宰春台の墓（都史跡）がある。春台は，荻生徂徠の高弟で，

大名時計

江戸・明治の面影を残す寺町谷中　　101

その著『経済録』は江戸時代の代表的な政治・経済論である。坂の左側の玉林寺(曹洞宗)の本堂裏にあるシイの木(都天然)は、高さ約16.8mの巨木である。

　善光寺坂をのぼりきると、左手に一乗寺(日蓮宗)があり、江戸時代の儒学折衷学の大成者太田錦城の墓(都旧跡)がある。一乗寺のつぎの交差点に、明治から昭和初期の典型的な店舗として旧吉田屋酒店が谷中6丁目から移築され、台東区立下町風俗資料館の付設展示場となっている。

谷中霊園 ⑨

〈M ▶ P.82, 99, 102〉台東区谷中7
JR山手線・京浜東北線、京成線日暮里駅 🚶 1分

江戸の名刹感応寺　江戸末・明治の著名人の墓所

　谷中霊園(谷中墓地)は、天王寺霊園、東京都谷中霊園、谷中寛永寺墓地の総称である。天王寺(天台宗)は日暮里駅西口のすぐ南にあり、谷中の寺町第一の寺院である。もとは日蓮宗の名刹感応寺にはじまり、1699(元禄12)年に天台宗に改宗して上野寛永寺の末寺となり、1833(天保4)年に護国山天王寺と改称した。天台宗への改宗は、日蓮宗の不受不施派に対する江戸幕府の弾圧をうけたことによる。享保年間(1716～36)に富籤興行が許可されたことで賑わいをみせ、境内には水茶屋が軒を並べていた。また、谷中七福神の1つ毘沙門天でも知られている。

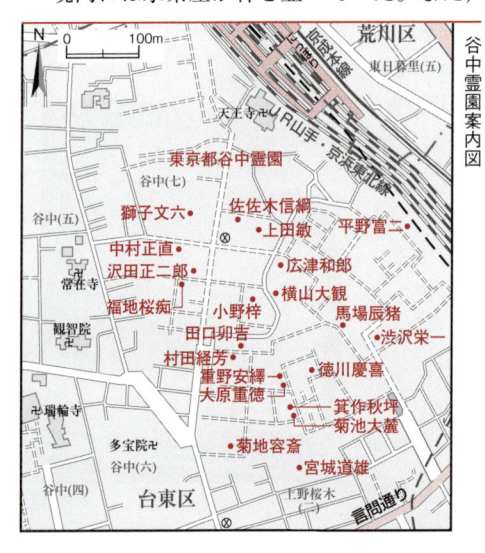

1868(慶応4)年の上野戦争では、この寺が彰義隊の分営となったために兵火にかかり、本坊と五重塔を残してすべて堂宇は焼失した。

さらに1874(明治7)年寺域の大半が東京府の共同墓地(現在の東京都谷中霊園)となった。1891年から2年ほど天王寺町に住んだ幸田露伴が、1791(寛政

谷根千の名店で味わう

コラム

下町情緒あふれる谷根千の名店

谷中・根津・千駄木を"谷根千"とよぶようになって久しい。その語源となったタウン誌『谷根千』は地域の情報発信誌として，今でも多くの人に親しまれている。

この谷根千には，下町の名店が数多く残っている。まずは煎餅。「谷中せんべい」「都せんべい」「菊見せんべい」に，昔せんべい「大黒屋」と有名店は数多い。とくに三崎坂の1875(明治8)年創業の老舗「菊見せんべい」は，昔ながらの堅焼きにこだわる。

つぎに甘味。和菓子では梅の甘露煮の「日暮」，豆大福の「谷中岡埜栄泉」と「喜久月」がうまい。スウィーツでは，台湾産フルーツでつくったゼリーをだす「愛玉子」があり，声がよくなると東京芸術大学の学生が今でもかようという。また，最中アイスの「芋甚」や，あんこのいっぱい詰まった鯛焼きの「根津のたいやき」は，いつも行列が途切れない。そのほか「後藤の飴」は，サクラ・ユズ・カリンなど季節の飴が好評。

食事をするなら，鮨なら穴子寿司で有名な「乃池」，ソバは地元で親しまれている「川むら」や「巴屋」がある。しかし，下町情緒を満喫したいなら根津の串揚げ料理屋「はん亭」。明治末期建築の3階建ての出桁造の店構えは，下町の香りに浸らせてくれる。

ちょっと疲れたら，団子坂近くで古本屋を開いていた江戸川乱歩にちなんだ「乱歩」や，レトロな雰囲気の「カヤバコーヒー」などの喫茶店で一休み。最後は，みやげに女性に人気が高い，江戸千代紙の「いせ辰」や佃煮の「中野屋」に寄って帰りたい。

谷根千を歩くとおいしいものには事欠かない。立ち寄っても，歩きながらでも，またみやげにもよく，寺町散歩をいっそう楽しませてくれる。

3)年に再建された五重塔にまつわる作品『五重塔』をあらわしたことは有名であるが，その五重塔は1957(昭和32)年，放火心中事件で焼失してしまった。谷中霊園の中央，交番脇に天王寺五重塔跡(都史跡)がある。天王寺霊園には，幕末の儒者塩谷宕陰の墓(都旧跡)のほか，田安宗武(8代将軍吉宗の2男，寛政の改革を行った松平定信の父)，坂下門外の変の老中安藤信正暗殺計画に加わった大橋訥庵，明治の彫刻家朝倉文夫，植物学の大家牧野富太郎の墓がある。

天王寺に隣接する東京都谷中霊園は，面積約10万m²で，墓碑は

徳川慶喜の墓

7000余を数える。江戸時代末・明治以降の著名人の墓が多いことで知られている。その一部をあげてみる。

菊地容斎(きくちようさい)(1878年没, 狩野派の歴史人物画家, 都旧跡)・大原重徳(おおはらしげとみ)(1879年没, 公卿, 文久の改革の勅使, 都旧跡)・中村正直(なかむらまさなお)(1891年没, 明六社同人,『西国立志編』の訳者, 都旧跡), 小野梓(おのあずさ)(立憲改進党を結成, 早稲田大学前身の東京専門学校創立に参加)・箕作秋坪(みつくりしゅうへい)(蘭学者, 明六社創設に参加)・馬場辰猪(ばばたつい)(『自由新聞』などで自由民権思想を紹介)・平野富二(ひらのとみじ)(日本最初の鋳造活字の創始者)・田口卯吉(たぐちうきち)(『東京経済雑誌』創刊, 著書に『日本開化小史』)・福地桜痴(ふくちおうち)(『東京日日新聞』主筆)・重野安繹(しげのやすつぐ)(『大日本編年史』主宰)・上田敏(うえだびん)(『海潮音』訳者)・菊池大麓(きくちだいろく)(近代数学の導入者)・村田経芳(むらたつねよし)(村田銃の発明者)・沢田正二郎(さわだしょうじろう)(新国劇の創設者)・渋沢栄一(しぶさわえいいち)(第一国立銀行頭取など, 明治の財界指導者)・宮城道雄(みやぎみちお)(箏曲演奏家,「春の海」作曲者)・横山大観(よこやまたいかん)(近代日本画の巨匠, 代表作「生々流転」)・佐佐木信綱(短歌雑誌『心の花』主宰)・広津和郎(ひろつかずお)(作家, 松川事件の裁判を批判)・獅子文六(ししぶんろく)(作家, 代表作『自由学校』)。

谷中寛永寺墓地には, 徳川慶喜(よしのぶ)の墓(都史跡)がある。それ以前の将軍が寛永寺霊園に葬られているのと異なるのは, 最後の将軍ということからそれをはばかり, この谷中寛永寺墓地に葬られたのである。

3 江戸の景勝地「ひぐらしの里」日暮里

江戸の粋人が愛でた「ひぐらしの里」の面影が，月見寺・雪見寺・花見寺にわずかに残る。

月見寺・雪見寺 ⑩⑪ 〈M ▶ P.82, 105〉 荒川区西日暮里3-2
JR山手線・京浜東北線，京成線日暮里駅↥2分

月見の寺本行寺
雪見の寺浄光寺

日暮里の地名は新堀にはじまり，1448（文安5）年の文書に「にっほり」とでてくる。江戸時代の享保年間（1716～36）には日暮里と書かれており，やがて「ひぐらしの里」とよばれ，この新堀台地の景勝は，雪・月・花を愛でる人びとの間に喧伝されるようになった。武士・町人を問わず，ひぐらしの里を訪れることが，風雅な楽しみの1つであった。山手線・京浜東北線は，新堀台地の海岸段丘の下をとおっている。

JR日暮里駅西口をでると，御殿坂があり，右側に月見寺とよばれる本行寺（日蓮宗）がある。太田道灌の嫡孫大和守資高の開基と伝え，また道灌の物見塚があったともいわれ，境内にはいったすぐ右手のところに，2m四方の道灌物見塚の碑がある。塚は今はないが，もともとは周囲5間（約9.1m），高さ1丈（約3m）ほどの円墳であったらしい。本堂に向かって右手には種田山頭火の句碑，左手には小林一茶の句碑がたっている。裏手の墓地には市河寛斎・米庵父子の墓（都史跡）がある。寛斎は昌平黌学員長をつとめ，米庵は書家で，巻菱湖，貫名海屋とともに，

本行寺（月見寺）山門

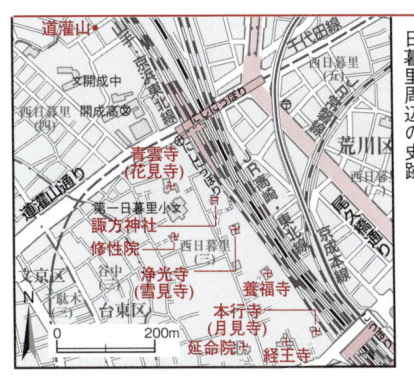

日暮里周辺の史跡

経王寺山門の弾痕

幕末三筆の1人。また墓地裏左手奥に，幕府の軍艦奉行永井尚志の墓（都史跡）もある。本行寺の左隣が，経王寺（日蓮宗）で，山門には，彰義隊との戦い当時の官軍の放った弾痕が残っている。経王寺のさきの延命院（日蓮宗）の境内には，大シイ（都天然）がある。樹齢600年をこえる巨木で，『江戸名所図会』（1836年開板）にも描かれている。

経王寺と延命寺の間の諏訪台通りをはいって右側に養福寺（真言宗）がある。宝永年間（1704〜11）の造立という朱塗りの仁王門の前に，享保年間の銘をもつ石灯籠がある。仁王門の右奥，鐘楼の脇に井原西鶴の百回忌にあたる，1792（寛政4）年に建立された梅翁（西山宗因）花樽碑，「雪の碑」「月の碑」からなる「談林派歴代の句碑」があり，江戸時代の文人の足跡をたどることができる。

諏訪台通りのさきに，諏訪神社のもと別当寺であった浄光寺（真言宗）がある。この辺り一帯は諏訪台といわれ，その境内からの雪見が有名となって雪見寺とよばれた。境内左手に，1691（元禄4）年に空無上人が勧進した銅製の地蔵菩薩像を，1809（文化6）年に再建した，江戸六地蔵の1つがある。

浄光寺の隣が新堀村・谷中の総鎮守の諏方神社で，鳥居には「新堀・谷中総鎮守」の扁額が掲げられている。1323（元亨2）年豊島左衛門尉経泰が，信州（長野県）の諏訪社を勧請したといわれている。諏方神社の前に太平洋美術会がある。1889（明治22）年に浅井忠が創立した明治美術会を前身とする。第二次世界大戦後ここへ移転した。諏方神社から西日暮里公園と線路の間の坂道は，浄光寺の地蔵菩薩像にちなんで地蔵坂という。

花見寺 ⑫　〈M ▶ P.82, 105〉荒川区西日暮里3-6
JR山手線・京浜東北線，地下鉄千代田線西日暮里駅🚶6分

諏訪台通りから浄光寺より手前の富士見坂をくだり，右手におれ

青雲寺（花見寺）

るとすぐ修性院（日蓮宗）がある。1573（天正元）年豊島郡田中村（板橋区）に創建され，1663（寛文3）年にこの地に移転したという。この寺には谷中七福神の1つ布袋がある。修性院の前の道を北にいくと，花見寺として知られる青雲寺（臨済宗）がある。

寛延・宝暦のころ（1748〜64），付近の妙隆寺（移転）・修性院とともに境内にサクラやツツジを植えて，春の永き日の暮れるを知らないといわれ，まさに「ひぐらし（日暮し）の里」の寺々であった。境内には，道灌船繋松の石碑がある。昔，境内東北の崖下まで入り海であったころ，このマツに船をつないだことからその名がおこったという。狂歌師安井甘露庵の歌碑と，滝沢馬琴の硯塚・筆塚がある。

花見の寺青雲寺「ひぐらしの里」のおこり

道灌山 ⑬

〈M▶P.82,105〉荒川区西日暮里4-7
JR山手線・京浜東北線，地下鉄千代田線西日暮里駅 3分

本郷から尾久につうじる尾竹橋通りの北側の高台一帯が道灌山で，太田道灌の砦があったといわれている。一方，『新編武蔵風土記稿』は，12世紀後半，谷中感応寺（天王寺）と根岸の善性寺を開いたこの地の豪族関小次郎長耀入道道閑（江戸太郎重長の妻の父）がこの高台に屋敷を構えていたと，道灌山のいわれを記している。

上野・日暮里・飛鳥山を結ぶ台地と，千葉県の国府台との間に，古東京湾が広がっていたころ，この台地の縁辺に人びとが住み着いていた。1933（昭和8）年に道灌山の開成学園校庭から土器が出土し，1954年の再調査で縄文前期から弥生・古墳時代にまたがる土器が出土，弥生前期から中期の竪穴住居跡も発見された。諏訪台の延命院貝塚からも，1889（明治22）年に縄文後期の土器が出土している。

名称には2つのいわれ縄文時代から人びとが居住

4 下町の風情漂う下谷と根岸

江戸時代、下級武士や町人の居住地だった入谷・下谷には今も下町らしい雰囲気が感じられる。根岸には文人・墨客も多く住んだ。

入谷鬼子母神 ⓮

〈M ▶ P.82, 109〉 台東区下谷1-12
地下鉄日比谷線入谷駅🚶2分、またはJR山手線・京浜東北線 鶯谷駅🚶8分

おそれ入谷の鬼子母神　朝顔市は夏の風物詩

入谷駅をでて、昭和通りと言問通りの交差点の東南側のロータリーのなかに、入谷乾山窯元之碑と入谷朝顔発祥之地碑がある。尾形乾山は、元禄期の代表的な絵師・工芸家光琳の弟で、本阿弥光悦の影響をうけ、野々村仁清に京焼を学んだ。公寛法親王が寛永寺門主として江戸にくだると、親王を慕う乾山も江戸にきて、享保年間(1716～36)寛永寺領の入谷村に居を構え、窯を開き「入谷乾山」といわれる洒脱な作風をうみだした。また、入谷朝顔発祥之地碑は、この地の有名な朝顔市を記念したものである。

交差点を西にいくと、左側に江戸三大鬼子母神の1つで、「恐れ入谷の鬼子母神」で知られる入谷鬼子母神をまつる真源寺(日蓮宗)がある。1659(万治2)年、日融の開山と伝えられる。鬼子母神は鬼神般闍迦の妻で、インド仏教上の女神の1人である。本来は人の子どもを奪いとって食う狂暴な神であったが、釈迦が戒めのために鬼子母神の末子を隠し、子をなくす悲しみを実感させたところ、改心して子どもを守る善神となり、安産・子育ての神として信仰されるようになったという。日蓮宗寺院に鬼子母神が安置されているのは、法華経のなかに鬼子母神が登場することによる。この真源寺では、善神になったことからツノのない「鬼」の字を使って、鬼子母神としている。

この境内を中心として、毎年七夕の前後3日間(7月6～8日)、入谷朝

入谷鬼子母神

上野の山周辺

下谷・根岸周辺の史跡

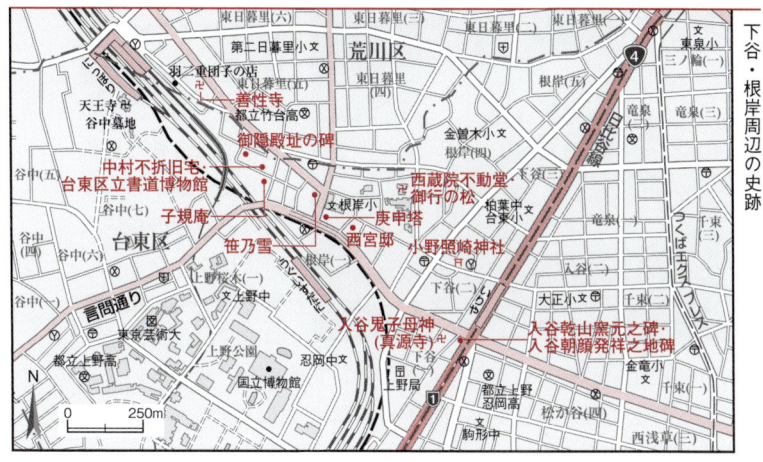

顔市がたつ。文化年間(1804〜18),下谷御徒町辺りで植木職が朝顔の栽培を行っていたが,このころから品種改良が進み,変種や珍種の育成が進んだ。明治から大正の初めにかけて,入谷田圃に住んでいた植木座によってひろく栽培され,この辺りには,丸新・松本・高野・植松などといった植木屋が軒をならべ,朝顔の花のころには早朝から見物人がつめかけたという。大正の初め,この地の市街地化で朝顔市はとだえたが,1948(昭和23)年に復活し,下町情緒がしのばれて人気を集めている。

　言問通りを西に進み,根岸1丁目交差点を右折する。この通りはかつての日光裏街道で,明治期には商家が軒を連ねていた。江戸末期から明治にかけての土蔵造・塗屋造の商家が今も残っていて,江戸・明治の町屋の風情がしのばれる。また,根岸小学校の東裏にある西宮邸は,日清戦争当時の外務大臣をつとめた陸奥宗光の邸宅で,和洋折衷の当時の面影を残しているが,傷みがひどく早期の保存がのぞまれる。

　旧日光裏街道を北に進むと,右側に小野照崎神社がある。祭神の小野 篁は平安初期の公卿で,文人としても知られていた。852(仁寿2)年,上野国(群馬県)から京への帰途,上野忍岡照崎の地の風光を愛でて,立ち去るのを惜しんだ。その旧跡に小野篁の霊をまつったものであるが,寛永寺創建の際にこの地に移された。境内には,数基の庚申塔と富士浅間神社をまつった富士塚(国民俗)がある。

下町の風情漂う下谷と根岸　　109

小野照崎神社の富士塚

富士山を信仰・参拝する富士講は、江戸を中心に各地で結成された。講中の人びとは、社寺の境内に富士山をかたどった富士塚を築いた。江戸時代には、江戸とその近郊に50余の富士塚があったという。完全な形で残っているものは、この富士塚と豊島区高松2丁目の高松富士、練馬区小竹町の江古田富士の3基のみで、3基とも国の重要無形民俗文化財に指定されている。

子規庵と書道博物館 ⓯⓰

〈M▶P.82,109〉台東区根岸2-5・2-10
JR山手線・京浜東北線鶯谷駅🚶7分

俳人正岡子規の住宅
10万余点の書道関係資料

小野照崎神社から日光裏街道の柳通りの交差点を左折し、根岸4丁目交差点を右折すると、西蔵院不動堂（真言宗）に着く。この辺りは時雨岡といわれ、根岸の三木といわれた御行の松の3代目が不動堂の境内に植えられている。

再び根岸4丁目交差点に戻り、西に進んで東日暮里交差点を左折、三河島駅前通り（尾竹橋通り）を鶯谷駅に向かうと、左側に根岸小学校がある。その歩道脇に小さな地蔵堂と、「寛文九(1699)年」「元禄」と読める庚申塔が数基ある。

根岸小学校前の料亭笹乃雪は、「江戸下谷根岸の名物」（『広辞苑』）として知られる。元禄年間(1688～1704)に、約50m北の音無川（台東区と荒川区の区境に沿って三ノ輪まで流れる。現在は暗渠

根岸小学校前の庚申塔

上野の山周辺

子規庵

となっている）のほとりに，豆腐料理屋を開業したことにはじまる。寛永寺門主輪王寺宮が，この店の豆腐を「笹の上に積もりし雪の如き美しさよ」と愛でたのが店名の由来である。

この根岸一帯は，音無川の清流と上野の山の間にあり，江戸時代には「呉竹の根岸の里」といわれた閑静な地で，大店の寮や別荘，文人墨客の隠棲の場であった。「根岸の里の侘び住い」である。この地に住んだ文人墨客には，姫路藩主の弟で画家として知られる酒井抱一，浮世絵師の北尾重政，儒者の亀田鵬斎，『江戸繁昌記』の著者寺門静軒らがいた。

明治になって，四季の雅趣に富むこの地には文人が多く住み着き，根岸派とよばれる文学活動もおこった。現在の根岸は都市化の波が押し寄せ，下町の情緒は裏通りに残るのみである。また，谷中から根岸にかけてはウグイスの名所で，現在でも駅の名として残っている。

笹乃雪脇の尾久橋通りを西に向かい，左折して細い道にはいると子規庵（都史跡）がある。正岡子規が1894（明治27）年から亡くなるまで住んでいた木造平屋住宅で，旧前田家御家人の二軒長屋の1つである。第二次世界大戦の戦災で焼失したものを再建したものである。子規は，俳句雑誌『ホトトギス』を主宰して俳壇の主流となったほか，根岸短歌会をおこし，子規庵をその会場とした。

子規庵の斜め向かいに中村不折旧宅（都史跡）がある。木造の住宅は戦災で焼失したが，鉄筋コンクリート2階建ての台東区立書道博物

根岸の町並み

下町の風情漂う下谷と根岸　111

館が残っている。不折は洋画家で，書道の研究家としても知られる。中国の拓本・石碑・亀甲獣骨文字など10万余点を収集し，1936（昭和11）年自宅庭内に書道博物館を開館して一般に公開した。書道博物館の真裏に，落語家 林家三平を記念するねぎし三平堂がある。ねぎし三平堂の通りを西へ向かう道の奥の根岸薬師の境内に御隠殿址の碑がある。この辺り一帯は，御隠殿とよばれた歴代の輪王寺宮が公務を離れて休息するところであり，約3000坪（約9900m²）の庭園があったという。

　かつて王子街道とよばれた楓並木の道を日暮里駅に向かうと，右側に善性寺（日蓮宗）がある。この寺には，かつて江戸幕府6代将軍徳川家宣の母長昌院の墓があり，弟の松平清武（浜田藩主）が隠棲していた。山門前の小さな橋は，家宣が渡ったことから将軍橋とよばれる。この橋は旧王子街道に沿って流れていた音無川にかかっていた。善性寺の前に2019（令和元）年にリニューアルオープンした羽二重団子の本店がある。1819（文政2）年，藤の木茶屋という掛茶屋を開いて往来の人びとに団子を供したことにはじまる。きめの細かい羽二重のような舌ざわりから羽二重団子の名がうまれ，芋坂名物となった。夏目漱石の『吾輩は猫である』や，正岡子規，泉鏡花などの作品にも登場している。

日本橋・銀座
Nihonbashi Ginza

日本橋通一丁目略図（歌川広重画『名所江戸百景』）

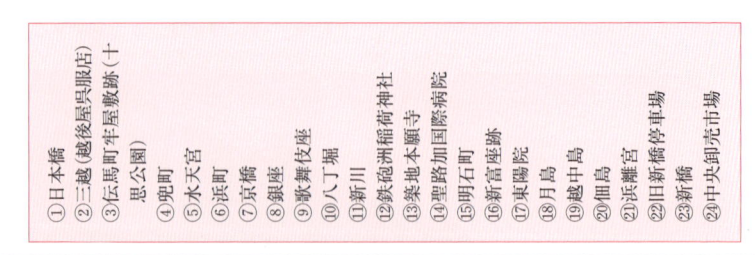

①日本橋
②三越（越後屋呉服店）
③伝馬町牢屋敷跡（十思公園）
④兜町
⑤水天宮
⑥浜町
⑦京橋
⑧銀座
⑨歌舞伎座
⑩八丁堀
⑪新川
⑫鉄砲洲稲荷神社
⑬築地本願寺
⑭聖路加国際病院
⑮明石町
⑯新富座跡
⑰東陽院
⑱月島
⑲越中島
⑳佃島
㉑浜離宮
㉒旧新橋停車場
㉓新橋
㉔中央卸売市場

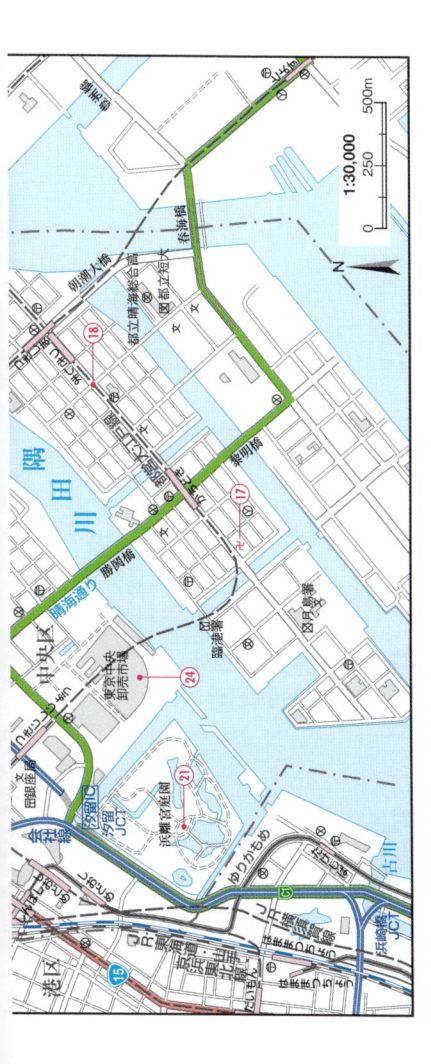

◎日本橋・銀座散歩モデルコース

1. 地下鉄銀座線(ほか日本橋駅 4_杵座跡 3_アーティゾン美術館 1_歌川(安藤)広重住居跡 7_京橋跡(京橋記念碑・煉瓦銀座の碑・銀座ガス灯・江戸歌舞伎発祥の地碑・京橋大根河岸青物市場蹟碑) 2_銀座の柳由来碑 1_銀座発祥の地碑 1_東京銀座通電気燈建設之記レリーフ 7_狩野画塾跡 1_歌舞伎座 7_石川啄木の歌碑 2_商法講習所の跡碑 5_地下鉄銀座線ほか銀座駅

2. 地下鉄大江戸線勝どき駅 5_勝鬨橋 3_東陽院(十返舎一九の墓) 10_月島開運観世音 4_海水館の碑 4_相生橋 5_東京海洋大学(明治丸) 10_住吉神社 2_佃島渡船の碑 2_石川島の灯台(復元) 3_石川島資料館 10_地下鉄大江戸線ほか月島駅

3. JR・東京モノレール浜松町駅 1_旧芝離宮庭園 15_浜離宮 4_浜離宮前踏切の信号機 5_旧新橋停車場跡 5_アドミュージアム東京 6_新橋の石柱・銀座柳の碑 1_金春屋敷跡 10_芝口御門跡 3_海軍兵学寮跡碑・海軍軍医学校碑 5_溶恩園跡 6_波除稲荷神社 3_軍艦操練所跡・築地ホテル館跡 2_勝鬨橋・かちどきの渡し碑 6_地下鉄大江戸線勝どき駅

1 街道の起点日本橋から兜町へ

諸街道の起点だった日本橋からスタートし，日本銀行本店本館，第一国立銀行跡，蠣殻銀座跡など金融市場を散策する。

日本橋 ❶ 〈M▶P.114,117〉中央区日本橋室町1-1-8，日本橋1-1-9
地下鉄銀座線・東西線日本橋駅🚇3分

諸街道の起点・日本橋 花崗岩造二連アーチ橋

　日本橋駅から地上にでて中央通りを神田方面へ向かうと，首都高速都心環状線がみえてくる。その真下にかかるのが日本橋(国重文)である。江戸幕府を開いた徳川家康は，城下町整備のため湿地帯だったこの辺り一帯の整地に乗りだし，1603(慶長8)年，江戸城下を流れる平川を延長してこの地に橋をかけ，翌年，一里塚を設置して諸街道の起点とした。やがて橋名を日本橋，その下を流れる川を日本橋川とよぶようになった。

　江戸時代には火事が多く，橋は十数回かけ替えられているが，かつての日本橋は和式の木造反り橋で，橋脚3本組8本，長さは28間(約50.9m)あり，欄干にみごとな擬宝珠がのっていた。江戸市中で擬宝珠をもつ橋は日本橋と京橋・新橋だけで，別格扱いだった。1814(文化11)年の『願掛重宝記』には，日本橋の擬宝珠に願をかけると百日咳にきくとあり，庶民の信仰対象にもなっていた。明治にはいるとフラットな洋風木橋にかわり，車道と歩道の区分が設けられた。

　現在の日本橋は，1911(明治44)年のルネサンス様式の花崗岩造り二連アーチ橋。設計は妻木頼黄ら。欄干にのる麒麟像と獅子像は彫刻家渡辺長男の作。橋名標は最後の将軍徳川慶喜の筆。橋の南詰め西側には大高札場があり，町触れや幕府の重要施策が掲示された。現在そこには高札場を模した日本橋由来の碑がたつ。南詰め東側は，

現在の日本橋

日本橋・銀座

日本橋兜町周辺の史跡

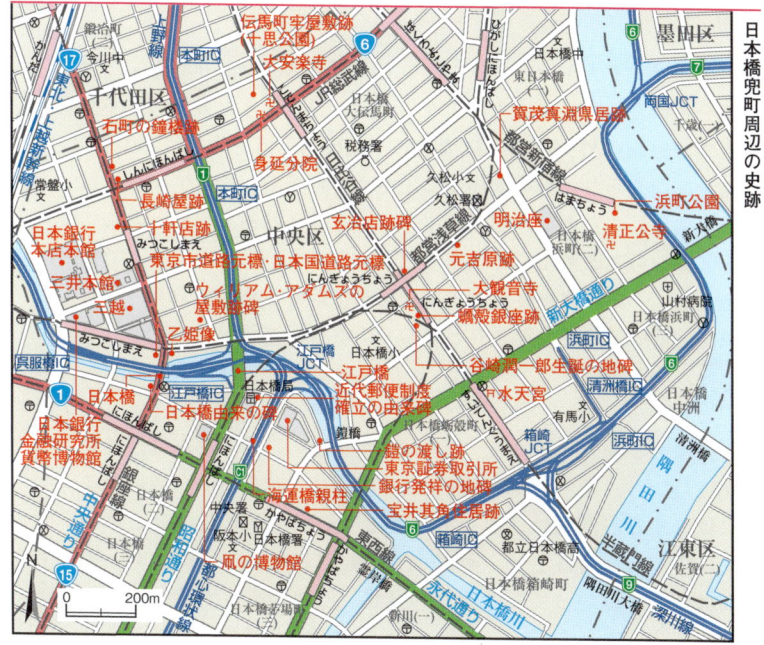

みせしめとして罪人をさらした場所である。

　北詰の乙姫広場にある乙姫像は、そこにあった日本橋魚河岸を記念して、1954(昭和29)年にたてられた。魚河岸の歴史は古く、家康の関東入国にしたがった森孫右衛門ら、摂津国西成郡佃・大和田両村(現、大阪市西淀川区)の漁師30人が、将軍家の膳所に供する魚御用を命じられ、余った魚類販売を日本橋小田原町で許されたのが発祥である。日本橋の魚市場は早朝から人で賑わったが、関東大震災を機に築地へ移された。

　1919(大正8)年、道路法が制定され、道路の起点・終点の標識として各市町村に道路元標を1つ設置することが定められた。橋の北詰め西側には、かつて道の中央にあった東京市道路元標が移され、その脇に日本国道路元標がある。ただしこれは複製で、本物は中央通りの真ん中にある。

　日本橋を渡り、2本目の小道を右へはいると、宝石店前に英語で記されたウィリアム・アダムズの屋敷跡碑(都旧跡)がたつ。1600(慶長5)年、オランダのリーフデ号が豊後に漂着した際、家康は乗

街道の起点日本橋から兜町へ　　117

組員のオランダ人ヤン・ヨーステンとイギリス人ウィリアム・アダムズを招いた。水先案内人のアダムズは，日本にきた最初のイギリス人で，家康の外交顧問に抜擢され，相模国三浦郡逸見に250石の領地をあたえられ，日本橋周辺に屋敷地をたまわった。アダムズは家康の要望にこたえて，肥前国平戸にイギリス商館を誘致，のちに名を三浦按針と改めて日本人を妻とし，1620(元和6)年，日本で生涯をとじた。第二次世界大戦前は一帯を按針町と称しており，今も屋敷跡碑前の道路を按針通りとよんでいる。

三越(越後屋呉服店) ❷
03-3241-3311

〈M ▶ P.114,117〉中央区日本橋室町1-4-1 P
地下鉄銀座線・半蔵門線三越前🚶1分

三井の越後屋と三越
辰野金吾の傑作日銀本店本館

三越はもと越後屋といい，伊勢国松坂出身の三井八郎右衛門高利が1673(延宝元)年，江戸本町1丁目に呉服店「越後屋」を開いたことにはじまる。高利は「現金掛け値なし」という正札販売と薄利多売により店を繁盛させ，両替商(金融業)にも手をのばした。両替商は近代にはいって三井銀行へ発展，三越に隣接する三井本館(国重文)は，アメリカン・ボザール・スタイルの鉄骨鉄筋コンクリート造りで，1929(昭和4)年に竣工した。

三井本館裏手に日本銀行本店本館(国重文)がある。辰野金吾設計のネオ・バロック建築にルネサンス意匠を加味した建物で，ベルギーの国立銀行がモデル。総工費112万円をかけて，1896(明治29)年に完成したが，内部には当時としては珍しい水洗トイレやエレベーターが設置された。日本銀行の場所は，かつての幕府の金座跡。金座とは，金吹所・金局・御金改役の役宅の総称をいい，後藤庄三郎が改役を拝命して以来，代々後藤家が金座を統括して金貨を鋳造した。日本銀行本店本館と道路を隔てて日本銀行金融研究所貨幣博物館がある。この博物館は貨幣コレクションに富み，詳し

三井本館

118　日本橋・銀座

江戸の街道と宿場

コラム

日本橋からもっとも近い4つの宿場

東海道は、日本橋から南へ芝口見附・高輪大木戸(港区高輪)を経て、品川宿へ向かう。参勤交代の諸大名をはじめ、庶民の往来も五街道中もっとも多く、品川は江戸をひかえた宿場として繁栄した。

中山道は、日本橋から北へ筋違見附(現在の万世橋のところ)をでて、本郷(東京大学・旧加賀藩前田家上屋敷)をとおり、巣鴨を経て板橋宿に至る。この宿場は、石神井川にかかる板橋を中心に形成されていた。

甲州道中は半蔵門前にでて、ここから西へ麹町、四谷見附(JR中央線四ツ谷駅脇)をとおり、四谷大木戸を経て内藤新宿に至る。現在の新宿1丁目・新宿御苑辺りから新宿3丁目・追分辺りまでが宿場であった。

奥州道中・日光道中は、日本橋の北で常盤橋門からくる道(現在では一部が日本銀行の敷地内)をとって右に進み、浅草橋を渡り、隅田川沿いに北上し、浅草をすぎて千住宿に至る。旧街道はJR常磐線・地下鉄千代田線の北千住駅の西、現在の日光街道(国道4号線)の東側を平行して北上する道である。

以上の品川・板橋・内藤新宿・千住がいわゆる「江戸四宿」で、いずれも日本橋から2里(約7.9km)ほどの距離にあった。

江戸には、以上の五街道のほか、青梅街道(新宿追分で甲州道中と分かれて荻窪方面へ)、岩槻街道(本郷追分で中山道と分かれて駒込方面へ)、大山街道(厚木街道ともいう。赤坂見附から青山・渋谷方面へ)などの脇街道があった。

い貨幣史がわかる。

中央通りに戻り神田方面へ進むと、江戸通りとぶつかる。その手前左に十軒店跡の説明板がたつ。本石町と本町にはさまれたこの辺りを、大正時代まで十軒店とよんだ。雛人形や五月人形などをあつかう店舗が10軒並んでいたのが地名の由来。店数はしだいにふえ、寛永年間(1624～44)には41店が軒を連ね、羽子板や破魔矢、鯉

日本銀行本店本館

街道の起点日本橋から兜町へ

のぼりもあきない，節句には客で賑わった。

室町3丁目交差点東北角の地下鉄新日本橋駅への入口階段脇に，長崎屋跡の標識がたつ。毎年1回，オランダ商館長は，長崎から江戸へ参府して将軍に拝謁した。このおり，オランダ人が定宿としたのが宿屋兼薬種商の長崎屋。「長崎屋　今に出るぞと　とりかこみ」という川柳にあるように，江戸の庶民はひと目オランダ人をみようと，参府のおりには長崎屋周辺に人だかりができたという。学者や幕府の天文方・医官にとっても，オランダ人参府は西洋知識にふれる絶好の機会で，長崎屋ではオランダ人と学者の知的交流がなされた。明治になって長崎屋跡地には，雑誌『太陽』を発刊した博文館の社屋がおかれた。

伝馬町牢屋敷跡（十思公園）❸

〈M ▶ P.114,117〉中央区日本橋小伝馬町5
地下鉄日比谷線小伝馬町駅 1分

吉田松陰終焉の地
江戸市中初の時の鐘を保存

長崎屋跡の1本さきの通りに，かつて石町の鐘楼があった。江戸市中におかれた最初の時鐘で，周囲48町に響き渡ったという。やがて時の鐘は9カ所に設置されるが，銅鐘石町時の鐘（都有形）は現在，十思公園内に保存されている。高さ1.7m・口径が93cmあり，「鋳物師大工椎名伊予藤原重休」の銘がある。

十思公園と十思スクエア（旧十思小学校）一帯は，伝馬町牢屋敷跡（都旧跡）である。はじめ牢屋敷は常盤橋門外におかれたが，1677（延宝5）年にこの地に移転した。周囲は土手で囲まれ，揚座敷・揚屋・大牢・百姓牢・女牢・牢屋同心長屋・張番所・穿鑿所・拷問蔵・死罪場など，多くの建物がたち並ぶ，敷地2618坪（約8639m²）におよぶ幕府最大の牢屋敷で，在牢者は多いときで1000人近くにのぼった。牢屋敷は町奉行配下の牢役人石出帯刀の子孫が代々管理したが，原則的に未決囚を収容し，奉行所の白州で判決を申

十思公園内の石町時の鐘

日本橋・銀座

し渡されたのちは，刑の執行までの短期間在牢するだけだった。ただし，斬首刑は牢屋敷内で執行された。幕末の志士吉田松陰をはじめ，安政の大獄で投獄された人びともここで処刑されている。公園内には，吉田松陰先生終焉之地碑と「身はたとひ　武蔵の野辺に朽ぬとも　留置まし　大和魂」という松陰の辞世をきざんだ石碑がある。

　牢屋敷は1875（明治8）年に廃止されたが，多くの罪人が最期をとげた地のため，祟りを恐れて土地の買い手がなく，跡地は荒廃した。そこで政商の大倉喜八郎と安田善次郎らがこの地を買いとり，霊をしずめるため1882年，大安楽寺（真言宗）を建立した。高野山金剛峯寺より賜った弘法大師像を本尊とし，境内には刑死者の霊をとむらう延命地蔵がおかれた。大安楽寺近くの身延分院（日蓮宗）も，身延山久遠寺の木造日蓮聖人坐像（都有形）を移して本尊とし，1882年に創建された寺。坐像はヒノキ材の寄木造で，「明応六（1497）年」の銘がある。

兜町付近 ❹　〈M▶P.114,117〉中央区日本橋茅場町・日本橋兜町
地下鉄東西線・日比谷線茅場町駅🚇すぐ

　茅場町駅8番出口近くに，宝井（榎本）其角住居跡（都旧跡）の石碑がたつ。其角は，松尾芭蕉の高弟（蕉門十哲の1人）。江戸蕉門の風を確立し，一門は江戸座とよばれた。

　住居跡碑から永代通りを日本橋方面へ進み，茅場町の交差点を右折して最初の信号を左へいくと，みずほ銀行兜町支店がある。ここは，1872（明治5）年の国立銀行条例に基づき，翌年開業した日本初の銀行第一国立銀行の跡地。入口脇の壁面に，銀行の和洋折衷建築をレリーフした銀行発祥の地碑の銅板がはめこまれている。

　昭和通り東側を南北に走る高速道路は，楓川を埋め立てて造成した道路で，かつて楓川が日本橋川に合流する入口に海運橋がかかっていた。はじめ高橋といったが，

宝井其角住居跡

街道の起点日本橋から兜町へ　121

海運橋親柱

金融市場の発祥地　東京株式取引所

　幕府の御船手頭向井将監忠勝の屋敷があったので海賊橋とよぶようになり，明治時代縁起のよい「海運」に名を改めた。1875年にアーチ型石橋にかわると，国立第一銀行とともに東京の名所となった。高速道路下には海運橋親柱がある。海運橋親柱から昭和通りを渡って，最初の道を左折すると，たいめいけんビルの5階に，老舗の洋食屋「たいめいけん」の前店主茂出木眞太郎(心護)が開設した凧の博物館がある。伝統的な江戸凧をはじめ，世界各国の凧が3000点近く所蔵されている。

　再び昭和通りにでて北へ進むと江戸橋がみえる。昔は約200m下流の日本橋川と楓川の合流点にかけられていた。西側の日本橋に対し日本の下に江戸があるの意で，江戸橋と命名されたといい，橋の周辺には廻船問屋の蔵がたち並んでいたが，関東大震災で壊滅，橋もかけ替えられた。江戸橋の南側に日本橋郵便局がある。1871年，前島密は近代的郵便制度を発足させたが，彼が駅逓司(現，総務省)と東京郵便役所(現，中央郵便局)をおいたのがこの地。郵便局の北側入口に郵便発祥の地を示すプレートがはめ込まれ，通用口脇には前島密の胸像が建てられている。

　郵便局から日本橋川に沿って東へ進むと，東京証券取引所がある。かつての東京株式取引所で，1878年に渋沢栄一の主唱により開設された。東京証券取引所の株券売買立会場は，コスト削減・売買迅速化などの理由から1999(平成11)年に廃止され，跡地は東証Arrows(見学施設)としてリニューアル・オープンした。東証本館1階には証券史料ホールがあり，明治からの株式史料が展示され，証券市場の歴史を学ぶことができる。

　東京証券取引所東口から日本橋川へ向かうと鎧橋がある。ゲルバー桁橋とよばれる構造で，1957(昭和32)年に完成した。1872(明治5)年まで橋はなく，渡し舟が渡河手段だった。近くに渡し場が

あり，鎧の渡しとよんだ。奥州攻めへ向かう源 頼義がここで暴風雨にあい，海中に鎧を投げいれ竜神に祈ったところ，対岸へ渡ることができたのが名の由来。平 将門が鎧を奉納したとする説もある。

水天宮 ❺
03-3666-7195
〈M ▶ P.114,117〉中央区日本橋蠣殻町2-2-1 P
地下鉄半蔵門線水天宮駅 大 すぐ

安産祈願の水天宮
銀座再発足の地蠣殻町

鎧橋を渡り新大橋通りを東へ進むと，水天宮（祭神 天 御中主神・安徳天皇・建礼門院・二位尼）がある。水天宮は江戸時代，水難除災の神として久留米藩主有馬家の上屋敷（現，港区赤羽橋）内にあったが，新政府による藩邸没収のため，1872（明治5）年この地に移された。ある妊婦が社殿の鈴乃緒をもらって腹帯としたところ安産だったことから，犬は安産が多いということで戌の日に水天宮より腹帯をさずかり，妊娠5カ月目の戌の日に帯をまけば必ず安産となるといういい伝えが広まった。

水天宮から人形町通りを人形町駅方面へ進むと，駅のA2出口近くに蠣殻銀座跡の標識がある。現在の銀座2丁目にあった銀座は，1800（寛政12）年，不正が発覚して銀座役人多数が職を免ぜられ，総元締大黒屋常是長左衛門家も絶家となって銀座は廃止された。翌年，改めて幕府は大名屋敷が並ぶ蠣殻町に銀座を再発足させたが，1868（慶応4）年4月，新政府の大総督府は銀座を封印し，翌年造幣局の設置に伴い正式に廃絶した。

銀座跡標識のある交差点を西へいったツカコシビルの壁には，谷崎 潤一郎生誕の地碑がはめこまれている。

人形町通りに戻ると，大観音寺（聖観音宗）がある。本尊鉄造菩薩頭（都有形）は，総高170cm・面幅54cm。鎌倉の新清水寺の持仏だったが，火災のために頭部以外は焼けくずれ，のちに鶴岡八幡宮前の鉄井から掘りだされ同宮にあったが，1876（明治9）年，この

水天宮

街道の起点日本橋から兜町へ 123

場所に移され,仮堂(大観音寺の前身)が設けられた。中世の鉄仏像は関東特有だが,この観音はなかでも秀作である。毎月17日に開扉。

人形町3丁目交差点の東側一帯は元吉原跡。江戸時代初期,遊女屋を経営していた庄司甚右衛門が,江戸各地の遊女屋を集め,幕府公認の遊郭をここに設置した。一帯はヨシにおおわれた湿地だったので葭原とよんでいたが,縁起をかつぎ吉原と改めた。だが,市街拡張により遊郭の存在が風紀上問題となったらしく,1656(明暦2)年,浅草日本堤への移転を命ぜられた。人形町3丁目交差点北東側に玄冶店跡碑がたつ。幕府の医官岡本玄冶は,3代将軍家光の重い痘瘡を治したことで知られる。彼の屋敷はこの辺りにあったとされ,それが玄冶店の名の由来といわれる。交差点から北には芝居関係者が多く住み,中村座・市村座の2座,見世物小屋などが並び,彼らが用いる操り人形を制作する店や人形師も多かったので,人形町通りとよばれるようになり,昭和にはいってから地名になった。

浜町 ❻

〈M ▶ P.114,117〉中央区日本橋浜町
地下鉄日比谷線・浅草線人形町駅,地下鉄新宿線浜町駅🚶すぐ

賀茂真淵が住んだ町 明治歌舞伎の隆盛地

人形町3丁目の交差点を隅田川方面へ進み,浜町緑道をこえたさきに賀茂真淵が住んでいた。遠江国伊場村(静岡県浜松市)の神職の家に生まれた真淵は,荷田春満に和歌や国学を学び,やがて国学者として名をあげ,将軍吉宗の次男田安宗武につかえた。隠居後は県居と号して浜町に拠点を構え,著述に専念した。賀茂真淵県居跡(都旧跡)は,現在の日本橋浜町1-4付近に比定されているが,案内プレートは日本橋久松町9にあるユニゾ久松町清洲橋通りビルの壁にはめ込まれている。代表作『万葉考』は,同地で執筆された。

県居跡から清洲橋通りを清洲橋方面へ進むと,左手に明治座がある。1873(明治6)年,ここに喜昇座がおかれたが,その後,久松座,千歳座と名をかえ,1893年,歌舞伎俳優の初代市川左団次が明治座と改称して大劇場に発展させた。明治座の東,隅田川沿いの中央区立浜町公園は,熊本藩主細川家の屋敷跡。園内には1861年(文久元)に創建された清正公寺(日蓮宗)がある。これは藩主細川斉護が,江戸初期に熊本を領していた加藤清正をまつったもので,庶民にも開放された。

❷ 文明開化の香り漂う銀座界隈

銀座通りに沿って街を歩けば、煉瓦銀座の碑、ガス灯など、今も文明開化の匂いが漂う。

煉瓦とガス灯　江戸歌舞伎発祥の地

京橋 ❼
〈M ▶ P.114,125〉中央区銀座1-2
地下鉄銀座線京橋駅🚶2分

日本橋駅をでて中央通りを京橋方面へ進むと、DICビルがある。この周辺は江戸秤座跡で、ビル脇の植込みに秤座跡の表示板がたつ。江戸幕府は1653（承応2）年、全国の秤を統一し、江戸と京都に秤を製作・販売・検査する組織をおいた。江戸の秤座は、東国33カ国の秤の製造・販売・修理などを独占、業務は武田旧臣だった守随家に一任された。さらに中央通りをいくと、八重洲通りとの交差点角地にミュージアムタワー京橋がたつ。この4～6階がアーティ

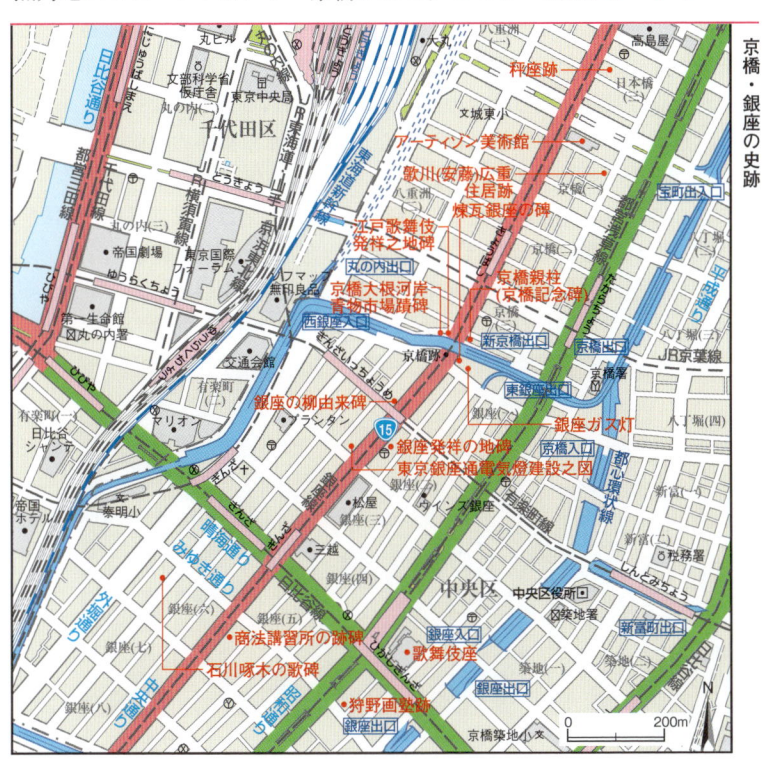

京橋・銀座の史跡

文明開化の香り漂う銀座界隈　125

煉瓦銀座の碑

ゾン美術館である。ブリヂストンの創業者石橋正二郎のコレクションをもとに開館した美術館で、ルノワールやゴッホ、ピカソ、黒田清輝ら有名画家の作品が多く所蔵されている。ビルの南側に歌川(安藤)広重住居跡の標識がたつ。定火消組同心出身の広重は、歌川豊広に師事して浮世絵を学び、『東海道五十三次』など風景画の傑作をつぎつぎと世に送った。ここは広重晩年の住居で、『名所江戸百景』はこの地で描かれた。

　再び中央通りにでると、前方に高速道路がみえる。京橋川を埋め立ててつくった道で、高架下が京橋跡。日本橋をでて東海道を京都へ向かう際、最初に渡る橋なので、京橋とよばれるようになったという。京橋川の埋立てで橋は消滅したが、今でも京橋跡の北詰め東側に1875(明治8)年の京橋親柱(京橋記念碑)が保存されている。その近くに煉瓦銀座の碑がたつ。1872年、銀座一帯は大火に見舞われたが、これを機に新政府は、大蔵大輔井上馨と大蔵少輔渋沢栄一が中心となって銀座を不燃都市にしようと煉瓦街をつくった。それを記念したこの碑には、当時のレンガがはめこまれている。「経

銀座煉瓦街の錦絵

江戸歌舞伎発祥之地碑

綸」の題字は「国を治める施策」を意味し、当時の東京府知事由利公正の揮毫。煉瓦街の設計はイギリスの建築家ウォートルスが担当した。

彼は銀座を直線道路で碁盤目状に区画し、メインストリートとしてパリのシャンゼリゼ通りをイメージした25間道路を構想したが、最終的に15間(約27.3m)におちついた。これが現在の中央通りで、当時の道路としては巨大だった。中央通りには石畳がしかれ、その両側にレンガ造り2階建て洋館が建設されていった。ロンドンの街並みを手本にしたといい、官費で家屋をつくり民間に払い下げる予定だったが、予算を大幅に超過したため、希望者による自費建築も容認した。

洋館には旧住人が優先的に入居できたが、洋館に住むと病気になるという風説が広まり、多くは入居をこばんでよそへ移った。かわりにはいったのが新聞社や雑誌社。家屋が頑丈で重い印刷機をすえつけても問題なく、かつ新橋駅が近く、新聞・雑誌の発送にも便利だったからである。

煉瓦塀のうしろに銀座のガス灯がたっている。ガス灯は、1874(明治7)年にフランス人のアンリ・プレグランが京橋から芝まで85柱を設置した。このガス灯の柱はその当時のもの。反対側の北詰め西側には、江戸歌舞伎発祥之地碑がある。上方から江戸にきた猿若勘三郎が、1624(寛永元)年、中橋南地(京橋川の南側)に猿若座を立ち上げ、興行を開始したのが江戸歌舞伎の発祥とされ、この地に記念碑がたてられた。やがて猿若座は中村座と改称、幕府の命で現在の人形町へ移るが、江戸三座の1つとして発展した。歌舞伎碑に隣接して京橋大根河岸青物市場蹟碑がある。京橋一帯は、東海道と京橋川がある水陸利便の地だったことから、江戸初期より青物市がたち、とくにダイコンの入荷が多かったので、京橋大根河岸市場とよばれた。築地に中央市場がつくられる1935(昭和10)年まで、青物市

場はここに存在した。

銀座 ❽ 〈M ▶ P.114,125〉中央区銀座1～8
地下鉄銀座線・日比谷線・丸ノ内線銀座駅，JR山手線・京浜東北線有楽町(ゆうらくちょう)駅🚶すぐ

文明開化の名残り 銀座の柳の由来

　銀座富士ビル脇に，銀座の柳由来碑がある。銀座の街路樹としてシンボル化したヤナギを記念した碑だが，じつは最初，中央通りの街路樹はマツやサクラ・カエデだった。それがヤナギにかわったのは1887(明治20)年のこと。土地に水気が多く樹が根腐れしてしまうため，湿地に適したヤナギとなったらしい。だが，1968(昭和43)年，交通の妨げになることを理由にヤナギは撤去され，現在は中央通りにヤナギはない。しかし，1975年，復活を願う人びとの努力で銀座1丁目と2丁目間に柳並木が誕生した。

　ティファニー本店前の歩道の植込みに銀座発祥の地碑がある。現在の銀座は1～8丁目に分かれ，俗に銀座八丁と称された。第二次世界大戦前は北に京橋川，南に汐留川(しおどめ)，東に三十間堀川(さんじっけんぼり)，西に外濠(そとほり)と，四方を水に囲まれた島のような地形だった。この街区が完成するのは1930(昭和5)年のことで，江戸時代は現在の銀座1～4丁目を新両替町(しんりょうがえ)といい，銀座という正式な地名になったのは1869(明治2)年である。その後，尾張町(おわり)・三十三間堀町・出雲町(いずも)，鑓屋町(やりや)などが銀座5～8丁目となり，昭和初期に銀座八丁が完成する。銀座の称は，新両替町に幕府の銀座役所がおかれたことに由来する。銀座は，銀貨の鋳造を独占的に請け負う組織で，堺の銀商大黒屋常是(だいこく じょうぜ)が徳川家康(いえやす)にその支配を一任されたことにはじまる。

　銀座発祥の地碑から中央通りをはさんだカルティエ銀座のビルの壁面に，東京銀座通電気燈建設之図(野沢定吉(ざわさだきち)の錦絵(にしきえ))の銅板レリーフがはめこまれている。1882年，東京電灯

銀座発祥の地碑

128　日本橋・銀座

会社がこの場所で2000燭光のアーク灯をはじめて点灯したのを記念したもの。中央通りをさらに進み，銀座4丁目交差点をこえてつぎに交差する道がみゆき通り。明治天皇が皇居から海軍兵学寮へ行幸したおりに通過したのでその名がついたという。

歌舞伎座 ❾
03-3541-3131
〈M ▶ P.114,125〉中央区銀座4－12－15
地下鉄日比谷線・浅草線東銀座駅🚇すぐ

福地源一郎の創設
唐破風屋根の桃山風建築

みゆき通りを築地方面へ数分歩き，昭和通りとぶつかった角地（交差点東南側）に狩野画塾跡の説明板がある。狩野派は幕府のお抱え絵師で，木挽町狩野家（狩野四家の1家）5代典信は，1777（安永6）年この場所に画塾を移した。塾からは，狩野芳崖や橋本雅邦らが輩出している。画塾跡から晴海通りへはいると，目の前に歌舞伎座がある。1889（明治22）年，福地源一郎が歌舞伎専門の劇場を創設したのを始まりとする。現在の建物は，2013（平成25）年に建替えが完了したもので，これまでと同じく桃山風の外観をもつ低層の劇場に背後にある高層のオフィスビル（歌舞伎座タワー）が併設された複合施設「GINZA KABUKIZA」となっている。

みゆき通りへ戻り，中央通りをこえ3つ目の並木通りを左へおれると，朝日ビルがたつ。ビルの前に石川啄木の歌碑があるのは，ここが朝日新聞社跡地で，短期間，啄木が朝日新聞社の校正係としてつとめていたのを記念してのことである。歌碑には啄木の代表作『一握の砂』の「京橋の滝山町の新聞社　灯ともる頃の　いそがしさかな」の歌がきざまれている。

中央通りにでて松坂屋前にくると，歩道刈込みのなかに初代文部大臣森有礼が，1875（明治8）年に創設した商法講習所の跡碑がある。講習所は東京商科大学（現，一橋大学）へ発展する。

歌舞伎座

文明開化の香り漂う銀座界隈

③ 捕物帖の舞台八丁堀界隈

江戸期に開削された新川，船員教育発祥之地碑，漁師に信仰の篤い鉄砲洲稲荷神社など，この界隈は船乗りと関係が深い。

八丁堀 ⑩　〈M▶P.114,130〉中央区八丁堀
JR京葉線・地下鉄日比谷線八丁堀駅🚇すぐ

町奉行・与力・同心が居住 堀部安兵衛ゆかりの地

八丁堀駅をでると，新大橋通りが走っている。その東側の桜川公園は，京橋川の下流で隅田川に流れ込む堀割の跡地で，江戸時代は八丁堀とよんでいた。それが桜川の称にかわるのは明治になってからである。昔この辺りには江戸幕府の組屋敷がおかれた。下級武士の屋敷であり，とくに八丁堀組屋敷には町奉行，与力や同心が多く住んだことから，町奉行配下の役人を「八丁堀の旦那」と称するようになった。

新大橋通りを八丁堀交差点で右折して八重洲通りへ進むと，亀島川にかかる亀島橋にでる。橋の西詰め北側に堀部安兵衛武庸之碑がたつ。安兵衛は「忠臣蔵」で有名な赤穂浪士の1人。はじめ浪人だったが，高田馬場の決闘で名をなし，赤穂藩士の堀部弥兵衛にこわれて娘婿となった。赤穂藩主浅野長矩が吉良上野介に斬りつけたことで藩は改易となったが，安兵衛は江戸にあって吉良への復讐を主唱し，1702年(元禄15)12月，大石内蔵助らとともに本所吉良邸に討ち入り，本懐をとげた。

新川 ⑪　〈M▶P.130,146〉中央区新川1
地下鉄日比谷線・東西線茅場町駅🚇すぐ

霊巌島の由来 河村瑞軒が開削した新川

亀島橋を渡ると，かつての霊巌島である。霊巌島は1624年(寛永元)年，雄誉上人が葦原だったこの地を造成して霊巌寺を創建したことにはじまる。1635年には，越前福井藩主松平忠昌が2万7000坪(約8万9100m²)におよぶ屋敷地を霊巌寺地南方に拝領，屋敷の三方に船入堀をめぐらせた。これが越前堀とよばれ，地名と

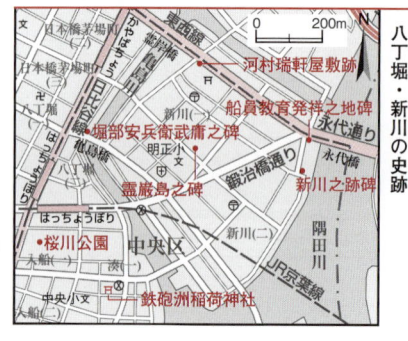

八丁堀・新川の史跡

- 河村瑞軒屋敷跡
- 船員教育発祥之地碑
- 堀部安兵衛武庸之碑
- 新川之跡碑
- 霊巌島之碑
- 桜川公園
- 鉄砲洲稲荷神社

八丁堀の七不思議

コラム

八丁堀にあった不思議な話

　本所をはじめ，千住，麻布，八丁堀など江戸には各地に「七不思議」があった。八丁堀の七不思議には諸説があるが，つぎにあげるのは，その1つである。

1. 奥様あって殿様なし　与力の妻は「奥様」とよばれた。奥様の対語は「殿様」であるが，これは旗本以上に用いられる敬称であり，御家人であった与力は「旦那様」とよばれた。主人が殿様でないのに，妻が奥様というのが不思議。ちなみに，旦那様の対語は「御新造様」である。

2. 女湯の刀掛け　同心は，毎朝，銭湯の女湯に一番さきにはいった。女湯の刀掛けは，両刀差しの同心のためにおかれていたのである。家事に忙しい女性は，早朝に入浴せず，男湯での話を盗み聞くのに好都合だったという。

3. 金で首がつなげる　八丁堀の与力宅には，頼みごとをしにくる者が多くあった。そこで「金をだして頼めば，斬られるはずの首もつながる」，つまり賄賂がきくという噂がたって，このようなことがいわれたのであろう。

4. 地獄のなかの極楽橋　八丁堀の組屋敷内に「極楽橋」という橋があった。罪人を捕らえる八丁堀役人を「獄卒」，彼らの住む組屋敷を「地獄」と見立て，地獄に極楽橋があることの不思議。

5. 貧乏小路に提灯かけ横丁　組屋敷内に「提灯かけ横丁」とよばれる一角があった。貧乏長屋なのに提灯をかけてあることが不思議であるという。提灯は内職でつくったものか。

6. 寺であって墓なし　もともと，八丁堀一帯は寺町であったため，多くの小路の名に寺院名が残っていた。寺の名があるのに墓が1つもないことが不思議とされた。

7. 儒者，医者，犬の糞　武士以外が住むことを禁じられていた武家屋敷地に，犬の糞のように多くの儒者，医者が住んでいる不思議。江戸後期には，屋敷地の一部が，一般町人にくらべて問題をおこすことの少ない儒者や医者に内密に貸しだされ，同心たちの生活費の足しとなっていたのである。

なった。霊巌寺は明暦の大火（1657年）で灰燼に帰し，跡地は市街となり，明治以後は海運・倉庫の町として栄えた。現在でも東は隅田川，北は日本橋川，西と南は亀島川に囲まれ，島の形状をなしている。越前堀公園には霊巌島之碑がおかれている。

　1947（昭和22）年に埋め立てられたが，新川1丁目3番地と4番地の間に，亀島川から分岐して霊岸島を南北に分断し隅田川へそそぐ新川があった。延長590m・幅11〜16mの新川は，河村瑞軒が1660

新川之跡碑　　　　　　　　　　　　　　　　　　鉄砲洲稲荷神社

（万治3）年，物資陸揚げの便宜をはかるために開削したと伝えられる。亀島橋を渡り湊橋方面へ向かい，永代通りを右折すると，道路沿いに河村瑞軒屋敷跡の説明板がたつ。瑞軒は伊勢国出身で，江戸にでて材木の買占めで富を得，西廻り・東廻りの廻米航路の開発や諸河川の治水事業に尽力，その功で晩年，旗本に取りたてられた。

　永代橋手前を少し南下したところにある新川第一児童公園には，新川之跡碑がたつ。ここは新川が隅田川に合流した地点で，周囲は酒問屋が多く，その景観が浮世絵などの題材となった。少し戻った永代橋西詰め北側に，船員教育発祥之地碑がある。岩崎弥太郎が政府の命で成妙丸を繋留し，三菱会社商船学校としたのを記念したもの。のち同校は移転し，東京商船学校（現，東京海洋大学）となった。

鉄砲洲稲荷神社 ⑫　　〈M ▶ P.114,130〉中央区 湊 1 - 6 - 7
JR京葉線・地下鉄日比谷線八丁堀駅 🚶 8分

江戸湊の入口鉄砲洲稲荷神社
浮世絵に描かれた富士塚

　船員教育発祥之地碑から鍛冶橋通りを八丁堀駅方面へ向かい，高橋を渡って左折し，鉄砲洲通りを数分進むと左手に鉄砲洲稲荷神社がみえてくる。鉄砲洲とは，湊や入船から明石町一帯を含む江戸中期以降の地名。名の由来は，大筒（鉄砲）を試し撃ちした場所だとか，地形が大筒鉄砲に似ているからだとかいうが，判然としない。稲荷神社は，江戸湊の入口にあったので湊神社ともよばれ，江戸湊の拡張にしたがい何度も場所を移したが，1868（明治元）年，現在地におちついた。境内には，1928（昭和3）年に移築・復元された巨大な富士塚があるが，江戸時代の富士塚は，歌川（安藤）広重が浮世絵に描いたり，『江戸名所図会』にのるなど有名だった。

④ 外国人居留地だった築地・明石町

蘭学発祥の地，指紋研究発祥の地，慶応義塾発祥の地，芥川龍之介生誕の地など，明石町周辺は学問と文学が栄えた地。

築地本願寺 ⑬ 〈M▶P.114,133〉 中央区築地3－15
03-3541-1131 地下鉄日比谷線築地駅下車 🚶 すぐ

古代インド様式の建築
赤穂浪士の供養塔

　築地駅から地上にでて，新大橋通りを晴海通り方面へ向かい，京橋築地小学校の手前を右へはいった辺りが，土方与志と小山内薫らがつくった築地小劇場跡である。隣接するNTT・DATA築地ビル壁面には，当時の劇場を浮彫りにした記念銘板がはめこまれている。築地小劇場は定員400人の小劇場だったが，ゴーリキらの翻訳劇に加え創作劇を多く上演，日本初の新劇常設劇場として，大正期から昭和初期の新劇発展に貢献した。

　劇場跡から道路を隔てた京橋築地小学校向かいに，桂川甫周屋敷跡の説明板がたつ。桂川家は幕府奥医師の家柄で，4代目の甫周は蘭学者としてもすぐれ，前野良沢，杉田玄白らとともに『解体新書』を翻訳した1人。ラクスマンに伴われ帰国した大黒屋光太夫から，ロシアでの生活を聞きだし，『北槎聞略』にまとめるなどし

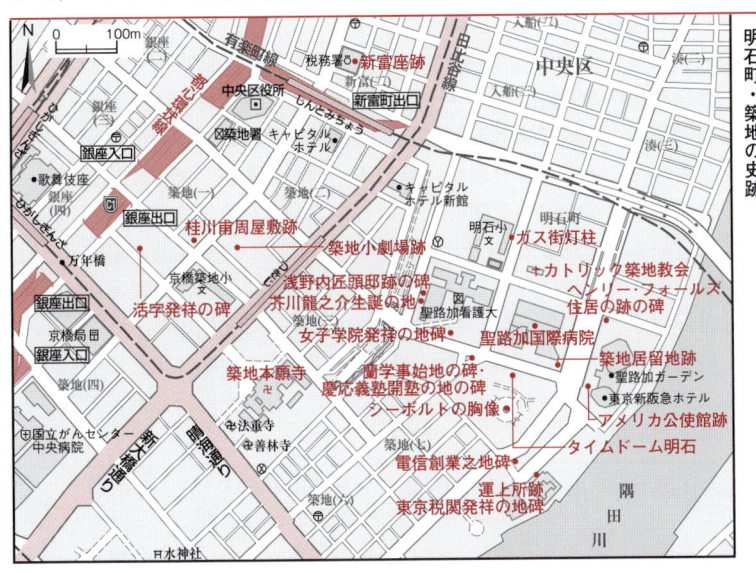

明石町・築地の史跡

133

築地本願寺

た。すぐそばのコンワビル駐車場入口脇に，活字発祥の碑がある。1873（明治6）年，本木昌造の門人平野富三がこの場所に長崎新塾出張所活版製造所をおこし，活版印刷の嚆矢となったのを記念した碑である。

再び新大橋通りにでると，古代インドの石造寺院様式を取りいれた大伽藍がみえる。築地本願寺（浄土真宗，西本願寺東京別院）である。はじめは現在の東日本橋3丁目付近にあったが，明暦の大火（1657年）で焼失，佃島の門徒が現在地を埋め立てて寺を再建した。壮麗な本堂は，伊東忠太の設計により1935（昭和10）年に完成をみた。地上2階地下1階の鉄筋コンクリート造りで，見学は自由。境内には巨大な親鸞像や九条武子の歌碑がある。武子は，本願寺21世門主大谷光尊の2女で，公爵九条良致の妻となったが，佐佐木信綱に師事して女流歌人として名を馳せた。

境内奥には，赤穂浪士間新六の供養塔（都旧跡），佃島開発者の1人森孫右衛門の墓，シーボルト事件に連座した幕府侍医土生玄碩の墓（都旧跡），画家で文人の酒井抱一の墓（都旧跡）がある。間新六の供養塔があるのは，吉良邸から泉岳寺へ向かう途中，死を覚悟していた新六が自身の供養を願い，槍に書面と金子をくくり本願寺境内に投げいれたことが機縁で，新六の死後，姉婿中堂又助が遺体を引きとり，この地に埋葬したのだという。酒井抱一は，姫路藩主酒井忠仰の子として生まれ，のち出家して西本願寺文如の弟子となり，晩年は根岸の里に隠棲した。茶道・俳諧・狂歌など諸芸につうじた文人墨客だったが，とくに絵画に秀で，尾形光琳に傾倒して江戸琳派を形成した。

聖路加国際病院 ⓮
03-3541-5151
〈M ▶ P.114,133〉 中央区明石町10
地下鉄日比谷線築地駅🚶5分

築地本願寺の裏通りを数分進むと築地川公園にでる。公園を横切

浅野内匠頭邸跡の碑

ったところ、聖路加国際病院の第一街区南西隅の辺りは赤穂藩の上屋敷跡で、浅野内匠頭邸跡の碑（都旧跡）がたつ。浅野長矩が、江戸城内で吉良義央に斬りつけたことで赤穂藩は改易となったが、その旧臣が吉良邸へ討ちいって遺恨を晴らした元禄赤穂事件は、のちに脚色されて「仮名手本忠臣蔵」と題する浄瑠璃や歌舞伎の演目となった。碑の隣には、「芥川龍之介生誕の地」の説明板がある。芥川は、1892（明治25）年3月1日にこの地に生まれた。辰年辰月辰日に誕生したので、龍之介と名づけられたという。龍之介が『或日の大石内蔵助』を執筆したのは、生まれた場所が赤穂藩上屋敷跡だったことに関係があるのだろう。

赤穂藩の上屋敷跡　芥川龍之介の生誕地

　病院前の交差点そばの小広場には、蘭学事始地の碑（都旧跡）と慶応義塾開塾の地の碑が並んでいる。ここは中津藩屋敷跡にあたり、中津藩医だった前野良沢の部屋で、桂川甫周や杉田玄白らがオランダ語で記されたドイツの解剖医学書『ターヘル・アナトミア』を訳出して『解体新書』を出版した。この本はわが国の医学技術に発展をもたらし、蘭学勃興の発端となった。彼らが翻訳を決意したのは、小塚原（骨ヶ原）での腑分け（人体解剖）がきっかけだった。腑分けに立ち会った前野・杉田、中川淳庵は、持参した『ターヘル・アナトミア』の解剖図と実際の臓器がまったく同じだったことに感嘆、「なにとぞこのターヘル・アナトミアの一部、新たに翻訳せば、身体内外のこと分明を得、今日の治療の上大益あるべし」（『蘭学事始』）と思いたった。しかし、オランダ語を訳すのは困難をきわ

慶応義塾開塾の地の碑

外国人居留地だった築地・明石町　135

め，月に6，7度集まって翻訳会を開くが，つぎつぎに仲間が脱落，同書は11回の草稿手直しを経て，1774(安永3)年の完成に至るまでに4年の月日をついやした。蘭学事始地の碑には『解体新書』の人体図が彫られている。

慶応義塾開塾の地の碑には，開いた本のページに「天は人の上に人を造らず。人の下に人を造らずといへり」という福沢諭吉の『学問のすゝめ』の一節がきざまれている。福沢も中津藩士で，彼が慶応義塾を開いたのはこの藩屋敷内。なお，この一帯は明治時代，外国人居留地であり，外国人が創設した学校も多い。立教大学や明治学院大学(明石町7に記念碑あり)，工学院大学もここからうまれている。慶応義塾開塾の地の碑のそばは，ジュリア・カロゾルスがA六番女学院を創立した跡地で，女子学院発祥の地の碑がおかれている。都内ではじめて西洋式の女子教育が行われたのが，このA六番女学院だった。

明石町 ⓯

〈M ▶ P.114,133〉中央区明石町
地下鉄日比谷線築地駅 7分

居留地の名残りが残る戦災を免れた街並み

聖路加国際病院を含む一帯を明石町といい，1870(明治3)年，築地居留地となった。商館が林立した横浜や神戸のそれとは異なり，公使館や領事館が並び，外交官や宣教師・医師など知識人が多く住み，知的でおちついた雰囲気が漂っていた。ときおり古い建物が残るのは，第二次世界大戦での空襲を免れたからである。聖路加国際病院の南東，隅田川方向に少しいったところにあるタイムドーム明石では築地居留地など中央区の歴史が紹介されている。聖路加国際病院に隣接するあかつき公園内には，シーボルトの胸像がある。シーボルトの娘いねが医者になり，築地に産院を開いたことからこの胸像がおかれた。

公園を隅田川側からでると，都営アパートがある。その南西角の電信創業之地碑は，近くにあった築地運上所(居留地の管理所)内に1869(明治2)年，横浜裁判所までの32kmにおよぶ電信線を架設し，モールス信号による電信業務が開始されたのを記念した碑。すぐそばの料亭治作の塀前には運上所跡(東京税関発祥の地)碑がある。鉄砲洲通りを八丁堀方面へ進むと，聖路加病院前バス停の両側に

運上所跡(東京税関発祥の地)碑

ヘンリー・フォールズ住居の跡の碑

アメリカ公使館跡・築地居留地跡の説明板がたつ。バス停東側の聖路加ガーデンは，かつてのアメリカ公使館跡。1875年，江戸麻布の善福寺からこの明石町に移転，1890年に港区赤坂葵町へ再移転するまで，公使館はこの場所にあった。

聖路加国際病院敷地内には白頭鷲と星条旗(13星)・星形など，アメリカ合衆国のシンボルをかたどった小松石の石標が3基残されている。石標の脇にたつ三角屋根の建物は，聖路加国際病院院長ルドルフ・トイスラーが，1933(昭和8)年につくったゲストハウス宣教師会館を移築・復元したもの。鉄砲洲通りのグリーンベルトのなかに，指紋研究発祥の地としてイギリス人宣教師ヘンリー・フォールズ住居の跡の碑がある。彼がはじめて科学的に指紋を研究，英国の科学雑誌『ネイチャー』に論文を発表したのを記念したものである。彼が指紋に興味をもったのは，土器についていた古代人の指紋をみたからと伝えられる。

碑から信号を左へまがるとカトリック築地教会がある。教会は1875(明治8)年に創設され，聖堂はゴチッ

築地教会聖堂

外国人居留地だった築地・明石町

明石小学校正門脇のガス街灯柱

ク式赤レンガ造りだったが、関東大震災で崩壊したため、1927(昭和2)年に現在の堂となった。ギリシア神殿のパルテノン形式の白亜の建築物で、エンタシス風の柱がみごと。聖堂は、1999(平成11)年に東京都の歴史的建造物に選定された。教会の敷地には日本公教殉教者祈念碑がある。

教会に隣接する明石小学校の正門脇には、ガス街灯柱がたつ。柱は築地居留地で実際に使用されていた鋳鉄製で、コリント風の装飾がほどこされているが、ガスランプは復元されたもの。

新富座跡 ⓰

〈M ▶ P.114,133〉中央区新富町2
地下鉄有楽町線新富町駅 徒1分

歌舞伎革新運動の拠点
前身は浅草の守田座

再び鉄砲洲通りにでて八丁堀方面へ進むと、大通りにぶつかる。左折して数分いくと新富町駅に着く。駅の北側には京橋税務署と中央都税事務所があるが、ここにかつて歌舞伎の革新運動の拠点となった新富座があった。

新富座は、守田(森田)座12世座元の守田勘弥が、歌舞伎の都心への進出をはかり、1872(明治5)年に浅草の猿若町から同地に守田座を移転し、1875年に新富座と改称したのが始まり。舞台の天井を板張りにして音響効果をはかり、場内の柱に鉄を使用し、ガス灯を照明に用いるなど、当時の近代的設備が導入された。9代目市川団十郎、5代目尾上菊五郎、初代市川左団次らが同座で名演技を披露したので大盛況となり、新富座時代とうたわれる歌舞伎の新時代が到来した。だが、歌舞伎座が誕生すると、そちらに人気を奪われて衰退に向かい、関東大震災での焼失を機に、歌舞伎公演は廃止となった。

⑤ 江戸情緒を残す佃島周辺

佃島には江戸情緒をしのばせる古い家並みが残る。石川島にはかつて、長谷川平蔵の進言で設置された人足寄場があった。

東陽院 ⑰
03-3531-1074
〈M▶P.115,139〉中央区勝どき4-12
地下鉄大江戸線勝どき駅🚶3分

勝どき駅から地上にでて新島橋方面へ進むと、橋の手前に東陽院(日蓮宗)がある。東陽院は、浅草永住町(現、台東区東上野)にあったが、関東大震災後、この場所に移転した。寺の納骨堂墓所には、十返舎一九の墓がある。一九は駿河国(現、静岡県)に生まれ、江戸の蔦谷重三郎(大手の出版業者)の専属作家として、黄表紙や洒落本を著述した。代表作は、弥次郎兵衛と喜多八が珍道中を繰り広げる『東海道中膝栗毛』である。墓石には「此世をば どりやお暇に 線香の 煙と共に はい左様なら」という辞世の句がきざまれている。「十返舎一九墓所」と彫られた石碑は徳川夢声の筆。

十返舎一九の墓所 辞世の句をきざんだ碑

十返舎一九の墓

月島 ⑱
〈M▶P.115,139〉中央区月島1〜4
地下鉄大江戸線・有楽町線月島駅🚶すぐ

東陽院をでて清澄通りを勝どき駅方面へ戻り、駅をすぎて月島橋を渡ると月島になる。月島の歴史は浅く、埋立てが完了したのは1892(明治25)年のことである。隅田川に年々土砂が堆積し、船舶の往来が困難となったので、東京府が土砂をさらい、

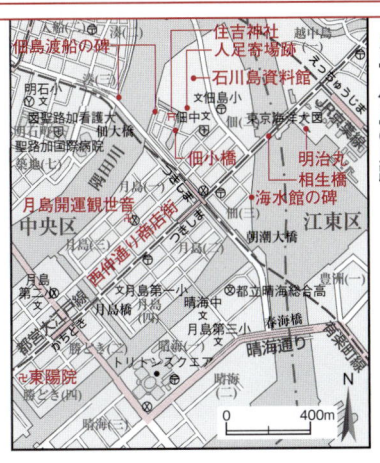

月島・佃島の史跡

江戸情緒を残す佃島周辺

その土砂で造成した埋立地が月島である。清澄通りの西側を並行して走る西仲通りへ足をふみいれると,関東大震災や第二次世界大戦の戦災を運よく免れた出桁造の家屋が残り,大戦前の下町風情を味わうことができる。

商店街のビル内にある月島開運観世音は,長野善光寺の別院としてたてられ,今も地元の人びとの信仰が篤い。月島駅をこえて佃仲通りを進み,佃大通りとぶつかる佃2丁目交差点を右折し,晴海運河へつきあたる直前に海水館の碑がある。ここは,明治末期に下宿旅館海水館があった場所である。周囲は海を見渡せる景勝地で,島崎藤村が海水館で『春』を執筆したのを機に,小山内薫,竹久夢二,横山健堂ら文化人が出入りしたが,関東大震災で焼失した。

> 明治期の造成地月島 文豪が愛した海水館の跡

越中島 ⑲

〈M ▶ P.114,139〉江東区越中島1・2
JR京葉線越中島駅 🚶 すぐ

> 昭和初期の月見の名所 国重文の帆船明治丸

海水館の碑から清澄通りまで戻り,相生橋を渡ると越中島である。相生橋は佃島と越中島を結ぶ橋で,1903(明治36)年に架橋された際,中継地点となったのが中の島(現,中の島公園)で,昭和初期には月見の名所として賑わいをみせた。相生橋は,月島地区へ給水する水道橋を併設していたが,関東大震災で焼けおち,1926(昭和元)年に再建された。現在の橋は1995(平成7)年につくられた。

越中島の名は江戸初期,榊原越中守の別邸があったことに由来し,幕末には軍事調練の場であった。明治維新後は陸軍糧秣本廠・東京高等商船学校・水産講習所などが設置されたが,第二次世界大戦後は商船学校に米軍が進駐,1950(昭和25)年,東京予備隊本部(防衛庁の前身)となった。1956年千代田区霞が関へ移転し,東京商船大学となった。

大学は1875(明治8)年,三菱商会の創始者岩崎弥太郎が創設した

明治丸(東京海洋大学内)

三菱商船学校に端を発し、1922(大正11)年、国へ移管されて東京高等商船学校となり、さらに神戸や清水の高等商船学校と合併して商船大学に発展した。現在は東京水産大学と統合して東京海洋大学となっている。校内にはスコットランド製の明治丸(国重文)が保存・公開されている。この船は、明治天皇の東北巡幸に使用され、のちに学生の練習艦として世界各地を航海した。

佃島 ⑳

〈M ▶ P.114,139〉中央区佃1−1−7
地下鉄大江戸線・有楽町線月島駅 🚶 8分

江戸情緒が濃厚に残る懐かしい町並み

再び相生橋を渡り、佃大通りを隅田川方面へ向かうと、赤い欄干の佃小橋にでる。佃小橋のかかる堀割は、釣り船や屋形船などの船溜りとなっていて江戸情緒を感じさせる。佃島は、寛永年間(1624〜44)、徳川家康に招かれた摂津国西成郡佃・大和田村(現、大阪市西淀川区)の漁師30人が、隅田川河口にできた自然の寄州(干潟)を埋め立てて居住地としたのにはじまる。漁師らは徳川将軍家への白魚献上を義務づけられたが、余った魚介類は日本橋小田原町で売ることを認められた。みな本願寺の門徒であり、築地を造成して西本願寺を再建したのは彼らの働きである。

佃小橋を渡り右へおれると、佃島の鎮守住吉神社(祭神底筒・中筒・上筒之男命)がある。「名月や　ここ住吉の　つくだじま」は、松尾芭蕉の高弟、宝井其角が住吉神社を詠んだ句。神社は1644(正保元)年、佃島の漁師が摂津国住吉神社の分霊を勧進して創建され、海運業者や問屋業者から篤く尊崇された。

境内には、6代目歌川豊国によって建立された伝東洲齋寫楽終焉ノ地碑がたつ。浮世絵師の東洲斎写楽の正体について多くの説があるが、その1つが佃島に住した2代目下駄屋甚兵衛とする説である。甚兵衛は両足指が6本あったことから、はじめ庄六と称し、

江戸の風情が残る佃島の船溜り

江戸情緒を残す佃島周辺　141

住吉神社

それが転じて画号を写楽としたといい、欄間(らんま)の彫り師だったが、のち下駄屋になったとする。碑には「寛政(かんせい)九(1797)年七月七日没」と記されている。

　境内の「和らかで　かたく持ちたし　人ごころ」ときざまれた石碑は、佃島に生まれ川柳5世をついだ水谷緑亭(りょくてい)の句碑。境内の藤棚脇には、高さ2mの電柱ほどの角柱がたつ。これは、住吉神社の例大祭(4年に1度)で使用した大幟(おおのぼり)の柱の一部である。400kg近い神輿(みこし)が、海中で激しくもみあう海中渡御が祭りの特徴だったが、1962(昭和37)年を最後に行われていない。幟柱は全長18mもあり、江戸城からも鮮明にみえたという。祭りは江戸時代から有名で、歌川(安藤(あんどう)広重(ひろしげ))がその光景を錦絵(にしきえ)に残している。神社の鳥居の扁額(へんがく)は珍しい陶製で、「住吉神社」の題字は有栖川宮幟仁親王(ありすがわのみやたかひと)の書。扁額のコバルトブルーの文様は大変あざやかである。境内の水盤舎(おみずや)は1869(明治2)年の再建だが、周囲の欄間はさらに古い。

　隅田川の護岸のたもとに佃島渡船の碑がある。1964(昭和39)年に佃大橋が完成するまで、佃島と対岸の築地とは渡し船で結ばれていた。明治初年の渡し賃が5厘(りん)だったので「五厘の渡し」とよばれていたが、1927(昭和2)年からは無賃となり1日70往復した。1955年佃大橋の完成により廃止となった。碑のすぐそばに、佃島を愛した劇作家北条秀司(ほうじょうひでじ)の石碑がたつ。碑には「雪降れば　佃は古き　江戸

佃島渡船の碑

142　日本橋・銀座

江戸の町屋

コラム

江戸庶民の居住地と住まいの様式

　江戸の市域は，人口の増加に伴って江戸城中心の市街（御府内）から，しだいに郊外へと拡大していった。江戸の市域は大きく，武家地・社寺地・町地に分けられていた。1869（明治2）年の調査によると，その割合は武家地69％，社寺地15％，町地16％であり，約50万人の庶民はせまい町地に密集していた。

　江戸庶民の階層には，地主層・地借家持層・店子層があり，階層差によって住む場所や住居の様式にも違いがみられた。18世紀中ごろになると，大商人や職人の棟梁クラスは，表通りに，屋根は桟瓦葺き，建物の外側を分厚く土壁塗り漆喰仕上げをした，間口5〜10間（約9.1〜18.2m）程度の土蔵造の町屋を構えた。本格的防火建築の土蔵造のたち並ぶ姿が，江戸市中の外観を形成していた。中層商人の地借家持層は表通りに借地して，家は間口2間（約3.6m）ほどの自前のものをたてた。屋根は桟瓦葺きであるが，土壁塗りは2階の正面だけで，まわりを板張りにした簡易耐火の塗屋造の町屋であった。

　店子層の商店の通い番頭や職人・行商人などは，表通りに面していない横丁奥の裏長屋に住んだ。こうした裏長屋は，屋根は板葺き，外壁は板張りの粗末なもので，火事のあるたびに焼けてしまったところから，焼屋造とよばれた。表通りから3尺（約0.9m）幅の路地の奥に並ぶ9尺2間の棟割長屋がその代表的なものであるが，間口1間半（約2.7m）・奥行2間の長屋の1戸は，4畳半の1室に出張1間の土間が台所と玄関をかねてついているだけで，井戸と便所は共用であった。

の島」という句が彫られている。

　辺りをただよう甘い香りは佃煮の匂いである。ここが佃煮の発祥地で，今でも老舗が3軒存在する。佃煮は，不漁のときの保存食だったが，醤油で甘辛く煮しめた味が江戸の庶民に人気となり，佃島の名物となった。佃島は1866（慶応2）年に大火にあったあとは，火事や地震，空襲にもさして被災しなかった。そのため古い家屋が残り，江戸時代の風情を思わせる居住環境が残存する。

　佃島の北側は石川島。その地名からわかるように独立した島であったが，江戸の中期から埋立てが進み，現在ではせまい堀割を隔てて佃島と連結している。佃に併合され石川という地名は消失しているが，その名は幕府の船手頭石川八左衛門重次が領主だったこと

江戸情緒を残す佃島周辺

石川島の灯台(復元)

に由来するという。老中松平定信は，寛政改革の一環として，石川島の突端に，無宿者や軽犯罪者を収容して手に職をつけさせ更生させる人足寄場をおいた。場所は現在の佃公園周辺。人足寄場設置を進言したのは火附盗賊改役の長谷川平蔵で，池波正太郎の小説『鬼平犯科帳』の主人公鬼平は，この長谷川平蔵がモデルである。人足寄場の敷地はおよそ1万6000坪(約5万2800㎡)，鍛冶・紙漉・駕籠・彫り物・屋根葺きなど，多種多様な技術習得小屋が設置された。入所は原則3年3カ月で，その間，入所者は働きながら手に職をつけ，赦免の際には，仕事道具や工賃の積立金を支給された。

　1866年，石川島人足寄場奉行清水純畸は，隅田川河口や品川沖を航行する船舶の安全のため，石川島東南角に灯台を建設した。この石川島の灯台は現在復元されている。1853(嘉永6)年，水戸藩主徳川斉昭は，石川島に日本初の洋式造船所を建設した。造船所は明治政府にうけつがれ，1876(明治9)年に民間会社に払い下げられた。のちの石川島播磨重工業である。現在，造船所跡地は，リバーシティー21とよばれる新市街に変貌したが，この街区に，石川島播磨重工業が開設している石川島資料館がある。同館では石川島播磨重工業，石川島・佃島の歴史を詳しく学ぶことができる。

❻ 浜離宮から汐留シオサイトへ

芝離宮，浜離宮を散策したあとは，シオサイトで買い物がてらに新橋駅舎を眺め，中央築地市場で昼食，ついでに史跡めぐり。

浜離宮 ㉑ 〈M ▶ P.115,145〉 中央区浜離宮庭園 P
03-3541-0200 地下鉄大江戸線・新交通ゆりかもめ汐留駅 🚶 7分，JR浜松町駅
🚶 15分

皇室ゆかりの庭園 今は庶民憩いの場

　JR浜松町駅の南口改札をでると，目の前が旧芝離宮恩賜庭園（国名勝）の敷地である。芝離宮は，江戸幕府の老中大久保忠朝の屋敷地で，庭園（楽寿園）は忠朝が8年の歳月をついやし，みずから造成した自慢の庭であった。明治維新後に皇室の離宮となり，その後宮内省の所管を経て，1945（昭和20）年に，東京都に移管され現在に至る。回遊式築山泉水庭園の大池（泉水）は淡水だが，かつては海水を引きいれていたといい，園内には海水取入口跡が残る。雪見灯籠の脇を進んでいくと大山（築山）があり，その下の枯滝の石組みはみごと。泉水の中央部には蓬莱島が浮かび，西湖の堤と八ツ橋とで両端が陸地に連結している。西湖の堤は，中国杭州のそれを模した石造りの堤。

　芝離宮をでて，海岸通りを歩いていく

旧芝離宮恩賜庭園

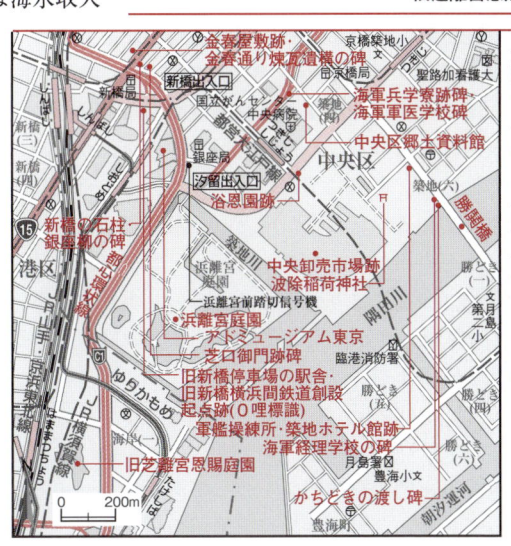

浜離宮・汐留・中央卸売市場周辺の史跡

浜離宮から汐留シオサイトへ　145

浜離宮庭園

と，5分ほどで右手に浜離宮庭園（国特別名勝・特別史跡）がみえてくる。正門へはさらに10分ほど歩く。浜離宮は4代将軍徳川家綱が弟の甲府藩主松平綱重に下賜した土地（現在の敷地面積は32万497㎡）に，綱重が別邸をつくったのが始まり。別邸を相続した綱重の嫡男家宣が6代将軍になったため，以後浜離宮は西丸御用屋敷とよばれ，将軍家のものとなり，江戸城の出城の役割もかね浜御殿ともよばれ，浜御殿奉行も設置された。しかし，1724（享保9）年の大火により建物は焼失，しだいに荒廃していった。その後，11代将軍家斉によって復興され，明治維新後は皇室の離宮となり，第二次世界大戦後，東京都に下賜された。明治政府は，浜離宮内にわが国最初の洋風石造建築物である延遼館（賓客のための接待館）をたて，第18代アメリカ大統領グラント将軍やハワイのカラカウア王らがここに宿泊したが，1889（明治22）年，地震による大損壊のために取りこわされた。

鷹の茶屋・燕の茶屋・中島の御茶屋・海手茶屋といった建物群も，関東大震災や空襲でみな焼けおちてしまった。ただ，回遊式築山泉水庭園は今もよく残っている。東京湾から海水を引き込んだ潮入の池には，中央に小島が設けられ，そのうえに中島の御茶屋が復元されている。新銭座鴨場と庚申堂鴨場があり，歴代将軍がここで鴨猟をしたという。可美真手命像は，1894年，明治天皇の銀婚式を祝して公募によりつくられたもの。浜離宮は草木に富み，とくに6代将軍家宣が植えたとされる，樹齢300年を誇る「三百年の松」の枝振りは圧巻。

旧新橋停車場 ㉒ 〈M ▶ P.114,145〉港区東新橋1-5
JR山手線・地下鉄銀座線・浅草線新橋駅 🚶 5分

浜離宮正門から南門橋を渡って海岸通りへ戻ると，踏切信号機がたっている。これは浜離宮前踏切の信号機で，汐留駅の廃止に伴い

旧新橋停車場駅舎

この場所に永久保存されることになったもの。

汐留シティーセンタービル前に2階建ての旧新橋停車場の駅舎がたつ。

新橋停車場は，1872（明治5）年10月に開業した日本初の鉄道ターミナルで，駅舎は，アメリカ人R・P・ブリジェンスの設計による西洋建築だったが，関東大震災で焼失した。1991（平成3）年からはじまった汐留遺跡の発掘調査では，近世の大名屋敷跡とともに，駅舎やプラットホームの礎石などが出土。1996年，遺構は旧新橋停車場跡として国の史跡指定をうけた。2003年には，駅舎やプラットホームが復元され，鉄道歴史展示室が開設された。ここでは，発掘調査で出土した改札鋏や汽車土瓶などの遺物が展示され，開業当時の駅舎の遺構も見ることができる。

駅舎裏側には0哩標識（ゼロマイルポスト）がある。1870（明治3）年4月25日，明治政府は測量の起点となる第一杭をここに打ち込んだ。1936（昭和11）年，日本の鉄道発祥地として0哩標識と約3ｍの軌道が復元され，第二次世界大戦後，鉄道記念物の指定をうけ，1965年，旧新橋横浜間鉄道創設起点跡として国の指定史跡となった。旧新橋停車場に隣接するカレッタ汐留の地下1・2階にはアドミュージアム東京があり，江戸時代から現代に至る広告の史料などが展示されている。

鉄道発祥の地新橋には旧駅舎が復元

新橋 ㉓　〈M ▶ P.114,145〉中央区銀座8-8
JR山手線・地下鉄銀座線・浅草線新橋駅 2分

昭和通りへ戻り，新橋交差点を右折して中央通りにはいる。前方の高速道路下に，かつて新橋がかかっていた。橋の下を流れる川を汐留川と称したが，今は埋め立てられ川の面影はない。旧新橋南詰め東側に，新橋の石柱と銀座柳の碑がある。柳の碑には，昔の柳並木を懐かしんだ西条八十作詞・中山晋平作曲の『東京行進曲』の一節がきざまれている。

旧新橋を渡り御門通りを左におれると，金春屋敷跡の説明板がた

柳並木を懐かしむ柳の碑金春通りの煉瓦遺構

浜離宮から汐留シオサイトへ　　147

新橋の石柱

金春通り煉瓦遺構の碑

つ。能を家業とする金春家は、室町時代から観世・宝生・金剛とともに四座といわれて江戸幕府の保護をうけ、1627（寛永4）年にこの地に屋敷を拝領した。そのため、同家が麴町へ移ったのちも、金春の称は付近に軒を連ねた花街の名として残った。

説明板のすぐ脇には、金春屋敷跡から出土した明治初期のレンガでつくられた金春通り煉瓦遺構の碑がある。

御門通りを金春屋敷跡と反対側へ少し進むと、江戸城南側のいちばん外側の門である芝口御門跡碑がある。

中央卸売市場（築地市場）跡 ㉔

〈M ▶ P.115,145〉中央区築地5
地下鉄大江戸線築地市場駅🚇 5分

［日本海軍の発祥地　勝鬨橋と資料館］

日比谷線築地駅から築地川公園を越え、聖路加国際病院と通りを挟んで反対側にタイムドーム明石がある。ここには伊能忠敬の江戸実測図（中央区部分）と、それに基づいて制作した文化・文政（1804～30）ごろの中央区の立体模型などが展示されている。

タイムドーム明石前の聖ルカ通りを左に進み、築地三丁目交差点を左折して新大橋通りに沿って進む。右手に見える国立がんセンター内の敷地東南隅に海軍兵学寮跡碑と海軍軍医学校碑がある。江戸幕府の海軍所を引きついだ明治政府は、海軍操練所、ついで海軍兵学寮と改称、1871（明治4）年、この地に同寮を移した。のちに海軍兵学校と改め、同校が1881年に広島県江田島に移転したのち、この地に海軍大学校を設置した。

国立がんセンターの向い、新大橋通りに面して中央卸売市場（築地市場）跡がある。ここには白河藩の下屋敷があり、寛政の改革を行った白河藩主で老中の松平定信は、その屋敷を浴恩園と称してい

海軍兵学寮跡碑と海軍軍医学校碑

た。ここは江戸湾をのぞみ風光明媚(めいび)な場所だったので，晩年，定信はここに住んだ。辺りは，白河藩をはじめ一橋家(ひとつばし)や尾張(おわり)藩など武家屋敷が広がっていたが，幕末になると，幕府は講武所内に軍艦操練所を設け，海軍の拠点とした。

明治維新後は海軍省の用地となり，海軍兵学寮などの施設がつくられ，一帯は日本海軍発祥の地となった。その後，海軍省は霞(かすみ)が関(せき)に移り，かわって関東大震災後，日本橋から魚市場が移転，1923（大正12）年から営業を開始したのが築地市場の始まりである。

中央卸売市場跡前の新大橋通りに沿って右に進み，市場橋交差点で右に折れる。築地場外市場の店が並ぶ，にぎやかな波除通りを行くと正面に波除稲荷神社の鳥居が見えてくる。万治(まんじ)年間(1658〜61)ごろ，築地の埋立てに伴い堤防工事を行うが，波が荒く堤防は何度も破壊された。そんな難工事の最中，海中から稲荷明神(みょうじん)像が発見された。これが波除稲荷神社の祭神で，この像を社(やしろ)にまつったところ，波はしずまり築堤工事は無事終了したという。以来，同社は航海安全の神として海運業者に篤く信仰されてきた。境内には，1838（天保(てんぽう)9）年に尾張藩が船の安全航行を祈念して奉納した天水鉢(てんすいばち)がある。また，中央卸売市場に隣接していたことから，玉子塚・海老(えび)塚・鮫鱏(こう)塚・すし塚など珍しい供養(くよう)碑が多い。拝殿前の左右にある獅子殿には大きな獅子頭が安置されている。この神社の祭りは，江戸時代から獅子祭りとして知られ，現在も毎年6月の祭りにはこの大

波除稲荷神社

浜離宮から汐留シオサイトへ　　149

勝鬨橋

獅子頭が町内を巡行することがある。

波除稲荷から晴海通りへでたところに軍艦操練所・築地ホテル館跡の説明板がたつ。1857(安政4)年、幕府は旧築地市場一帯に軍艦操練所を設置。向井将監や勝海舟らを頭取として旗本・御家人、諸藩士から希望者をつのり、オランダ製の軍艦観光丸を用いて航海術や砲術を習得させた。1864(元治元)年に操練所は焼失、隣接する松平安芸守の屋敷へ移転し、その後海軍所と改称され、1867(慶応3)年に再び火事で焼けると、浜離宮へ移転した。1868(明治元)年、操練所跡地(2万3100m²)には、築地ホテル館がつくられた。築地ホテルは、日本初の洋式ホテルといわれ、木造2階建ての和洋折衷建造物で、東京の名所となったが、惜しくも1872年、丸の内・銀座の大火で焼失した。

晴海通りと勝どき地区をつなぐ勝鬨橋は、1940(昭和15)年に隅田川最下流にかけられた橋で、銀座・築地方面と晴海埠頭を結ぶ。橋の西詰め南側にあるかちどきの渡し碑は、1905(明治38)年の日露戦争での旅順陥落を祝して京橋区の有志らが渡し船を整備し、戦勝にちなんで「かちどき」と名づけた渡し船施設を東京市に寄贈したことを記念してたてられたもの。渡し船は、この場所から西南200mさき(現在、埋立てられ海幸橋はない)から出発、隅田川を往復したが、勝鬨橋ができたことでその役割をおえた。

勝鬨橋は、全長246mの二橋脚橋で、2組の鋼鈑桁が電力により斜めうえへ跳ねあがる跳開橋になっており、3000t級の大型船が通行できる。だが、その後東京湾施設が整備されたことで大型船の通行はなくなり、1970(昭和45)年を最後に橋の開閉は行われていない。築地市場勝どき門横には「かちどき 橋の資料館」があり、勝鬨橋など隅田川にかかる橋の資料が展示・公開されている。また、勝鬨橋の橋脚内見学ツアーも実施されている(要予約)。

Nikkōkaidō Katsushika Edogawa

日光街道と葛飾・江戸川

堀切の花菖蒲（歌川広重画『名所江戸百景』）

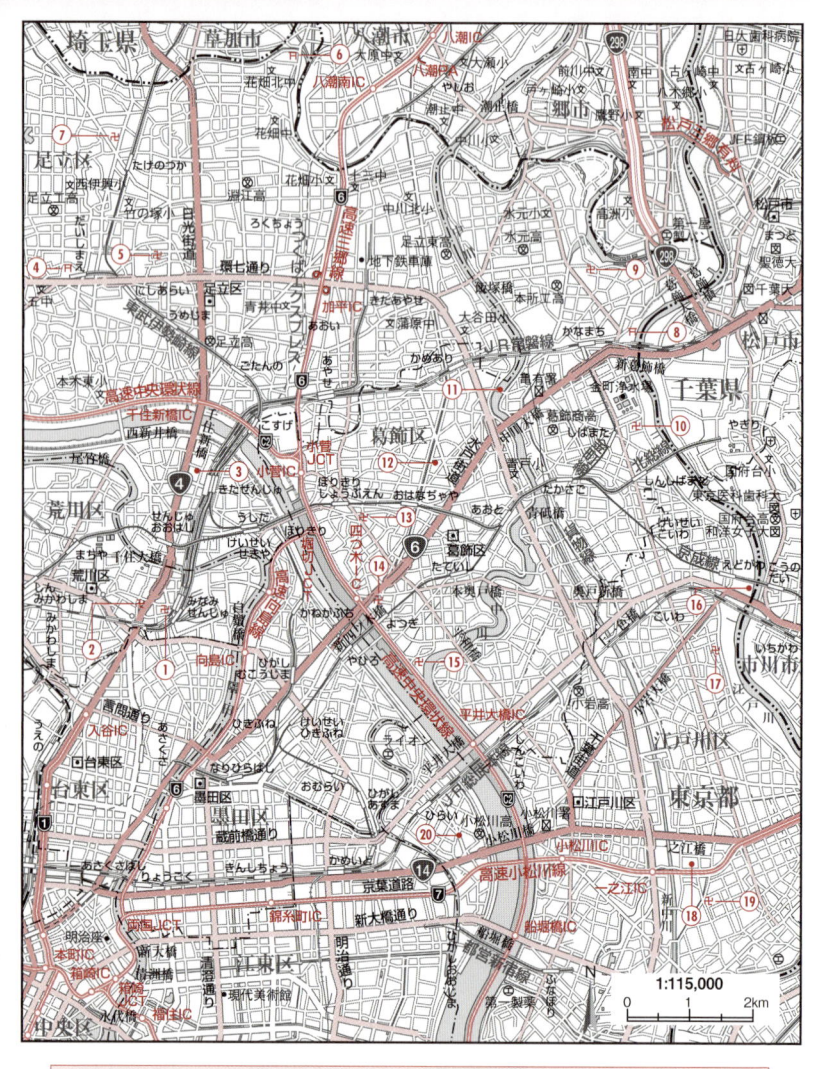

①小塚原回向院	⑦東岳寺	文の博物館	⑱一之江名主屋敷
②円通寺	⑧葛西神社	⑬妙源寺	⑲大雲寺
③千住宿	⑨南蔵院	⑭西光寺	⑳平井・小松川
④西新井大師	⑩柴又帝釈天	⑮浄光寺	
⑤国土安穏寺	⑪新宿	⑯御番所町跡	
⑥大鷲神社	⑫葛飾区郷土と天	⑰善養寺	

日光街道と葛飾・江戸川

◎日光街道と葛飾・江戸川散歩モデルコース

1. JR常磐線・地下鉄日比谷線南千住駅_1_延命寺_1_小塚原回向院_8_円通寺_7_官営千住製絨所跡・井上省三君碑_7_荒川ふるさと文化館_1_素盞雄神社_3_熊野神社_2_千住大橋_2_大橋公園_1_橋戸稲荷神社_5_千住宿歴史プチテラス_2_河原町稲荷神社_3_源長寺_5_高札場跡_1_問屋場跡_2_不動院_5_勝専寺_2_河合栄治郎生誕地_1_橘井堂森医院跡_1_金蔵寺_3_千住宿本陣跡_5_千住絵馬屋・横山家住宅_3_名倉医院_6_青亮寺_10_東武伊勢崎線・地下鉄日比谷線ほか北千住駅

2. 東武大師線大師前駅_1_西新井大師_1_東武大師線大師前駅_3_東武大師線西新井駅_11_国土安穏寺_14_炎天寺・八幡神社_10_東武伊勢崎線竹ノ塚駅_15_花畑団地_10_大鷲神社_12_正覚院_5_花畑団地_15_東武伊勢崎線竹ノ塚駅_12_実相院_1_千葉次郎勝胤の墓_9_東岳寺_8_白旗塚古墳_4_法受寺_4_伊興氷川神社_1_伊興遺跡公園_3_易行院_1_東陽寺_6_応現寺_12_東武伊勢崎線竹ノ塚駅

3. JR常磐線金町駅_10_葛西神社_8_金蓮院_7_光増寺_5_半田稲荷神社_15_南蔵院_5_松浦の鐘_16_旧葛飾区教育資料館_2_水元小学校_15_JR常磐線金町駅

4. 京成金町線柴又駅_5_柴又帝釈天_7_矢切の渡し_5_山本亭_2_葛飾柴又寅さん記念館_10_浅間山噴火川流溺死者供養碑_15_八幡神社_15_源照寺_6_京成本線・北総線ほか京成高砂駅

5. JR常磐線亀有駅_12_新宿の渡し跡_6_西念寺_4_浄心寺_1_水戸街道石橋供養道標_2_日枝神社_4_延命寺_5_宝持院_7_葛西城跡_1_東洋インキ前_8_JR常磐線亀有駅

6. 京成本線お花茶屋駅_2_葛西用水(曳舟川)_8_葛飾区郷土と天文の博物館_15_普賢寺_5_堀切8丁目_8_京成本線堀切菖蒲園駅_7_妙源寺_7_郷倉_7_堀切菖蒲園_30_西光寺_12_白髭神社_7_林柔寺_12_浄光寺_2_木下川薬師_10_京成押上線四ツ木駅

7. 京成本線江戸川駅_1_北野神社_1_慈恩寺道石造道標_7_小岩市川関所・小岩市川渡し跡_10_宝林寺_1_本蔵寺_5_小岩一里塚跡_10_善養寺_20_浅間神社_15_地下鉄新宿線篠崎駅

8. JR総武線小岩駅_20_名主屋敷_1_一之江名主屋敷_3_城立寺_8_大雲寺_15_浄興寺_10_八雲神社_4_香取神社_3_今井の渡し跡_12_地下鉄新宿線一之江駅

9. JR総武線平井駅_7_燈明寺_2_諏訪神社_12_浅間神社_6_逆井庚申塚_4_旧江戸川区役所文書庫_2_小松川神社_2_逆井の渡し跡_10_善通寺_3_最勝寺_10_JR総武線平井駅

日光・奥州道中の初宿千住

日光・奥州道中の第1番目の宿駅で，物流の拠点。江戸府内の境目でもあり，史跡・文化財が数多く残る。

小塚原回向院 ❶
03-3801-6962
〈M ▶ P.152, 155〉 荒川区南千住5-33-13
JR常磐線・地下鉄日比谷線南千住駅 大 すぐ

※「解体新書」関連史跡　幕末維新の史跡の宝庫

　南千住駅南口一帯は，江戸時代には品川の鈴ヶ森とともに，罪人を処刑した小塚原の仕置場（刑場）跡である。規模は間口60間余（約109.1m）・奥行30間余（約54.5m）で，明治初期までに約20万人が処刑されたといわれる。日比谷線の高架脇に延命寺（浄土宗）がある。もともと小塚原回向院別院だったが，1982（昭和57）年に分離・独立した。境内の延命地蔵は，江戸時代には首切地蔵とよばれ，刑死者の供養のため，1741（寛保元）年に造立された。明治の鉄道敷設前は線路の南にあった。

　北の常磐線の高架をくぐると，左手に小塚原回向院（浄土宗）がある。本所回向院（墨田区）は，刑死者・牢死者・行倒れの死者などを埋葬してきたが，1667（寛文7）年に住職義親上人が江戸幕府に願いでて，当地に別院を建立したのが始まりである。1822（文政5）年津軽藩主津軽寧親を襲撃した南部藩出身の相馬大作を処刑して以降，国事犯の処刑場となったため，数多くの墓や供養碑がある。

　門入口のすぐ右手には，坂下門外の変などで処刑された志士供養碑が並んでいる。左手の本堂1階の壁には，浮彫り青銅板の観臓記念碑がある。1771（明和8）年，中津藩医前野良沢・小浜藩医杉田玄白・中川淳庵らは，小塚原の刑場で刑死者の腑分け（解剖）をみて解剖書『ターヘル＝アナトミア』の翻訳を決意し，約4年を費やして『解体新書』を完成させた。

　墓地右手の一角に，安政の大獄で

延命地蔵

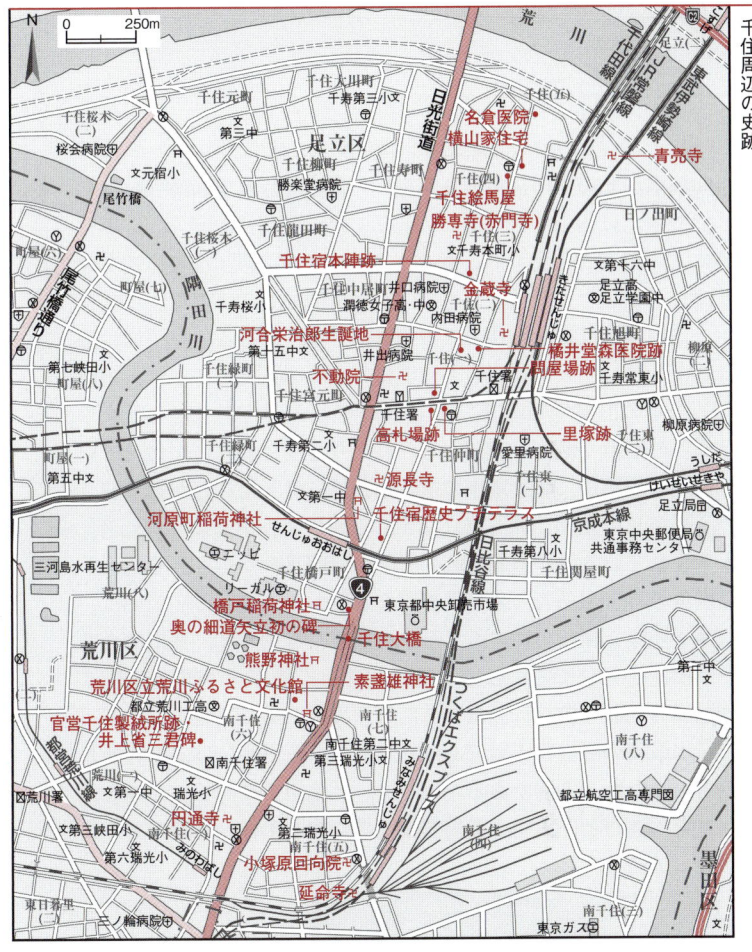

処刑された福井藩士橋本左内の墓と顕彰碑がある。同じく刑死した儒者頼三樹三郎・長州藩士吉田松陰，大老井伊直弼を殺害した水戸浪士金子孫二郎・薩摩藩士有村次左衛門らの墓・供養碑がある。また，寛文期(1661～73)のころ，旗本奴と争って歌舞伎の題材となった侠客腕の喜三郎，内縁の夫を殺害して1876(明治9)年に最後の斬首刑になった高橋お伝，歌舞伎の「直侍」のモデルになった片岡直次郎，1831(天保2)年に処刑された鼠小僧次郎吉の墓も並んでいる。そのほか，二・二六事件の際に，中心的役割を果たした

磯部浅一の墓もある。

円通寺 ❷　〈M ▶ P.152, 155〉荒川区南千住1-59-11
03-3891-1368　地下鉄日比谷線三ノ輪駅 徒歩5分

上野彰義隊士の墓所　黒門に無数の弾痕

　回向院すぐ北の南千住南通りを進み、国道4号線（日光街道）にでると、やや北に円通寺（曹洞宗）がある。791（延暦10）年坂上田村麻呂による創建と伝えられ、秩父・坂東・西国霊場の100体ほどの観音像を安置した堂があったので、寺は百観音とよばれた。本堂に向かって右側には鎌倉時代の板碑や石造七重塔がある。左手には旧上野寛永寺の黒門がある。もとは上野寛永寺の八門の1つで、1868（慶応4）年の旧幕臣の彰義隊と新政府軍とがたたかった上野戦争では、この門前で激しい戦闘が行われ、今も多数の弾痕が残っている。当寺の住職が、彰義隊士の遺体を荼毘に付したことが縁で移された。黒門裏の金網に囲まれたなか、五輪塔で香炉台に「戦死者」ときざまれているのが彰義隊戦死者の墓（都旧跡）である。そのほか、戊辰戦争の幕府関係者の墓・供養碑などがある。

　国道4号線を少し北に進んで千住間道を左折すると、荒川総合スポーツセンターにでる。この一帯は官営千住製絨所跡である。ここは、1879（明治12）年に設置された官営模範工場で、蒸気力を利用した日本最初の毛織物工場であった。センター西側には、初代所長井上省三をたたえる碑がある。センターと荒川工業高校との間を道なりに東へ進むと、荒川工業高校東交差点の右手に、当時のレンガ塀が残っている。

旧上野寛永寺の黒門

　さらに東へいくと、荒川区立荒川ふるさと文化館がある。荒川区の原始から近現代の考古資料・古文書・浮世絵・生活用品などを展示し、1960年代の家屋も復元され、郷土学習室では文献資料や映像

資料が閲覧できる。館の東隣には素盞雄神社がある。創建は795(延暦14)年と伝えられ、境内に異光を放ったといわれる瑞光石がある。また、松尾芭蕉が、1689(元禄2)年3月27日に「奥の細道」へ旅立った(矢立初め)際に、千住で別れを惜しんだことを記念して、1820(文政3)年に亀田鵬斎銘文の旅立の句碑がたてられた。国道4号線を進んで千住大橋の手前を左折すると、源義家が勧請したと伝える熊野神社がある。大橋の守護神として、1594(文禄3)年、橋の完成時にその残材で社殿を修理して以降、橋のかけ替え時には、残材を用いた社殿の修理が行われたという。

千住宿 ❸　〈M▶P.152,155〉足立区千住橋戸町・千住河原町・千住仲町・千住1〜5
JR常磐線、地下鉄千代田線・日比谷線、東武伊勢崎線北千住駅、または京成線千住大橋駅🚶15分

宿場町の土地割が残存 文人墨客が多く関係

千住大橋は、1594(文禄3)年に伊奈忠次によってかけられた隅田川では最古の橋である。千住宿は、1625(寛永2)年に日光・奥州道中の初宿と定められ、範囲は千住1〜5丁目までであったが、1658(万治元)年に掃部宿・河原町・橋戸町が、1660年に隅田川南岸の小塚原町・中村町が編入された。

橋の北詰め西側に大橋公園があり、園内に足立区によって設けられた奥の細道矢立初の碑がある。これは、松尾芭蕉の旅立ちは深川から船で出発して千住大橋の北側に上陸したという考えから、足立区が顕彰事業の一環として1974(昭和49)年に設置したものである(旅立ちの句碑は橋南側の素盞雄神社にもある)。公園の西側に橋戸稲荷神社がある。幕末〜明治期の鏝絵(漆喰塗りの絵)の名工伊豆長八が、白狐を土蔵造、観音開きの扉の裏側に彫刻した(非公開、拝殿の左右に複製あり)。

旧道である東京都中央卸売市場足立市場の西側の道を進む。河原町は神田・駒込とともに江戸の三大青物市場(やっちゃば)で、第二次世界大戦前まで街道の両側に青物問屋が並んでいた。江戸時代末期の土蔵(旧横山家住宅の内蔵)を解体・移築した千住宿歴史プチテラスでは、夏期・冬期には「やっちゃ場展」を、ギャラリーの利用がない土・日曜日、祝日は「千住宿パネル展」を開催している。こ

日光・奥州道中の初宿千住

の北西にある河原町稲荷神社は，市場の鎮守である。

　神社北側の足立区と墨田区を結ぶ墨堤通りは，かつての水除堤跡で，17世紀初めに石出掃部亮吉胤が築いたので掃部堤といい，ここから千住1丁目の間が，あらたに開拓されて掃部宿とよばれた。源長寺（浄土宗）は，1610（慶長15）年吉胤の草創といわれ，本堂裏側に墓がある。通用門すぐ左には，落語家三遊亭円朝寄進の石灯籠がある。旧道を進むと元区役所通りにでるが，この通りはこの地域でもっとも古い水除堤跡で，熊谷堤とよばれた。街道の西側に高札場，東側に一里塚があった。この北に千住堀が流れ，千住小橋がかけられていた。

　旧道をさらに北に進んで，千住1丁目にはいってすぐ左手が，問屋場跡である。宿場の中枢機関で，問屋場会所と貫目改所が設置されて，人馬継立ての事務を行った。向かい（東側）には馬寄場（馬をつなぐところ）があった。ここを左折して西へ進むと，不動院がある。境内すぐ右手に，正面「南無阿弥陀仏」，右側面「藝州」ときざまれた大石塔がある。これは戊辰戦争の際，芸州（広島）藩の軍夫・従属者で，千住周辺から参加した人びとを供養したものである。塔の斜め前の無縁塔・常夜灯は，千住宿の飯盛女の供養塔である。

　不動院東隣の道を北上すると，朱塗りの山門がたつ勝専寺（浄土宗）があり，赤門寺ともいう。寺宝の千手観音（非公開）は，千住の地名のおこりともいわれる。また，山門左側の閻魔堂に安置されている赤顔赤腹の閻魔像は，1・7月の15・16日に開帳される。鐘楼の鐘は江戸時代の時の鐘で，明治の鐘楼再建を記念した碑文の題字は，李朝の政治家で日本に亡命中だった金玉均により書かれた。

　山門をでて商店街（旧道）を右折する。足立都税事務所一帯

金蔵寺の供養碑

158　日光街道と葛飾・江戸川

横山家住宅

は,森鷗外の父静男が14年間病院を開業していた橘井堂森医院跡である。鷗外も陸軍軍医副に任官してドイツ留学までの4年間をここですごした。なお都税事務所西隣は,戦前,ファシズムに抵抗した河合栄治郎の生誕地である。この北東にある金蔵寺(真言宗)の入口左手に2基の供養塔がある。「無縁塔」は1837(天保8)年の大飢饉の犠牲者を供養したもの,「南無阿弥陀仏」は千住宿の飯盛女を供養したものである。

　旧道に戻り,千住3丁目にはいってすぐ左側に,千住宿本陣跡を示す小石標がある。さらに進むと,左手に千住絵馬屋(吉田家)がある。絵馬は薄い経木に胡粉を塗り,そのうえに泥絵具で図柄を描いたものである。この向かいが横山家住宅である。もとは地漉き紙問屋で,江戸時代末期の建造。維新期,上野戦争のとき,日光道中を敗走する彰義隊がつけた刀痕が軒柱に残っている。内蔵は千住宿歴史プチテラスとして移築された。そのさきには,明和年間(1764〜72)に開業し,「千住の骨接ぎ」として有名な名倉医院がある。長屋門は幕末に建造された。きた道を逆行して東へいく道(旧水戸・佐倉道)を進み,常磐線高架をくぐると,徳川光圀の槍かけ松の伝説が残る青亮寺(日蓮宗)がある。本堂左手墓地には,1870(明治3)年に,小塚原刑場で解剖された11人の罪人を供養した解剖人墓,日本経済史学の先駆者内田銀蔵の墓がある。

❷ 西新井大師から伊興へ

日光道中周辺の様相，江戸近郊の信仰の場，古代の祭祀遺跡，関東大震災後の移転寺院などさまざまな史跡・文化財が存在。

西新井大師 ❹
03-3890-2345
〈M ▶ P.152, 161〉 足立区西新井1-15-1 ｐ
東武大師線大師前駅 🚶 すぐ

縁日は毎月1日と21日、2月の節分会は盛大

西新井大師は，正式には五智山遍照院總持寺（真言宗）といい，寺伝では826（天長3）年空海の創建といわれている。江戸時代には関東七カ寺の触寺で，川崎大師とともに厄除開運の霊場として庶民の信仰を集めてきた。寺宝（非公開）には，平安中期の鋳銅刻画蔵王権現像（国宝），葛飾北斎の「弘法大師修法図」などがある。

国土安穏寺 ❺
03-3883-3442
〈M ▶ P.152, 161〉 足立区島根4-4-1 ｐ
東武伊勢崎線西新井駅 🚶 11分

山号は「天下長久山」徳川将軍家の話も残存

西新井駅東口から環状7号線を東に進み，歩道橋さきの信号を北上すると，国土安穏寺（日蓮宗）がある。1410（応永17）年の開基といわれ，江戸時代には将軍の日光参詣や鷹狩りの際の休息所や御膳所となった。このため御成門がつくられ，寺前の道を御成道とよんだ。

道を北にいくと炎天寺（真言宗）・八幡神社がある。縁起には，前九年の役（1051～62年）で源頼義・義家父子が奥州に赴く際，炎天下にこの地で戦い，京都石清水から鎌倉に勧請した八幡社に祈願して勝利することができた。そこでこの地に，神社と別当寺を建立したという。炎天寺には小林一茶がよく訪れ，「やせ蛙　負けるな一茶　是にあり」などの句碑がたっている。

大鷲神社 ❻
03-3883-2908
〈M ▶ P.152〉 足立区花畑7-15-1 ｐ
東武伊勢崎線竹ノ塚駅 🚌 花畑団地行終点 🚶 10分

「西の市」発祥の地 7月第3日曜に獅子舞奉納

バス停から東の花畑北中学校に向かい，学校東側の道を北上し，突き当りを右折

国土安穏寺の山門

すると大鷲神社がある。社伝によると，奥州遠征で苦戦していた源義家を助けるため，弟の義光がこの地で戦勝祈願をしたところ，1羽のワシがとんできて義光をまもるように旋回した。戦いに勝ったのち，村人たちがこの幸運のワシをまつったのが始まりという。11月の酉の日を祭日と定め，江戸時代には酉の市として参詣者で賑わった。現在は浅草鷲神社が有名であるが，当社にならったものである。

東岳寺 ❼
03-3899-3790
〈M ▶ P.152, 161〉足立区伊興本町1-5-16
東武伊勢崎線竹ノ塚駅 🚶 6分

広重は風景画で著名
木石の調和した庭園

竹ノ塚駅西口から赤山街道を進み，伊興町前沼（観音橋）交差点を左折して約500mいくと，実相院（真言宗）がある。本尊の聖観世音菩薩（都有形）は，伊興の子育観音として近隣の信仰を集めた。この斜め向かいの民家裏には，この地の領主で1533（天文2）年に没した千葉次郎勝胤の墓がある。

もとの交差点に戻って北東に進む尾竹橋通りをいくと，東岳寺（曹洞宗）がある。境内に初代安藤広重墓及び記念碑（都史跡）がある。この隣には広重を世界に紹介したアメリカ人ジョン・スチュワート・ハッパーの墓がある。

尾竹橋通りを進んで東武バス車庫の交差点を右折すると，白旗塚古墳（都史跡）がある。もともとこ

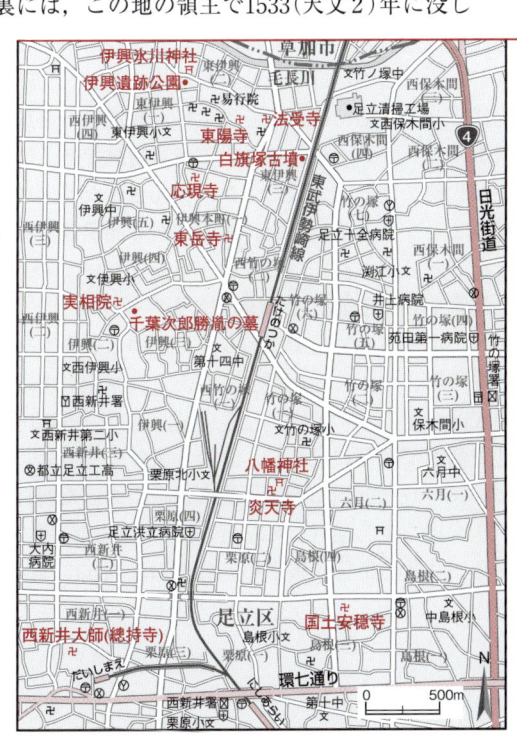

西新井・竹ノ塚周辺の史跡

西新井大師から伊興へ

初代安藤広重墓および記念碑

の付近にあった伊興古墳群でただ1基残り,直径約12m,高さ2.5mの円墳で,5〜6世紀の築造と推定されるが未調査である。付近一帯は史跡公園として整備された。

　東武線ガードから北西の道を進み,尾竹橋通りにでると寺院が集中している。1923(大正12)年の関東大震災後に浅草辺りより移転したものが多い。この交差点にある法受寺(浄土宗)には江戸幕府5代将軍徳川綱吉の生母桂昌院の墓,笠間藩主本荘家の墓がある。道をさらに進むと,かつて淵江領42カ村の総鎮守であった伊興氷川神社がある。この付近一帯は伊興遺跡である。1980〜90年代の発掘調査により,古墳時代を中心に毛長川流域の低湿地帯で半農半漁の生活を営み,かつ水辺の神を祈る祭祀遺跡であることが判明した。現在は史跡公園として整備され,復元された竪穴住居や方形周溝墓を見ることができる。また,園内にある展示館では出土した土器や勾玉などが公開されている。

　公園東側の道を進んで突き当りを左折すると,易行院(浄土宗)があり,境内に歌舞伎で有名な花川戸助六と愛人揚巻の墓がある。この寺の隣には東陽寺(曹洞宗)がある。本堂右手に江戸時代の歌人戸田茂睡の手向野の歌碑,左手の墓地入口付近に,江戸時代後期に勤勉な働きで豪商に成長し,講談・歌舞伎で有名になった塩原太助の墓,江戸時代前期に海運・治水に功のあった河村瑞軒追憶碑がある。きた道を少し逆行して左折し,約400m南下すると応現寺(時宗)がある。山門(瓦葺き破風の四脚門)は,1637(寛永14)年の建立である。

③ 水郷だった金町・水元

江戸川と中川にはさまれた，かつての水郷地帯における人びとの暮らしと文化の様子，江戸近郊の信仰がうかがえる。

葛西神社 ❽
03-3607-4560
〈M ▶ P.152,163〉 葛飾区東金町6-10-5 Ｐ
JR常磐線・地下鉄千代田線・京成金町線金町駅 ★10分

境内に数多くの石造物
10月1日葛西囃子を奉納

　金町駅南口から線路沿いの道を松戸方面に進むと水戸街道にでる。常磐線の高架をくぐり，バス停金町ガード脇より右前方の旧水戸街道を進むと葛西神社（祭神経津主命）がある。1184（元暦元）年に，この地の領主葛西三郎清重が，上・下葛西33郷の総鎮守として，下総国（千葉県）香取神宮の分霊を勧請したと伝えられている。宝物殿には，金町・松戸関所の通行手形・記録類・地図などの一部が保存されている。

　葛西神社は，祭囃子である葛西囃子（都民俗）の発祥地である。由来は，1727（享保12）年に神主能勢環が和歌にあわせて音律を創作し，和歌囃子と名づけて村の若衆に教え，奉納したのが始まりという。1753（宝暦3）年に関東郡代伊奈半十郎は，村民善導の目的で囃子の競技会を開催し，優勝者を神田明神の将軍上覧祭に推挙した。のち，葛西囃子は普及し，江戸の三大祭をはじめとする多くの祭り囃子は，葛飾方面の農民によるものが大半を占めた。現在の神田囃子・住吉囃子・深川囃子・本所囃子などは，葛西囃子から生まれたものである。

　神社から国道6号線にでて水元方面へのバス通りにいくと，金蓮院（真言

葛西神社

金町・水元周辺の史跡

水郷だった金町・水元　163

宗)がある。徳川将軍家の朱印寺かつ水戸徳川家の祈願所で、境内のラカンマキは、1829(文政12)年の紀行文『十方庵遊歴雑記』に記されている名木である。国道6号線をさらに北上すると、バス停半田稲荷のさき、左側に半田稲荷神社(祭神倉稲御魂)がある。尾張徳川家の立願所として加護をうけ、江戸中期以降、疱瘡・はしか・安産の神として参詣人がたえなかった。歌舞伎・芸能人・花柳界を主とする講中が多く、江戸名所の1つであった。

南蔵院 ❾
03-3607-1758
〈M▶P.152,163〉 葛飾区東水元2-28-25
JR常磐線・地下鉄千代田線・京成金町線金町駅🚌戸ケ崎操車場行しばられ地蔵前🚶3分

大晦日に縄解き供養
大晦日・元旦に達磨市

半田稲荷神社の北、半田小学校の東側の道を進むと、南蔵院(天台宗)にでる。もとは本所中之郷(墨田区吾妻橋)にあった。境内には大岡政談で有名なしばられ地蔵があり、地蔵尊を荒縄でしばることによってあらゆる願い事がかなえられるとして、現在に伝えられている。

南蔵院の裏手を進み、都立水元公園との境の桜土手上に松浦の鐘がある。この梵鐘は、勘定奉行や長崎奉行を歴任した領主の松浦河内守信正が、菩提寺龍蔵寺に奉納したものである。明治初期に同寺が廃寺になると、鐘は村有となって水害や非常の際に用いられた。南蔵院の西、バス通りを道なりに北に進むと(バスでは水元小学校下車)、水元小学校に接して旧葛飾区教育資料館がある。この建物は、1925(大正14)年に竣工した水元尋常高等小学校の木造校舎の一部を移築・復元したもので、米国から輸入した松の木でつくられ、1982(昭和57)年まで使われていた。

南蔵院のしばられ地蔵

④ 柴又帝釈天界隈を歩く

古代より人が住み，江戸時代には帝釈天や庚申待ちの信仰がはじまり，門前は参詣者で賑わっている。

柴又帝釈天 ⑩
03-3657-2886
〈M ▶ P.152, 165〉 葛飾区柴又7-10-3 Ｐ
京成金町線柴又駅 🚶 5分

庚申の日に縁日開催　門前にあふれる下町情緒

　柴又駅をでて右手の参道をいくと柴又帝釈天に着く。正式名称は経栄山題経寺（日蓮宗）である。1631（寛永8）年，中山法華経寺（千葉県市川市）の日忠上人の草創と伝えるが，周辺部の題目板碑の出土例から室町初期が起源と思われる。日蓮上人がみずからきざんだといわれる帝釈天板本尊は一時所在不明であったが，1779（安永8）年の本堂修理の際に発見された。当日が庚申の日であったので，以来この日を縁日とした。帝釈堂周囲の法華経説話彫刻は，昭和初期の名工を集めて制作したものである。

　帝釈天の北側の道を江戸川堤に進むと，対岸の矢切とを結ぶ矢切の渡しがある。1631（寛永8）年に関東郡代伊奈半十郎を管理者としてはじまったが，性格は農民が柴草刈りや耕作のために許されたいわゆる農民渡船であった。

　きた道を戻り，割烹川甚のところを右折すると，山本亭がある。もとは実業家山本栄之助の住宅で，大正末から昭和初期に建築された和洋折衷様式の長屋門や居宅が残る。庭は典型的な書院庭園である。この南隣には葛飾柴又寅さん記念館があり，渥美清の主演映画「男はつらいよ」

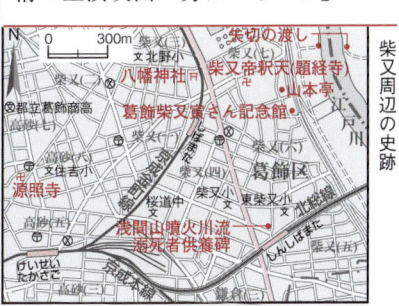

柴又帝釈天参道

柴又周辺の史跡

柴又帝釈天界隈を歩く　165

葛飾柴又を味わう

コラム

食

江戸川べりの川魚料理

帝釈天の参道には,両側に団子・草餅などの店や佃煮の店が多数あるが,味わうなら,やはり川魚料理だろう。江戸川べりの川甚は,伊藤左千夫の『野菊の墓』にでてくる矢切の渡しの近くである。

この店自体が文学とも縁が深く,さまざまな作品に実名で登場する。幸田露伴『附焼刃』,夏目漱石『彼岸過迄』,林芙美子『晩菊』,松本清張『風の視線』など多い。尾崎士郎の『人生劇場』には「柳水亭」の名で登場する。店の歴史や風情の割に,値段が高くないのがうれしい。数人で座敷を利用するとよい。

帝釈天の参道の奥の左側にある川千家も,川魚料理の店である。川甚より料理の種類は多いのと,いわゆる料理屋という感じではないので利用しやすい。椅子席や大広間もある。この店は,映画での話ではあるが,「寅さん」の妹の「さくら」が結婚式をあげたところで有名である。映画がシリーズ化される前のテレビ映画の時代の作品で,柴又の風情がよくでていた。

の名場面の映像や撮影セットなどが再現されている。

記念館南側の道を西進して1つ目の角を左折し,新柴又駅方面に向かうと,題経寺墓地にでる。入口すぐ左手に,浅間山噴火川流溺死者供養碑がある。1783(天明3)年の浅間山大噴火で吾妻川がせきとめられて決壊したことにより大洪水となって70カ村余がのみこまれ,多数の死体が利根川から江戸川へ流れ,当地に着いた。

新柴又駅から柴又街道を北上し,柴又帝釈天前交差点を左折して京成線踏切をこえると,八幡神社がある。社殿下は古墳で,近年の調査で築造年代は6〜7世紀,直径約30mの円墳であることが判明した。この周囲には人物や馬の形象埴輪がおかれ,溝がめぐらされていると推定される。

神社前の道を進み,柴又地区センター前

矢切の渡し

消えゆく東京の渡し場

コラム

消えゆく渡し場、唯一残る矢切の渡し

　東京には江戸川・隅田川・多摩川などの大きな川があり、古くから多くの渡し場があった。

　しかし、渡し場は、橋がかけられると消えていくのが常であった。隅田川下流の勝鬨の渡しのように、1905（明治38）年日露戦争の旅順陥落直後に設けられたものもあったが、関東大震災後に鉄橋がかけられるようになると、渡し場はつぎつぎと姿を消していった。

　隅田川では1964（昭和39）年に佃の渡し（中央区）、1960年代前半おわりに宮堀の渡し（北区）、1966年に汐入の渡し（荒川区）が廃止された。多摩川では、1920年代後半に二子の渡し（世田谷区）、1949年ごろに矢口の渡し（大田区）、1973年には菅の渡し（調布市）が廃止された。江戸川では、1965年に三太の渡し（江戸川区）が廃止された。こうして東京で現存する渡しは、矢切の渡し（葛飾区）ただ1つとなった。

の三叉路を右にいくと、区立住吉小学校の少しさきに源照寺（浄土宗）がある。本堂裏に箏曲山田流の始祖山田検校の墓（都旧跡）がある。

新宿 ⓫

〈M ▶ P.152,168〉 葛飾区新宿2
JR常磐線・地下鉄千代田線亀有駅🚶12分

道筋は「鉤の手式」水戸佐倉道の分岐点

　亀有駅南口のゆうロードを進むと東西の道につきあたる。旧水戸佐倉道である。これを左折すると、中川橋がある。ここが新宿の渡し跡で、歌川（安藤）広重の『名所江戸百景』や『江戸名所図会』に描かれている。

　橋を渡ると、道は南に直角にまがり、再び東へ直角にまがる。これは敵の侵入を防ぐ鉤の手式とよばれ、戦国時代に後北条氏がつくったといわれる。

　新宿は、江戸時代には水戸佐倉道の宿駅として、人足25人・馬25疋が常備された。南下する道を進むと、右手に西念寺（浄土宗）がある。将軍が鷹狩りにきた際に、この地の生簀から魚を献上したといわれ、「生簀守の墓」はこれをまもった一族の墓である。

　さらに南進し、東に直角にまがっていくと、浄心寺（浄土宗）がある。山門すぐ左に二・二六事件で殉職した巡査、清水與四郎の墓がある。首相岡田啓介によってたてられたものである。道はそば屋のところでつきあたるが、水戸佐倉道の分岐点である。その軒下

柴又帝釈天界隈を歩く

水戸街道石橋供養道標

葛飾新宿・青戸周辺の史跡

にある水戸街道石橋供養道標には、「右なりだちば道　左水戸街道」と記されている。すぐ脇の国道6号線を中川へ向かうと中川大橋の手前に日枝神社がある。新宿の鎮守で、後北条氏による勧請といわれる。

中川大橋を渡るとすぐ右手に延命寺（真言宗）がある。境内の二十一仏庚申塔は、1655（承応4）年にたてられ、関東圏内でも初期に属する。再び国道6号線へでて環七通りの青戸8信号を渡り、右折して約100m地点を左にはいると、亀青小学校の手前に宝持院（真言宗）があり、松浦河内守信正墓碑がたてられている。信正は肥前（長崎県）平戸藩主分家の旗本で、勘定奉行・長崎奉行を歴任した。

再び環七通りにでて道を戻り、信号をこえて南下すると、御殿山公園と葛西城址公園一帯が葛西城跡（都旧跡）である。中川の微高地上に山内上杉氏によって15世紀に築かれた平城で、大石憲重以下5代にわたってこの城を守らせたが、1538（天文7）年北条氏綱が攻め落とし、家臣遠山丹波守直景にまもらせた。1590（天正18）年後北条氏滅亡後はここに陣屋が建てられ、徳川氏の鷹狩りの際に、休憩所である青戸御殿として利用された。環状7号線（環七通り）が計画されたときの発掘調査で、本丸を区画する堀や溝・井戸などが検出され、板碑・陶磁器・下駄・漆器などが出土した。出土品などは、葛飾区郷土と天文の博物館に展示されている。

5 菖蒲園の堀切から四つ木へ

この地域は宅地化されているが，中世から江戸時代の文化財が数多くあり，かつての景観をよみがえらせる。

葛飾区 郷土と天文の博物館 ⑫
03-3838-1101

〈M ▶ P.152, 169〉 葛飾区白鳥3-25-1
京成本線お花茶屋駅 🚶 8分

レファレンスが充実
積極的な各種行事開催

お花茶屋駅東側の曳船川親水公園は，かつての葛西用水（曳船川）で，当初は本所・深川方面へ飲料水を配していた。廃止後は水路を利用した乗合船があらわれ，それを両岸から曳いたところから曳船の名がでた。ここを北上すると，葛飾区郷土と天文の博物館がある。考古資料・古文書・絵図・民具などをもとに，自然・生活・文化・産業の移りかわりをテーマ別に，わかりやすく展示し，歴史資料や図書の閲覧も可能である。またプラネタリウムも設けられている。

博物館からさらに北上して曳船十三橋交差点を左折し，600mほどいくと，バス停普賢寺の北側に普賢寺（真言宗）がある。1180（治承4）年，この地の領主葛西三郎清重が創建したといわれる。境内右側の鐘楼堂の隣に，大小3基の宝篋印塔（都有形）がある。いずれも無銘だが，様式その他から鎌倉末期のものと推定されている。

妙源寺 ⑬
03-3693-0983

〈M ▶ P.152, 169〉 葛飾区堀切3-25-16
京成本線堀切菖蒲園駅 🚶 7分

堀切・四つ木周辺の史跡

堀切菖蒲園駅をでて南側線路沿いの道を東にいき，平和橋通りを右折して進むと，堀切3丁目交差点角に妙源寺（日蓮宗）がある。もとは本所番場町（墨田区東駒形）にあったが，1923（大正12）年の関東大震災で被災し当地に移転した。境内中央の墓地に安積艮斎の墓（都旧跡）がある。艮斎は陸奥国郡

菖蒲園の堀切から四つ木へ　169

安積艮斎の墓

数多くの著名人の墓所　金座役人後藤家も檀徒

山(福島県)に生まれ、江戸にでて当寺に寄寓して、住職の紹介で儒者佐藤一斎に入門、のち林述斎にも学び、昌平黌の教授となった。墓地北西端には、老中阿部正弘に内治外交の施策を教えた儒学者東條一堂の墓がある。東端には、安政大地震による死者の供養碑である石造題目塔がある。

妙源寺の西南に区立堀切小学校があるが、校庭西南隅に茅葺き屋根の郷倉がある。郷倉は郷村に設けられた公的な穀倉である。本来は年貢をおさめるまでの一時的な保管用であったが、江戸中期以降は非常用・貸付用に利用された。ここの郷倉の建造は、文化・文政年間(1804〜30)と推定される。郷倉を南にいき、右折して高速道路を目標に進むと、綾瀬川の土手の手前に堀切菖蒲園がある。この成立にはいくつか説があるが、江戸時代後半に堀切村の伊左衛門が各地のハナショウブを収集・培養し、天保年間(1830〜44)には江戸の名所として知られていた。

西光寺 ⑭
03-3691-0300
〈M ▶ P.152, 169〉葛飾区四つ木1-25-8
京成押上線四ツ木駅 🚶 5分

中世以来続く伝統寺院　葛西清重は源頼朝の有力家臣

四ツ木駅より商店街を北にいき、四つ木1丁目交差点を左折すると、西光寺(天台宗)がある。草創は1225(嘉禄元)年と伝えられ、もとは葛西清重の居館があったといわれている。寺南側の道を少しいくと四つ木1丁目西町会会館の隣に葛西清重の墓(都旧跡)がある。清重塚ともよばれ、13世紀に清重夫妻の遺骸を葬った場所といわれる。

交差点に戻り、薬局横を斜めに細い道をはいり、京成線の踏切をこえてそば屋につきあたり左折すると、白髭神社がある。江戸時代は客人大権現とよばれ、吉原・深川・千住などの遊郭や水茶屋、花柳界の人びとの信仰を集めた。神社を南進してつきあたったら左折すると区立渋江小学校にでる。正門の向かいに林柔寺(浄土真

宗)があり，7代将軍徳川家継の生母月光院の位牌が安置されている。

浄光寺 ⑮
03-3691-0210

〈M ▶ P.168, 185〉 葛飾区東四つ木1-5-9
京成押上線四ツ木駅🚃 新小岩行木下川薬師🚶2分

徳川吉宗以降将軍の御膳所
4月8・9日に縁日

林柔寺から東四つ木コミュニティ通りを進み，綾瀬川と中川の合流する付近に，木下川薬師ともよばれる浄光寺（天台宗）がある。寺伝によると草創は平安初期で，本尊は最澄作と伝える。葛西荘内の薬師堂の別当寺で，1591（天正19）年に徳川家康から朱印地5石をあたえられ，江戸時代には将軍の祈願所となった。浅草寺末派の筆頭で，江戸城紅葉山の将軍霊屋の別当として毎年将軍家の代参があり，8代将軍吉宗以降，将軍が鷹狩りをする際に食事をとる御膳所とされた。また，カキツバタの名所として多くの文人墨客も訪れた。

境内参道の左手に，幕末維新に活躍した，日本法律学校（現，日本大学）の創設者山田顕義と，わが国の女優の育成と演劇界のために功績を残した加藤ひな子との親交を伝える碑がある。墓地の奥，突き当りの右手には，江戸幕府の納戸役・作事奉行・槍奉行などをつとめた松下氏代々の墓がある。

浄光寺

菖蒲園の堀切から四つ木へ

⑥ 江戸川堤をいく

江戸川沿いには豊かな自然が現在も残り，由緒ある史跡・文化財が数多くある。両者が調和した地域である。

御番所町跡 ⑯ 〈M ▶ P. 152, 172〉 江戸川区北小岩3
京成本線江戸川駅 🚶 1分

房総への交通の要衝付近一帯が江戸川区登録史跡

江戸川駅より南，蔵前通りに至る部分は，江戸時代御番所町と称した。佐倉道と元佐倉道(千葉街道)が合流し，岩槻街道にも接する交通の要衝で，小岩市川渡し・小岩市川関所(御番所)が設置されたのでこの名がついたという。

駅のすぐ南の北野神社は，旧伊豫田村(北小岩3・4丁目付近)の鎮守である。夏越の祓として，直径2m以上の輪をカヤでつくり，氏子がくぐりぬけることによって，無病息災を願う茅の輪くぐりが行われる。

神社から南にいくと，慈恩寺道石造道標がたっている。慈恩寺(さいたま市岩槻区)へ参詣のため，1775(安永4)年に建立され，正面に「右せんじゅ岩附志おんじ道　左り江戸本所ミち」ときざまれている。ここから江戸川堤に進む。京成線鉄橋約50m南の付近の河川敷の辺りが小岩市川関所跡，そのさきが小岩市川渡し跡である。渡しは1616(元和2)年に定船場となり，往来の人や物資を監視する番所が設置され，万治年間(1658〜61)年に関所になった。1869(明治2)年に関所は廃止され，1904年に江戸川橋(現，市川橋)の完成で渡しは廃止された。

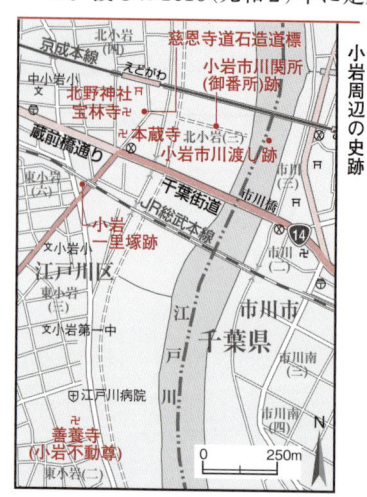

小岩周辺の史跡

道標に戻って南に少しいき右に曲がると，宝林寺(真言宗)がある。本堂右手の常灯明は，1839(天保10)年に成田山参詣のため，千住総講中がたてた。もとは小岩市川渡しの場所にあったが，1934(昭和9)年に河川改修で移された。墓地の南側奥の宝篋印塔は，1610

日光街道と葛飾・江戸川

(慶長15)年にこの一帯を開拓した篠原伊豫の墓である(見学には寺務所の許可が必要)。この南隣の本蔵寺(日蓮宗)の墓地には，小岩市川関所の役人中根平左衛門代々の墓がある。さらに進んでJR総武線のガードをくぐっていくと，千葉街道との合流点に小岩一里塚跡がある。千住宿(足立宿)から2里目を示したが，現在は，交差点・バス停にその名を残すだけである。

善養寺 ⑰
03-3657-6692

〈M▶P.152, 172〉 江戸川区東小岩2-24-2
JR総武線小岩駅🚌一之江行江戸川病院前🚶3分

日本名松番付、東の横綱
10月下旬にキクの展示会

一里塚跡からバス通りを江戸川沿いに南進すると，江戸川病院の南隣に善養寺(真言宗)があり，小岩不動尊ともよばれる。16世紀初めの開基と推定され，江戸時代には朱印寺となり，末寺130余を有する中本寺であった。庭内の影向の松(都天然)は樹齢600年以上といわれ，高さ約8m余・幹まわりは約4.5m余，東西約30m余・南北約28m余の枝を広げ，その面積はわが国有数といわれる。西門(裏門)のすぐそばに，天明三年浅間山噴火横死者供養碑(都有形)がたっている。1783(天明3)年7月に発生した浅間山の大噴火によって犠牲になった人びとが，利根川・江戸川に流れて当地に漂着したのを，下小岩村の人が当寺無縁墓地に葬り，十三回忌にあたる1795(寛政7)年に碑をたてて供養した。

江戸川沿いに南へ1.5kmほどいくと，東京都立篠崎公園の南側に浅間神社(祭神木花咲耶姫命)がある(バスは浅間神社前下車)。創建は938(天慶元)年といわれ，区内最古の神社である。7月1日の例大祭は幟祭りとよばれ，長さ12間(21.8m)以上ある大幟が10本たてられる。社殿右側にある1840(天保11)年の富士講碑は，富士信仰がもっとも盛んだったころのものである。

影向の松

江戸川堤をいく

7 江戸の村の面影を残す一之江

徳川家康の江戸入府以後、本格的に耕地が開発された。当時の村の暮らしぶりが自然・景観ともにわかる。

江戸時代中期の建築様式調度類も多数現存

一之江名主屋敷 ⑱
03-3653-5151
（江戸川区郷土資料室）

〈M ► P.152, 175〉江戸川区春江町2-21-20
JR総武線小岩駅🚌葛西駅行名主屋敷🚶すぐ、または
地下鉄新宿線瑞江駅🚶15分

一之江名主屋敷

　名主屋敷バス停の南を右折すると、一之江名主屋敷（都史跡）がある（地下鉄なら、瑞江駅北口より瑞江駅西通りを北進し、首都高速7号線沿いに左折してバス通りを右折する）。
ここは、一之江新田を開拓して名主をつとめた田島家の邸宅である。東方入口に長屋門を構え、正面には東向きに主屋、南西側に池と築山、西北隅に屋敷神を配し、屋敷周囲に堀と屋敷林をめぐらしている。主屋は茅葺きの鉤の手型の造りで、安永年間（1772～81）に再建、安政年間（1854～60）に一部改築されたが、江戸時代中期の建築様式を伝えるものである。また、伝来の「田島家文書」（都有形）は、低地新田開発と近世村落を解明する史料として貴重である（東京都教育委員会により刊本となっている）。
　バス停の東には城立寺（日蓮宗）がある。田島家の祖田島図書英丈が開基で、代々菩提寺となった。墓地中央の釈迦如来坐像の右手奥に、法名正善院日慶ときざまれているのが、1643（寛永20）年に没した英丈の墓である。石造釈迦如来坐像は、3代田島八郎兵衛尉重信が、1663（寛文3）年に寄進したものである。

大雲寺 ⑲
〈M ► P.152, 175〉江戸川区西瑞江2-38-7
地下鉄新宿線瑞江駅🚶7分

　城立寺から首都高速7号線をこえて椿通りを南に進むと、西側

に瑞江葬祭場、東側に大雲寺（浄土宗）がある。1619（元和5）年に江戸幕府2代将軍徳川秀忠より寺領を賜与され、浅草蔵前に開山し、のちに押上（墨田区）に移ったが、1923（大正12）年の関東大震災にあって、1931（昭和6）年にこの地に移転した。墓地には市村羽左衛門（初代〜17代）・尾上菊五郎（初代、5・6代）・松本幸四郎（4〜6代）ら著名な歌舞伎役者の墓があるので、役者寺ともよばれる。

大雲寺門前から南に進んで鎌田西通りを右折すると、消防署瑞江出張所の五叉路の南側に浄興寺がある。連歌師柴屋軒宗長や北条氏康が訪れたという。山門のすぐ左側が新川梨の碑で、大塚宗蔵が享和年間（1801〜04）に、下今井村でナシの栽培を創始した記念碑である。墓地の中央奥に宗蔵の墓石がある。

山門を左にいきすぐ右折して進むと水路の神として信仰された八雲神社で、江戸川を通行し、社前をとおる船は、帆をおろして航路の安全を祈ったという。7月の満月の夜には笹の葉にだんごをつけ、神符を間にはさんだ「笹だんご」を授け、悪疫退散や病気平癒の祈願をした。篠崎街道を進むと、旧上今井村の総鎮守だった香取神社で、境内に富士塚がある。バス停今井付近が今井の渡し跡である。1912（明治45）年に下江戸川橋（現、今井橋）がかけられて廃止された。

一之江周辺の史跡

「役者寺」とも呼称 花火鍵屋の墓も現存

荒川にのぞむ平井・小松川

2つの河川にはさまれ，宅地化と再開発による変貌が著しい。おもな史跡・文化財は，旧中川沿いに点在している。

平井・小松川 ⑳

〈M ▶ P.152, 176〉江戸川区平井1～6・小松川2～3
JR総武線平井駅 すぐ

歴史ある落ち着いた街 かつて江戸川区の中心

平井駅北口の駅前広場東側から蔵前橋通りを横切って進むと，燈明寺（新義真言宗）がある。別堂の聖天堂が平井聖天で，浅草待乳山聖天と埼玉妻沼聖天とともに，関東三聖天といわれる。山門をはいってすぐ右に小説家伊藤左千夫設計の茶室「夢想庵」がある。隣接の諏訪神社は，享保年間（1716～36）に燈明寺の恵祐法印が，生国の信州諏訪大明神をまつったのが起源という。境内の左隅に富士塚が，神社西横の路傍に浅草道石造道標がある。

蔵前橋通りにでて，江東新橋南詰め交差点を左折し旧中川沿いのバス通りをいくと，浅間神社がある。境内の富士塚は逆井の富士といわれ，高さが約6mある。さらに進んで京葉道路との交差点に，1692（元禄5）年建立の逆井庚申塚があり，現在も信仰されている。

この南の小松川三丁目公園に旧江戸川区役所文書庫がある。かつてここに江戸川区役所があり，1945（昭和20）年の東京大空襲の際に焼け残った建物である。西隣の小松川神社は，荒川放水路開削に伴い各地の神霊を合祀して1937（昭和12）年に成立した。その際，境内に江戸期以来の石造物が集められた。旧中川の逆井橋付近は逆井の渡し跡である。江戸から竪川通りの亀戸（江東区）を経て下総佐倉（千葉県）につうずる元佐倉道の渡し場で，歌川（安藤）広重の『名所江戸百景』に描かれている。

京葉道路をこえて都立小松川高校に向かう。高校前には，江戸五色不動の1つ目黄不動，最勝寺（天台宗）がある。

平井・小松川周辺の史跡

Asakusa 浅草

よし原日本堤（歌川広重画『名所江戸百景』）

浅草

◎浅草散歩モデルコース

1. JR総武線・地下鉄浅草線浅草橋駅_7_柳橋_5_両国橋_10_浅草橋(浅草見附跡の碑)_10_躋寿館跡_5_蓬莱園跡(都立忍岡高校)_5_鳥越神社_5_頒暦調所跡_7_浅草御蔵跡の碑_7_榊神社_7_玩具問屋街_10_西福寺_3_浄念寺_2_龍宝寺_5_榧寺_1_地下鉄大江戸線蔵前駅

2. 地下鉄銀座線田原町駅_2_金竜寺_5_東京本願寺_2_善照寺_2_徳本寺_2_等光寺_2_清光寺_2_願竜寺_10_日輪寺_2_天嶽院_10_地下鉄銀座線田原町駅

3. 地下鉄銀座線稲荷町駅_1_仏壇・仏具専門店街_5_誓教寺_10_聖徳寺_2_正定寺_10_源空寺_2_法善寺_5_曹源寺_2_海禅寺_5_かっぱ橋道具街_8_地下鉄銀座線田原町駅

4. 地下鉄銀座線ほか浅草駅_5_駒形堂(浅草観音戒殺碑)_10_雷門_1_仲見世_5_伝法院_2_浅草寺とその境内_2_浅草神社_1_二天門_10_地下鉄銀座線ほか浅草駅

5. 地下鉄銀座線ほか浅草駅_10_花川戸公園(助六歌碑・姥ケ池の碑)_10_猿若町・江戸歌舞伎三座跡_5_待乳山聖天_3_竹屋の渡し跡の碑_10_称福寺(亀田鵬斎の墓)_5_妙亀塚_10_平賀源内の墓_10_石浜神社_10_橋場2丁目バス停

6. 地下鉄日比谷線三ノ輪駅_3_浄閑寺(新吉原総霊塔)_5_永久寺(目黄不動)_5_梅林寺(阿部友之進の墓)_20_吉原・見返り柳の碑_1_吉原_5_吉原弁財天(花吉原名残碑)_5_鷲神社_10_樋口一葉旧居の碑_3_台東区立一葉記念館_10_地下鉄日比谷線三ノ輪駅

①両国橋　⑦駒形橋　⑬妙亀塚
②浅草見附　⑧浅草寺　⑭石浜神社
③蔵前　⑨浅草神社　⑮浄閑寺
④榧寺　⑩伝法院　⑯吉原
⑤東京本願寺　⑪花川戸　⑰台東区立一葉記念館
⑥源空寺　⑫待乳山聖天

米・川・船の町蔵前

①

江戸幕府の御米蔵と問屋街。昔も今も江戸・東京の活発な経済活動の一端をになう町。

両国橋 ❶ 〈M▶P.178,181〉 中央区東日本橋2
JR総武線・地下鉄浅草線浅草橋駅🚶10分

武蔵・下総を結ぶ橋 庶民の歓楽街

浅草橋駅から江戸通りを南へ3分ほどで，神田川にかかる浅草橋に着く。川に沿って東に歩くと隅田川との合流点近く，柳橋がある。

架橋は1698（元禄11）年。柳橋の名は，神田川下流の柳原堤にちなむとも，橋のたもとにあったヤナギにちなむともいわれる。橋の一帯は，隅田川の舟遊びの屋形船や，吉原・深川通いのための猪牙船を仕立てた船宿が軒を連ねた。今も釣り舟や遊覧船が川面に浮かび，往時をしのばせる。また江戸後期からは，高級料亭街・花街として発展し，明治になると旧幕臣たちの贔屓もあって，新橋と並び称される繁栄を迎えた。今は数軒の料亭がその名残りをとどめている。現在の橋は1929（昭和4）年にかけられたものである。

柳橋から南の靖国通りにでるとすぐ，左手の隅田川にかかるのが両国橋である。江戸幕府は，江戸防衛の見地から，長く隅田川（大川）への架橋を認めなかったが，明暦の大火（1657年）を機に，防災の必要から架橋を許し，1658（万治元）年，全長98間（約178.2m）の橋が完成した。はじめ大橋といったが，のち両国橋が公称となった。隅田川を境とする西の武蔵国，東の下総国にまたがってかかる橋の意味である。架橋ののち，隅田川以東本所・深川の開発・都市化が進んだ。

橋の西詰め一帯は火除地（防火地域）となり，両国広小路とよばれた。靖国通りに面した緑地帯に記念碑がある。橋の界

柳橋と遊覧船・釣り舟（浅草橋よりのぞむ）

蔵前周辺の史跡

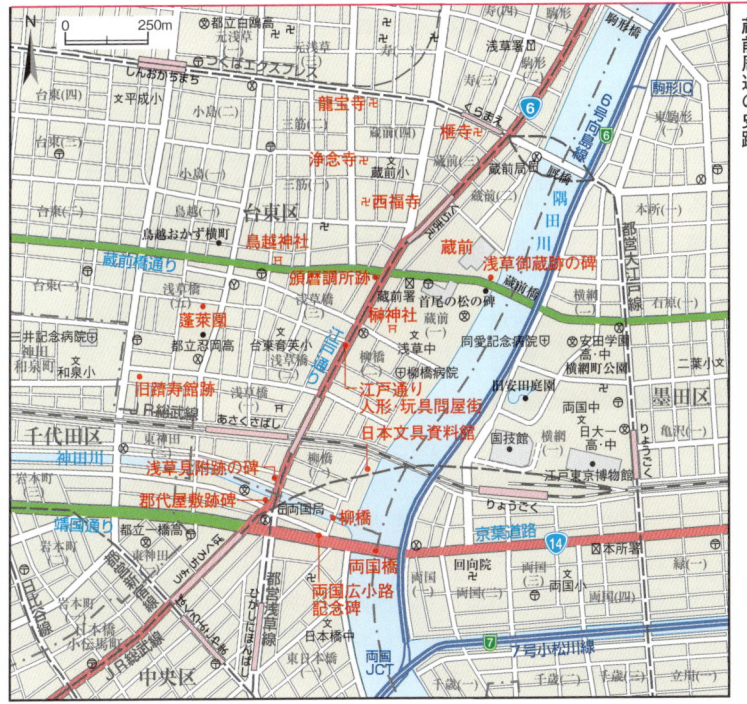

隈は小屋掛けの見世物や、茶屋で賑わう江戸屈指の盛り場となり、夏は川開き・花火・納涼の舟遊び、大山詣の水垢離などさまざまな行事で賑わった。両国の花火は享保年間(1716〜36)にはじまり、1961(昭和36)年いったん停止したあと、1978年からやや上流を会場に復活した。

両国橋

浅草見附 ❷

〈M▶P.178, 181〉 中央区東日本橋2
JR総武線・地下鉄浅草線浅草橋駅 🚶5分

1636(寛永13)年、江戸城外曲輪門の1つとして浅草橋の南詰めに枡形門(浅草御門)が設けられ、浅草見附がおかれた。江戸通りはか

米・川・船の町蔵前

浅草見附跡の石碑

鳥越神社

つての日光道中・奥州道中にあたり，浅草御門は北関東・東北地方への要路を押さえる役割をもち，3000石以上の旗本が勤番を命ぜられた。明暦の大火の際，見附の番人が，伝馬町牢屋敷の囚人解き放ちを脱獄と勘違いしてこの門をとざしてしまったため，2万人ともいわれる焼死・溺死者をだし，両国橋架橋の一因ともなった。橋の北詰め西側に浅草見附跡の碑がたっている。

明暦の大火最大の犠牲者三十六見附の1つ

　浅草橋の南詰め西側一帯（現，中央区日本橋馬喰町2丁目）には江戸初期以来，関東天領の行政・訴訟を担当した関東郡代の郡代屋敷があった。橋の南詰めにその標識がある。

　浅草橋北詰めから神田川に沿って上流（西）へ向かう。江戸時代には，水運貨物の陸揚げ場である河岸が各所に設けられた場所である。美倉橋で右折，清洲橋通りを北上する。佐久間町4丁目交差点に旧蹟寿館跡（都旧跡）がある。1765（明和2）年幕府奥医師多紀元孝によってたてられた医学校だが，1791（寛政3）年，幕府により官立の医学館とされ，明治維新後には医学所（東京大学医学部の前身）となった。旧蹟寿館跡の北東，都立忍岡高校一帯は平戸藩（長崎県）松浦氏の藩邸跡で，庭園蓬莱園は江戸後期築造の名園として知られていた。忍岡高校西門脇にその碑があり，校地の東北角には造園当時からのものとされる大イチョウ（都天然）を中心に，蓬莱園の雰囲気を伝える庭園が設けられている。この庭園は校地東側の道路（左衛門橋通り）や北門の外からも眺められる。

　忍岡高校から北に歩き，蔵前橋通りにでて東へ2，3分で左手に

鳥越神社(祭神日本武尊)がある。千貫神輿で知られた祭礼や茅の輪くぐり,正月の注連飾りなどを焼く1月8日のどんど焼きなどの行事で名高い。平安時代,源 頼義の奥州下向の際,鳥がとびたって入江を教え,渡河を成功させたことから鳥越の名がうまれたとの伝承をもつ。

蔵前橋通りをさらに東へ向かうと江戸通りに戻る。蔵前1丁目交差点の一角は,1782(天明2)年に幕府が創設した天文台頒暦調所(通称天文屋敷)があった場所である。ここで天文方高橋至時らによって寛政暦がつくられた。またその門弟となった伊能忠敬は,深川黒江町から歩測しながらここにかよった。

蔵前 ❸

〈M▶P.178,181〉台東区蔵前1・2
JR総武線・地下鉄浅草線蔵前駅・浅草橋駅🚶5分

浅草御蔵と札差 幕府財政の核心部

江戸通りをこえて蔵前橋に向かう。橋のたもとに近い左側に浅草御蔵跡の碑がある。江戸通りの東側,隅田川までの一帯2万7900坪(約1.9万m²)が江戸幕府の米蔵で,北から一番堀から八番堀の船入り堀を備え,天領年貢米が陸揚げ・貯蔵された。1620(元和6)年,鳥越の丘が削られ敷地が造成された。その後拡充され,寛政年間(1789〜1801)には蔵の数54棟,収蔵された御蔵米は常時120万俵にのぼった。

蔵奉行の管理下におかれた御蔵米は,非常用備蓄のほかは旗本・御家人に支給されたが,請取・換金などの業務を代行して手数料を得たのが札差である。彼らはのち,蔵米を担保に金融を行うなど経済的実力を高め,田沼時代(18世紀後半)には,文化や遊興の世界で「通人」を輩出した。

江戸通りに戻る途中,蔵前警察署角を南にまがると榊

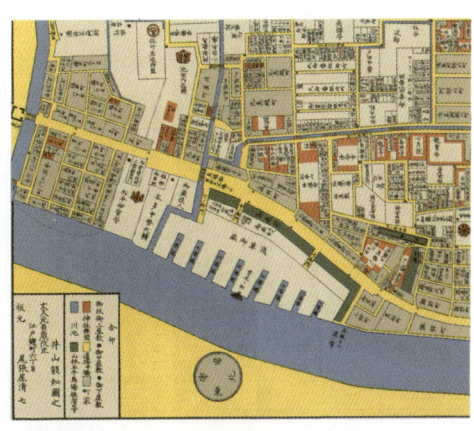

蔵前付近(文久元年『東都浅草絵図』浅草御門から浅草御蔵)

米・川・船の町蔵前

神社があり、境内に浅草文庫の碑がたっている。1874(明治7)年、湯島書籍館の図書14万冊を移し公開した。1882年、施設は上野公園に移され、上野図書館(現、国際子ども図書館)となった。

榧寺 ❹
03-3851-4729　〈M▶P.178,181〉台東区蔵前3-22-9
地下鉄大江戸線・浅草線蔵前駅🚶3分

勝川春章・三島政行・柄井川柳・石川雅望ら江戸文人たちの墓所

江戸通りと国際通りの分岐を、国際通りにはいってすぐ左手(西側)の精華公園西隣が、西福寺である。江戸浄土宗四カ寺の随一で、松平西福寺ともよばれた。もと三河国にあったが、徳川家康の江戸入府とともに江戸に移り、家康の側室於竹の方(武田信玄の女竹姫)の菩提寺となった名刹。ここには勝川春章の墓(都旧跡)がある。勝川春章は天明期(1781～89)の浮世絵師で、勝川流の祖として役者絵に写実的な新傾向を打ちだし、人気を得た。葛飾北斎は若いころ春章の門人となり、勝川春朗を名乗っている。墓地東北隅の「南無阿弥陀仏」の六字名号のみきざまれた石は、戊辰戦争で敗死した彰義隊士の墓。「本姓水野樽屋家累世墓」とあるのは、江戸の町年寄三家の1つ樽屋藤左衛門家の墓である。

西福寺の北にある浄念寺(浄土宗)には、『御府内備考』『新編武蔵風土記稿』などの幕府の地誌編纂事業に従事した三島政行の墓(都旧跡)がある。

浄念寺から新堀通りを北に歩き、春日通りの交差点を右折し、最初の路

彰義隊士の墓　　　　　　　　　　　　　　　　　　　　　西福寺

蔵前付近の問屋街

コラム

江戸の流通経済の中心地蔵前

　江戸後期の蔵前は、江戸の流通経済の中心地であり、浅草寺や吉原へのルートでもあり、おおいに賑わった。現在は江戸通りに沿って複数の専門問屋街が形成されている。浅草橋近辺には、雛人形・五月人形の大型人形問屋がめだつ。多くが小売りをかね、節句前は賑わう。

　蔵前2・3丁目の江戸通り沿いには、玩具問屋が点在している。こちらは小売りお断わりの店が多いが、多種多様な玩具はみるだけでも楽しめる。鳥越神社から西へ100mほどのところにあるのが、鳥越おかず横丁。惣菜・調味料・乾物・漬物など、庶民の台所をささえる店が並ぶ。テレビなどで紹介され、すっかり有名になったが、地元の人びととの日常生活に密着した商店街である。

　柳橋1-1には日本文具資料館（☎ 03-3861-4905）がある。アンティークな万年筆や計算機、江戸時代の筆記具など興味深い資料を展示している。

鳥越おかず横丁

地をはいると龍宝寺（天台宗）がある。墓地の一角に、初代柄井川柳の墓（都旧跡）がある。初代柄井川柳（八右衛門）は、龍宝寺門前の浅草阿部川町の名主で、前句付の点者として『俳風柳多留』を撰集、川柳を独立した文芸のあらたなジャンルとして確立した。寺の入口右手に、初代柄井川柳の辞世「木枯や　跡で芽をふけ　川柳」の碑がたっている。なお、川柳の墓の左にある不動板碑には「正応六（1293）年」の銘がみえる。

　春日通りを東に数分歩くと榧寺（浄土宗）がある。墓地南東隅の「先祖墓」ときざまれた墓石が、国学者で狂歌師の石川雅望の墓（都旧跡）である。狂歌師としての号宿屋飯盛は、生家が日本橋小伝馬町の宿屋であったことによる。ほかに浮世絵師石川豊信、洋画家安井曽太郎、明治から昭和期のジャーナリスト長谷川如是閑、37代横綱安芸ノ海ら、著名人の墓が多い。

❷ 大火がうんだ浅草の新寺町

明暦の大火がうんだ寺院の密集する町。江戸の文人・画家たちの墓所を訪ねる。

東京本願寺 ❺ 〈M▶P.178,187〉台東区西浅草1-5-5
03-3843-9511 地下鉄銀座線田原町駅 🚶5分

朝鮮通信使の宿舎東本願寺の別院

　浅草通りの下を走る地下鉄銀座線の上野・浅草間2.2kmは，1927（昭和2）年に開通した日本最初の地下鉄だった。

　浅草通りの両側には今も多くの寺院が集中し，寺町の性格を残している。明暦の大火(1657年)後，江戸幕府は防災上の理由で，寺院の郊外移転を進めた。この地には神田・湯島近辺の寺院が移され，新寺町が形成された。

　田原町駅の南側にある金竜寺(臨済宗)には，荷田在満の墓(都旧跡)がある。在満は江戸中期の国学者荷田春満の甥で養子。浅草通りを上野方面に戻ると，右手奥に東京本願寺(浄土真宗)がみえる。その歴史は1591(天正19)年，徳川家康の命で教如が創建した江戸神田惣道場光瑞寺にはじまり，明暦の大火後現在地に移った。広い寺域と多くの堂塔をもち，1711(正徳元)年以来朝鮮通信使の宿舎となった。現在の堂宇は1960(昭和35)年に完成。本尊木造阿弥陀如来立像(都有形)は寄木造で鎌倉時代の作である。

　門前の善照寺(浄土真宗)は，東京本願寺の多数の子院のうちの1つで，江戸後期の医師・国学者の清水浜臣の墓(都旧跡)がある。その東の徳本寺(浄土真宗)は三河国に創建され，檀家本多正信(徳川家康の重臣)にこわれ江戸神田に移り，さらに明暦の大火後現在地に移った。本尊木造阿弥陀如来立像(都有形)は，東京本願寺本尊と同型の鎌倉時代の作。また，絹本着色本多正信像・同夫人像各1幅

東京本願寺

（国重文）がある。

南側の墓地には佐野善左衛門政言の墓と宋紫石の墓が並んでいる。旗本佐野政言は，1784（天明4）年，江戸城内で若年寄田沼意知を斬り，切腹を命じられた。天明の大飢饉の最中，権力の座にあった田沼意次・意知父子に批判的な江戸庶民は，政言を世直し大明神とあがめたという。宋紫石は長崎で南蘋派の画風を学んだ花鳥画家。

徳本寺の東の等光寺（浄土真宗）には石川啄木の「浅草の　夜のにぎはひに　まぎれ入り　まぎれ出で来し　さびしき心」の歌碑がある。1912（明治45）年に没した啄木は，親友の土岐善麿ゆかりのこの寺に一時葬られた。東隣の清光寺（浄土宗）の前庭には，歌舞伎文字勘亭流の祖とされる岡崎屋勘六の墓がある。

ここから南，浅草通りに戻る手前の願竜寺（浄土真宗）には山田宗徧の墓（都旧跡）・柳河春三の墓がある。山田宗徧は江戸前期の茶人で，宗徧流の祖。小堀遠州・千宗旦に学び，宗旦からその家の号，不審庵・今日庵を継承した。柳河春三は幕末・維新期の洋学者・ジャーナリストで，1867（慶応3）年『西洋雑誌』，翌年『中外新聞』を発行した。

国際通りにでて北へ600mほど歩くと，高層の浅草ビューホテルの南側に日輪寺（時宗）がある。はじめ芝崎村（千代田区大手町付近）にあり，ここに平将門の首塚があった縁で，明暦の大火による浅草移転後も，将門を祭神とする神田明神との関係が続いている。日輪寺の西隣の天嶽院（浄土宗）には，江戸中期の儒者細井平洲の墓（都旧跡）がある。平洲は米沢藩の藩校興譲館の設立にかかわり，藩主上杉鷹山の藩政をささえた。また，晩年は尾張藩につかえ，藩士の子弟や町人を対象に講義した。

大火がうんだ浅草の新寺町

源空寺 ❻
03-3844-1131 〈M▶P.178, 187〉台東区 東上野6-19-2
地下鉄銀座線稲荷町駅🚶10分

伊能忠敬をめぐる人びとの墓所源空寺
かっぱ伝承を残す曹源寺

　天獄院から西に200mで、賑やかなかっぱ橋道具街にでる。南に50mほどで通りを横断し、かっぱ橋本通りを西へ進むと海禅寺（臨済宗）がある。本堂と墓地の間奥に、元若狭国小浜藩士の浪人学者で、1858（安政5）年安政の大獄で捕らえられ、翌年病死した勤王の志士梅田雲浜の墓がある。海禅寺の西隣の曹源寺（曹洞宗）はかっぱ寺の異名をもち、文化年間（1804～18）、低地の水害による住民の難儀を救うため、私財を投じて排水路をつくった商人合羽屋喜八（川太郎）の墓がある。工事の際、喜八に恩義のある河童たちが助勢したとの伝承もある。

　曹源寺をでてさらに西へ進み、最初の信号を左折する。この通りが左衛門橋通りである。すぐに右手の源空寺（浄土宗）に着く。南側の墓地の入口近くに、高橋景保の墓がある。高橋景保は天文学者・洋学者。天文方・書物奉行をつとめたが、1828（文政11）年シーボルトに日本地図を贈ったことが発覚、捕らえられ翌年獄死した（シーボルト事件）。墓石は近年の建立である。

　その隣が谷文晁の墓（都旧跡）である。文晁は下谷根岸（台東区）の生まれ。狩野派や南画・洋画などに学び、文人画を大成した。松平定信につかえ、渡辺崋山・田能村竹田らも門下であった、寛政（1789～1800）から文化・文政期（1804～30）にかけての江戸画壇の重鎮である。

　つぎの地蔵形の2基の墓石は、幡随院長兵衛墓（都旧跡）とその妻の墓である。町奴の頭目として、旗本奴の横暴に立ち向かい命をおとし、江戸っ子のヒーローとして歌舞伎狂言に取りあげられた。墓

源空寺

188　浅草

石には，「慶安三庚寅（1650）年四月十三日善誉道散勇士」とある。

その奥が高橋景保の父で，寛政改暦の中心となった天文方高橋至時の墓（国史跡）で，正面に「東岡高橋君墓」の文字，他の三面には儒者尾藤二洲の撰文がきざまれている。

いちばん奥の伊能忠敬の墓（国史跡）の正面は「東河伊能先生之墓」とあり，他の三面は儒者佐藤一斎の撰文である。伊能忠敬は下総国佐原の名主・酒造家だったが，50歳で家督を子にゆずり，江戸にでて高橋至時に天文学・測量学を学んだ。1800（寛政12）年より全国各地を測量，『大日本沿海輿地全図』を完成させた。

源空寺の西にある法善寺（浄土真宗）には，斎藤長秋三代墓（都旧跡）がある。斎藤家は神田の名主で，長秋（幸雄）・莞斎（幸孝）・月岑（幸成）3代の事業となった『江戸名所図会』を刊行，月岑は『東都歳事記』『武江年表』など，江戸の歴史・地誌・風俗にかかわる大部の著作を残した。

左衛門橋通りに戻り100mほど南に歩き，坂東報恩寺の信号を左折するとすぐに聖徳寺（浄土宗）に着く。ここに玉川上水の建設に功のあった玉川兄弟の墓がある。江戸の都市的発展に伴い，これまでの神田上水だけでは良質の飲料水確保が困難になったため，庄右衛門・清右衛門兄弟（多摩郡羽村〈現，羽村市〉の豪農とも，江戸の町人ともいわれる）の案による新上水の工事がはじめられた。1653（承応2）年，羽村で多摩川から取水し，四谷大木戸に至る全長43kmの玉川上水が開削された。以来，1901（明治34）年まで玉川上水は江戸・東

高橋至時の墓

伊能忠敬の墓

大火がうんだ浅草の新寺町

誓教寺葛飾北斎墓石(覆堂)

京の飲料水を供給し続けた。

聖徳寺の東隣の正定寺(浄土宗)には，江戸末期の鏝絵の名手伊豆長八の墓や，島田虎之助(勝海舟の剣の師)の墓がある。

正定寺のすぐ東がかっぱ橋道具街である。右折して食器・調理器具などの並ぶ店先をみながら南へ進み，菊屋橋の信号を渡る。仏壇・仏具専門店が軒を連ねる浅草通りの南側を，西(上野方面)に向かい，松が谷一丁目交差点を左折，左衛門橋通りにはいる。まもなく左手に誓教寺(浄土宗)がある。

右脇通路のさきに墓地があり，ここに葛飾北斎の墓(都旧跡)がある。覆堂のなかの墓石正面には，

東都浅草本願寺(葛飾北斎『富嶽三十六景』)

「画狂老人卍墓」(画狂老人卍は晩年の画号・俳号の1つ)の文字が，右側面(覆堂の扉が開けられる)には，辞世の句「飛登魂で　ゆく気散じや　夏の原」がきざまれている。

北斎は本所(墨田区)生れ。勝川春章門下で浮世絵師となった。狩野派や中国画・洋画などを取りいれた画風を確立し，「富嶽三十六景」に代表される名所絵・風景版画に傑作を残した。生涯に30回以上の改名，93回の引越しを重ねたという。1849(嘉永2)年，山谷堀(台東区)の遍照院裏店で90歳で没した。

新寺町の商店街

コラム

調理器具や仏壇・仏具の専門店街

　東京本願寺の西側の広い通りがかっぱ橋道具街である。浅草通りの西浅草1丁目交差点からみあげると，巨大なコックの看板が目につく。ここから北約1kmにわたって，業務用厨房機器・食器・料理のサンプル・雑貨など食に関する，あらゆる商品をあつかう専門店が通りの両側に並ぶ。

　道具街中央のポケットパークに，黄金色の「かっぱの河太郎像」がたっている。これは，2003（平成15）年に道具街誕生90周年を記念してつくられたものである。この像に象徴されるように，かっぱ橋の名の由来としては，曹源寺に残る河童伝説が広く知られている。しかし，他の有力な一説もあるので紹介しておきたい。

　江戸時代，金竜小学校の跡地付近に大名の下屋敷があった。そこにつかえた小身の侍や足軽が，内職として雨合羽をつくっていた。天気のよい日には，近くの橋にその雨合羽を並べて干した。そこで，「合羽橋」の名がおこったという。

　道具街では，あちらこちらに，河童をあしらった飾りや看板などが目につく。1軒1軒商品を眺めて歩いても楽しく，つい小さな買い物をしたくなる。

　地下鉄田原町駅から隣の稲荷町駅にかけて，浅草通りの南側（日射しによる商品の傷みがない）は，仏壇・仏具を製造・販売する商店が軒を並べており，寺町であることを実感する。

　稲荷町駅から上野に向かうとすぐ，下谷神社の鳥居がある。下谷一帯の鎮守で，江戸時代には下谷稲荷とよばれた。その名残りが駅名の稲荷町である。

　境内に寄席発祥之地の碑がある。

かっぱ橋道具街

仏壇・仏具店の看板

大火がうんだ浅草の新寺町

③ 江戸の賑わいを残す浅草

今も昔も，江戸の賑わいの中心。庶民の願いをうけとめた浅草寺は全国的に多くの人びとに親しまれ，参拝者が絶えない。

駒形橋 ❼　〈M▶P.178,193〉台東区 雷門2-2
地下鉄銀座線・浅草線，東武伊勢崎線浅草駅🚶5分

浅草駅を江戸通りにでて南へ向かうと，隅田川にかかる橋が駒形橋である。橋の西詰め北側には駒形堂がある。「浅草寺縁起」では，平安前期の942（天慶5）年，平国香の甥，安房守平公雅が浅草寺観音堂を造立したとき，ここに小堂をたて馬頭観音をまつったことからはじまるとされる。名前の由来については，浅草観音に奉納する絵馬をかけた駒掛堂から転じたとする説もある。

駒形堂は，関東大震災以前は現在地より約50mほど南西（駒形2丁目の北部），現在の雷門から南に直進した浅草寺の総門（かつての雷門）のところにあった。堂は『江戸名所図会』では南面し，今は西面しているが，かつては隅田川に向かって東面していたという。2004（平成16）年に新しくたて直された。

駒形の名は，吉原の太夫高尾が仙台藩主伊達綱宗に贈った「君はいま　駒形あたり　時鳥」の句で有名である。歌川（安藤）広重は『名所江戸百景』で，駒形堂の屋根のうえをとぶホトトギスを描いている。

駒形堂のかたわらに，北の聖天町から南の諏訪町（駒形より少し下流）まで，約10町（約1.1km）の隅田川での魚鳥の捕獲を禁じた浅草観音戒殺碑（都有形）がたっている。1693（元禄6）年の建立で，長く土中に埋もれていたが，1927（昭和2）年に発掘され，補修された。だが浅草寺沿いの隅田川での殺生禁断は，これ以前から行われていたようである。

高尾太夫ゆかりの駒形 出土した浅草観音戒殺碑

駒形堂と吾嬬橋（歌川広重画『名所江戸百景』）

浅草寺 ❽ 〈M▶P.178,193〉台東区浅草2-3
地下鉄銀座線・浅草線，東武伊勢崎線浅草駅🚶5分

民衆信仰の中心霊場・浅草寺境内にはみるべきものが多い

　浅草寺を中心とする浅草公園一帯は，江戸時代末期から昭和の初めまで江戸（東京）一番の繁華街であった。浅草寺詣の人びとが多かったのはもちろんだが，江戸後期に浅草寺裏の通称奥山の見世物小屋・大道芸・千本桜が人気を集め，幕末には近くの猿若町（現，浅草6丁目）の歌舞伎興行とあわせて賑わった。さらに舟遊びの隅田川や，北の新吉原までを含めると，この地が日本一の歓楽街であった時代は長い。

　1873（明治6）年，東京府は浅草寺境内を浅草公園とし，防火上の配慮から奥山の見世物小屋を，西側の水田を埋め立てた地に移転，その後，浅草公園は7区画に分割された（本堂周辺——一区，仲見世——二区，伝法院——三区，奥山——四区，花屋敷——五区，見世物興行街——六区，馬道西側——七区）。六区は，明治時代から関東大震災までは凌雲閣（通称，浅草十二階）がそのシンボルとなり，大正期には浅草オペラ，昭和初期の映画・レヴューなど，東京の大衆娯楽をリードする興行街となった。明治・大正にわたり，東京一の盛り場の地位を保ったことから，「六区」が浅草繁華街の代名詞となった。

　1927（昭和2）年暮れ，上野・浅草間2.2kmの東洋最初の地下鉄（現，銀座線の一部）が開通した。このことは当時の浅草の賑わいを象徴するものであった。

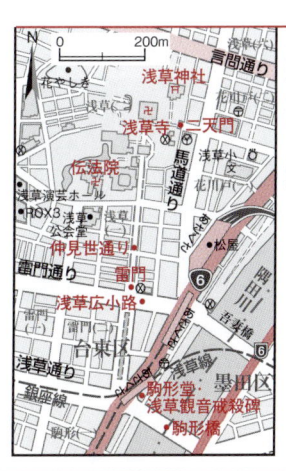

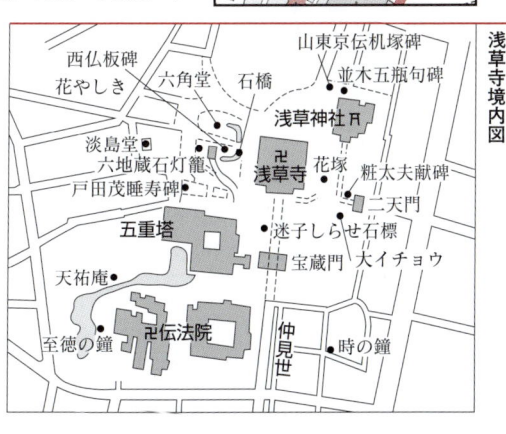

浅草寺周辺の史跡

浅草寺境内図

江戸の賑わいを残す浅草　193

雷門

浅草寺境内

　金龍山浅草寺の歴史は古く、寺伝では、飛鳥時代の628年檜前浜成・竹成兄弟が、隅田川で網にかかった1寸8分（約5.5cm）の黄金の観音像を、この地の有力者であった土師真中知（土師直中知）とともに安置したのが始まりという。645年僧勝海が現在地に堂をたて、夢告によって本尊を秘仏にした。

　942（天慶5）年安房国守（のち武蔵国守）平公雅によって再建され、1180（治承4）年には、伊豆で反平氏の兵をあげた源頼朝が石橋山の戦いに敗れて房総半島へ上陸し、下総（千葉県）から鎌倉に向かう途中に参詣し、寺領を寄進している。頼朝はのちに鎌倉鶴岡八幡宮を造営する際に、浅草の宮大工を召集している（『吾妻鏡』）。これが史料に浅草の地名がみえる最初である。

　戦国時代には、北条氏綱によって再建され、徳川家康のときに江戸幕府の祈願所となった。1642（寛永19）年の火災、関東大震災（1923年）、第二次世界大戦の戦災（1945年）で焼失したが、堂宇はその都度再建され、現在に至っている。

　かつては天台宗に属し、東叡山寛永寺に所属していたが、現在では聖観音宗をおこして総本山となり、子院は24を数える。

　雷門は浅草寺の総門で、寺伝では平公雅の寺再建のときに創建したもので、現在地より南の駒形にあったと伝える。江戸時代数度の火災と再建があり、1795（寛政7）年再建のものが、1865（慶応元）年に焼失したあと長く失われたままであった。1960（昭和35）年、95年

ぶりに実業家松下幸之助らの寄進により，コンクリート造りの切妻造で再建された。正しくは右の風神像，左の雷神像にちなんで風雷神門というが，江戸時代からすでに雷門と称されてきた。風神・雷神の裏には浅草寺開帳1350年を記念した平櫛田中作の天竜・金竜の像がある。雷門の門前の東西に走る道は，江戸時代に火除地としてつくられた浅草広小路である。

　雷門から宝蔵門までの約140mの参道が仲見世通りで，菓子・小間物・皮革製品などをあきなう店が86軒ある。通りの由来は，雷門と宝蔵門の中間にあったからという。花川戸の人びとに，浅草寺境内の掃除役の代償として営業権が認められたのが始まりといい，元禄のころ(17世紀～18世紀初)からみられたらしい。

　宝蔵門は，1649(慶安2)年江戸幕府3代将軍徳川家光の建立した仁王門(山門)が，ほかの堂塔とともに第二次世界大戦の戦災で焼失したのち，1964(昭和39)年に再建され，寺宝を収納したことから名称を改めた。寺宝には，法華経10巻(国宝)や元版大蔵経(国重文)などがある。1648(慶安元)年に建立された五重塔は本堂東側にあったが，戦災で焼失後，1973(昭和48)年本堂西側の塔院のうえに再建された。本堂(観音堂)は1958(昭和33)年の再建で，内陣上段の間に秘仏の本尊聖観世音菩薩，下段の間に御前立本尊が安置されている。外陣にあった江戸から明治にかけて奉納された，谷文晁・高嵩谷・歌川国芳ら著名な絵師の描く10面の絵馬は，現在五重塔の下の絵馬堂に保存されている(非公開)。

　江戸時代以来庶民の信仰が衰えることのなかった浅草寺には，さまざまな小堂や石造物がある。境内東南部の弁天山の木立ちのなかに鐘楼がある。松尾芭蕉の句「花の雲　鐘は上野か　浅草か」で知られる時の鐘(1692年鋳造)で，今でも午前6時を告げている。本堂に向かって左手前には，第二次世界大戦後に再建された浅草迷子しらせ石標(都旧跡)がある。左側に「たづぬる方」，右側に「しらす方」とあり，貼り紙によって知らせあったものである。本来は，1860(安政7)年3月に新吉原の楼主松田屋嘉兵衛が，安政の大地震で犠牲となった遊郭内の死者の霊をとむらうためにたてたと，石標の裏面に彫られている。それが迷い子・尋ね人探しに利用されるよ

西仏板碑

うになった。

　本堂に向かって左手の放生池の周辺には重要な建造物が多い。池の北にある西仏板碑(都有形)は高さ約2.2m，上部が少し欠け，中央で横に折れているが，巨大板碑の典型とされる。鎌倉末〜室町初期の造立で，銘文に造立者西仏の名がみえる。池にかかる橋の手前右側に六地蔵石灯籠(都旧跡)がある。もと大川橋(吾妻橋)に近い花川戸町にあった。建立年代は1145(久安元)年・1368(応安元)年・1446(文安3)年などの諸説があるが，室町時代以前にさかのぼると考えられている。池にかかる石造の太鼓橋は，1618(元和4)年浅草寺境内に建立された東照宮(のち焼失し，江戸城内に移った)のもので，当時，紀州藩主であった浅野長晟が寄進した東京で最古の石橋である。橋を渡った左手にある淡島堂は，元禄(1688〜1704)のころ，紀州加太の淡島明神を勧請したもので，現在は針供養(2月8日)で知られる。右手の六角堂(正式には日限地蔵堂，都旧跡)は，室町時代の建立で，浅草寺に現存する最古の建築物である。

　放生池の南西には，五輪塔をかたどった戸田茂睡寿碑(都旧跡)がある。この碑は，1705(宝永2)年，茂睡の死の1年前に牛込(新宿区)の万昌院の境内にたてられた逆修碑であったが，この地に移されてきたものである。戸田茂睡は江戸初期の歌人で，浅草に住み，歌論『梨本集』，江戸の地誌『紫の一本』などをあらわした。

浅草寺二天門

浅草寺のおもな年中行事

コラム

多彩な行事で賑わう浅草寺

1月16日	閻魔まいり（閻魔堂）
18日	初観音・亡者送り（浅草寺観音示現の日。午後6時，山内の火が消されると，2人の鬼が松明をかざして境内を走りぬける。松明の燃えかすは火除け・厄除けとして信者がもち帰る。1713（正徳3）年にはじまった行事）
28日	初不動（不動堂）
2月3日	節分会・福聚の舞
8日	針供養（淡島堂）
3月18日	金竜の舞
4月10日	十三参り（数え年13の女子が虚空蔵菩薩に参詣する）
5月中旬の土・日	三社祭
5月25日	江戸消防慰霊祭（鳶の梯子乗りが披露される）
7月9・10日	四万六千日（ほおずき市。この日の参詣は4万6000日分の功徳があるといわれる。境内にはホオズキを売る露店が並ぶ。その赤い実は漢方の薬草で，暑気払いに特効があるという。本堂では雷除守護の札がさずけられる。
8月中旬～下旬	台東薪能・サンバ＝カーニバル
10月上旬	江戸神輿大会（浅草寺周辺）・菊花展・菊供養
10月18日	金竜の舞
11月3日	白鷺の舞（浅草寺境内）
12月15日前後	ガサ市（浅草寺境内，商品がたてる音からの呼称。正月用の注連飾りや縁起物が売られる）
17～19日	羽子板市（歳の市）（浅草寺境内，江戸後期から有名で，50軒をこえる店がでる）
31日	除夜の鐘（浅草寺弁天山）

ほおずき市

　浅草神社の鳥居右手の門は，浅草寺の側門となっている二天門（国重文）である。もともとは1618（元和4）年にたてられた東照宮（今の淡島堂辺りにあった）の随身門であったが，東照宮焼失後もそのまま残されてきた。両脇の2体の神像は，上野寛永寺厳有院（江

江戸の賑わいを残す浅草　　197

戸幕府4代将軍家綱霊廟の二天門の木造持国天・増長天像(ともに都有形)を移したものである。二天門近くには、東京大空襲の際に焼夷弾が直撃して焼け焦げた跡が残る、樹齢800年というご神木の大イチョウがある。

浅草神社 ❾　〈M▶P.178, 193〉台東区浅草2-3-1
03-3844-1575　地下鉄銀座線・浅草線、東武伊勢崎線浅草駅🚶6分

江戸三大祭りの1つ、勇壮な三社祭

　浅草寺本堂のすぐ東側の浅草神社(1873〈明治6〉年からの呼称)は、「三社様」のよび名で親しまれている。浅草寺本尊の観音像をはじめてまつった土師真中知、網で隅田川から引き上げた檜前浜成・竹成をまつったことから三社といい、のちに東照権現を合祀したので三社権現ともいう。社殿は、1649(慶安2)年江戸幕府3代将軍徳川家光によってたてられた権現造で、その後の火災、関東大震災、第二次世界大戦の戦災を免れ、江戸初期の華麗な姿をとどめている。本殿・拝殿・幣殿はともに国の重要文化財である。

　この神社の祭礼は三社祭といわれ、日枝神社山王祭・神田明神神田祭とともに江戸三大祭りの1つに数えられることもある。かつては3月17・18日に行われたが、現在では5月の第3日曜日を最終日とした金・土・日曜の3日間で、100万をこえる人出がある。このときに拝殿で行われるびんざさら舞(都無形民俗)は、笛や太鼓とともに木片を綴ったびんざさらを打ち鳴らし、田楽を演ずるもので、鎌倉時代ごろからの芸能である。

　境内の内外には、新旧取りまぜてさまざまの碑がたてられている。鳥居をくぐった右側に、1816(文化13)年建立の粧太夫献碑がある。柿本人麻呂の歌を万葉仮名で記したもので、和歌・俳諧・茶道・囲碁・琴・三味線など、すべての芸事にすぐれた新吉原松葉屋の

浅草神社本殿

コラム

江戸の祭

祭

江戸っ子が熱くなる三大祭

　明治時代の旧15区内（江戸時代に御府内とよばれた地域）の神社の数は、大小あわせて470社余りであった。その多くは江戸時代からの神社で、なんらかの形で祭礼を行っていたと思われる。

　江戸の下町の特徴を表現する「伊勢屋、稲荷に犬の糞」といわれたように、もっとも多いのは稲荷社で、2月の初午は町方・武家ともに神楽や踊りを楽しんだ。

　江戸の祭礼のなかでも最大の祭りは、6月15日の永田馬場日吉山王権現（日枝神社）の山王祭と、9月15日の神田明神の神田祭で、天下祭り・御用祭りといわれ、江戸時代初期以来盛んで、とくに文化・文政期（1804～30）がもっともはなやかであった。

　1681（天和元）年以後、両祭は隔年で交互に行われることになり、元禄年間（1688～1704）からは山車や練物が江戸城の内郭にはいり、将軍の上覧が行われるようになった。

　山王権現は、はじめ江戸城内に産土神として造営され、将軍家の尊崇をうけた由緒をもち、氏子の町は160町におよんだ。これが45番の組（祭礼組織）をつくり、大伝馬町の諫鼓鶏の山車を先頭に半蔵門から城内にはいり、常盤橋門へぬけた。45番の山車・練物のすべてが常盤橋門をでるのは夜になったという。神輿は、このあと各町をめぐって神社に戻った。

　江戸の総鎮守として60町を氏子とする神田明神の神田祭は、36番の山車・練物が田安門から城内にはいり、常盤橋門をでた。

　町人の経済力の上昇に伴って、山車・練物は華美をきわめ、祭装束に贅をつくした。幕末以降、山車・練物の行列は行われなくなり、かつての天下祭りといわれた活気はみられなくなった。

　江戸の三大祭りは、山王祭と神田祭に加えて、深川富岡八幡宮の祭をあげるのが通例であるが、東京の三大祭は富岡にかえて浅草神社の三社祭を加えるといわれているように、今日では規模の大きさでは三社祭が東京随一とされる。
〔おもな祭礼〕神田明神（5月15日前後の土・日曜）、浅草神社（5月の第3日曜日を最終日とした金・土・日曜）、深川富岡八幡宮（8月中旬の土・日曜〈大祭は3年に1度〉）、芝の飯倉神明宮（9月11～15日）、荏原神社（5月下旬の土・日曜）、品川神社（6月初旬の土・日曜）、日枝神社（6月15日）、根津神社（9月中旬の土・日曜）、佃住吉神社（7月13～15日、大祭は3年に1度）

遊女粧太夫の筆になる。その隣に久保田万太郎の句碑もある。神社の裏手には、戯作者山東京伝が愛用した机を埋めたうえにたてら

江戸の賑わいを残す浅草　　199

れた机塚の碑がある。碑に記された京伝の経歴は、大田南畝（蜀山人）の文、京伝の弟京山の筆になる。その右が、1796（寛政8）年に建立された歌舞伎作者並木五瓶の句碑である。

伝法院 ❿

〈M ▶ P.178, 193〉台東区浅草2
地下鉄銀座線・浅草線，東武伊勢崎線浅草駅🚶5分

小堀遠州作の池泉回遊式庭園
不審庵を模した天祐庵

伝法院表門

雷門からの浅草寺参道の途中、仲見世のとぎれた左側に伝法院の表門がある。浅草寺の本坊（住職の宿坊）で、1777（安永6）年の建造であるが、その後数度の修復を経て現在に至っている。玄関の瓦に菊の紋章がみえるが、これは公遵法親王（貫主の期間、1740〜52年）が浅草御殿として3年間ほど住んでいたことによる。

伝法院の南へまわり浅草公会堂に面した通用門をはいると、寛永年間（1624〜44）、小堀遠州の作と伝えられる池泉回遊式庭園がある。新書院からの眺め、築山から池を隔ててみる五重塔の眺めは、仲見世や本堂前の喧騒を忘れさせてくれる。池がせまくなり、橋がかかる辺りに、茶室天祐庵（都有形）がある。天明年間（1781〜89）、名古屋の茶人牧野作兵衛が表千家の不審庵を模してつくったもので、現在の不審庵が再建されたものであるだけに、貴重な建物である。

また池のほとりには石棺や至徳の鐘がある。石棺は明治の初めに本堂裏の古墳跡から発掘されたもので、浅草の歴史の古さを物語っている。至徳（1384〜87）の鐘はもと二天門脇の鐘楼の鐘であったが、明治初期の神仏分離令で伝法院に移された（拝観は、五重塔の下にある浅草寺寺務所で許可をうける。ただし、伝法院で仏教行事が行われる土曜・日曜は、拝観できないことが多い）。

④ 歌舞伎十八番助六で知られる花川戸

江戸歌舞伎の面影を求めて花川戸から猿若町へ。隅田川西岸の名所・旧跡めぐりも趣深い。

花川戸 ⓫ 〈M▶P.178, 201〉 台東区花川戸2・浅草6
地下鉄銀座線・浅草線，東武伊勢崎線浅草駅🚶10分

助六ゆかりの花川戸
歌舞伎三座の猿若町

　東武浅草駅から雷門にいく大通りは，江戸時代に防火のため設けられた火除地で，浅草広小路とよばれていた。一方，東には隅田川にかかる吾妻橋がみえる。江戸時代前半には橋はなく，竹町の渡し・山の宿の渡しなどがあったが，1774（安永3）年花川戸・下谷の町人の願い出によって橋が完成し，大川橋とよばれた（この辺りから下流の隅田川を江戸時代には大川といった）。この橋は，武士以外の通行人から渡し賃2文ずつを徴収する民営の橋であった。現在の橋は1928（昭和3）年に完成したもので，西詰め北側には，隅田川遊覧の水上バス発着所がある（竹芝桟橋まで所要時間約40分）。

　東武浅草駅をはさんで北へ2本の道路がある。左が馬道通り，右が江戸通り（旧日光・奥州道中）である。馬道通りは浅草寺の東側をとおり，山谷堀沿いの日本堤につうじ，新吉原に至る。吉原通いの馬が往来したから，ここに馬場があったから，また馬

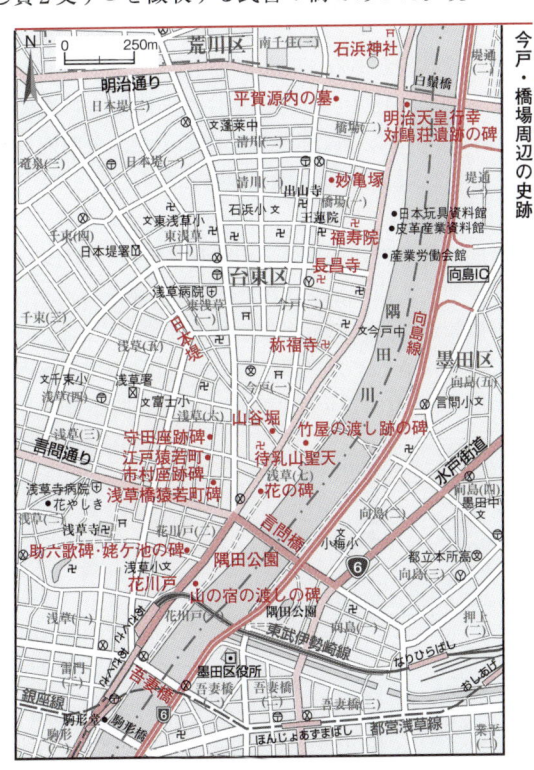

今戸・橋場周辺の史跡

猿若町よるの景(歌川広重画『名所江戸百景』)

市があったからなど、馬道という名前の由来ははっきりしないが、古くからの道の名であることに相違はない。

馬道通りの東側、隅田川までの一帯は、歌舞伎十八番の1つ「助六由縁江戸桜」で知られる花川戸である。新吉原を舞台に、花川戸の俠客助六が、遊女揚巻をめぐって武士である髭の意休と争うもので、7代目市川団十郎が市川家の家の芸として完成させ、江戸庶民の喝采を博した。浅草寺二天門から東へ向かい馬道通りを渡ると、すぐ花川戸公園がある。園内に「助六にゆかりの　雲の紫を　弥陀の利剣で鬼は外なり」ときざまれた助六歌碑がある。9代目市川団十郎が自作の歌をみずから揮毫したもので、1879(明治12)年今戸の仰願寺にたてられたが、1958(昭和33)年にここに移建された。また、公園内の池が一ツ家伝説(石枕伝説)と関わりの深い池跡であることから、姥ケ池の碑(都旧跡)がたてられている。

言問通りと吉野通りが交差する北西の一隅(浅草6丁目付近)には、江戸後期、猿若町とよばれた芝居町があった。天保の改革で、風俗取締政策が行われていたおりの1841(天保12)年、それまで芝居町として隆盛をきわめた堺町(現、中央区)の中村座が失火で焼失すると、町奉行遠山景元は江戸市中の芝居関係者をよび、浅草今戸聖天町裏の丹波(京都府)園部藩主小出信濃守下屋敷跡に移転を命じた。そして江戸歌舞伎の始祖猿若(中村)勘三郎の名にちなんで、猿若町と名づけた。翌年から中村座・市村座・河

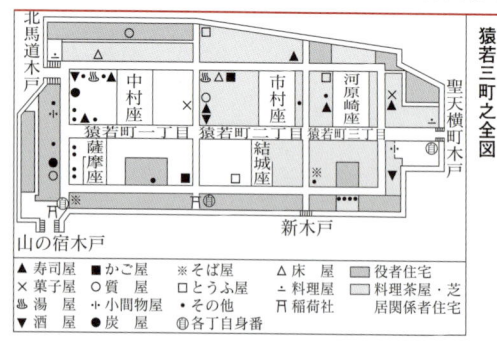

猿若三町之全図

江戸歌舞伎三座

コラム

歌舞伎興行が公認された三座

　江戸幕府によって興行が公認された堺町(現，中央区日本橋人形町)の中村座，葺屋町(現，中央区堀留)の市村座，木挽町(現，中央区銀座)の森田座を江戸の歌舞伎三座という。

　木挽町には山村座があったが，1714(正徳4)年人気役者生島新五郎と奥女中絵島の密会事件(絵島生島事件)がもとで廃絶した。

　中村座は，1624(寛永元)年江戸歌舞伎の始祖といわれる猿若(中村)勘三郎が旗揚げしたもので，1651(慶安4)年堺町に移った。市村座は，はじめは村山座といい，泉州(大阪府)堺より江戸にくだった初代市村羽左衛門は本名村山又三郎といい，常芝居を許されて村山座を創設した。3代目の市村羽左衛門は村山座を市村座と改称し，以後，座元と俳優をかねた。森田座は，森田勘弥を座元として，1660(万治3)年に成立した。この三座を本櫓とよび，三座に事故があるときは，控櫓の都座・河原崎座の興行が認められた。

　堺町・葺屋町・木挽町は，歌舞伎芝居のみならず，人形芝居・浄瑠璃・曲芸など，さまざまな見世物で賑わった。なかでも江戸初期の堺町・葺屋町は，遊里吉原(元吉原)とあわせ，歓楽街であった。

　天保の改革で，これらの芝居小屋は浅草猿若町に移転させられ，浅草寺・新吉原とあわせた新しい歓楽街を形成したが，幕府の滅亡で猿若町の繁栄は，わずか20年余にすぎなかった。

原崎座のほか，操り人形芝居の薩摩座・結城座がつぎつぎに移転し，役者・芝居関係者もこの町に移住してきた。これとともに料理茶屋・芝居茶屋も軒を連ね，一大歓楽街が出現した。しかし，明治維新後，1872(明治5)年守田座(旧森田座。河原崎座にかわって小屋を構えた)が新富町(現，中央区)へ移ったのをはじめとし，市村座も二長町(台東区台東1，凸版印刷敷地内)に移り，ほどなく芝居小屋のすべてが猿若町を離れていった。

　現在，この地にかつての猿若町の面影を伝えるものは，わずかに薩摩座跡に歌舞伎の小道具をあつかう藤浪小道具会社があるのみである。2番地と5番地の間の道がかつてのメインストリートで，少し北にはいった右側に浅草橋猿若町碑が，左側に江戸猿若町市村座跡碑，それより北へ30mほどいったところの守田座跡碑が，地元の人びとの手でたてられている。

歌舞伎十八番助六で知られる花川戸

待乳山聖天 ⑫
まっちやまかしょうてん
03-3874-2030

〈M ▶ P.178, 201〉台東区浅草 7-4-1
地下鉄銀座線・浅草線，東武伊勢崎線浅草駅🚶15分

夫婦和合にご利益
二股大根と巾着がシンボル

花の碑

　隅田川の両岸には隅田公園が設けられている。とくに西岸の公園は隅田川に沿って北に細長くのびている。公園内の東武線の鉄橋をくぐって30mほどいくと，花川戸と対岸の向島の北十間川河口を結んでいた渡しを記念した山の宿の渡しの碑がある。これより北の野球場の西側の茂みのなかには，花の碑がある。武島羽衣作詞・滝廉太郎作曲の「花」を記念したものである。

　隅田川にかかる言問橋の西側は五叉路となり，その一角の聖天町派出所の西側を北上するのが吉野通りで，旧日光・奥州道中である。隅田川沿いの道を進むと，左側に待乳山聖天がある。浅草寺の子院で，正しくは待乳山本龍院(聖観音宗)という。本尊は歓喜天で，もともとはヒンズー教の神であるが，仏教に取りいれられると，病難や盗難の災いをのぞき，夫婦和合のご利益があるとして広く信仰された。境内のあちらこちらに夫婦和合を象徴した二股大根と，富裕をあらわす巾着が彫られている。また，境内を取りまく築地塀は江戸末期につくられたものである。

　待乳山は真土山とも書き，小高い丘をなしているため，古くから隅田川を一望する景勝の地であっ

待乳山のシンボル，二股大根と巾着

た。『万葉集』の歌「松乳山暮越えゆきて廬前の　角太河原に独りかも寝む」は、この辺りをうたったものともいわれている。

　江戸時代、歌人の戸田茂睡は、1697（元禄10）年に、「あはれとは夕越えて行く　人も見よ　まつちの山に　残すことの葉」の自作歌碑をたてた。現在境内右奥にある歌碑は、第二次世界大戦後に歌人佐佐木信綱らによって再建されたものである。待乳山聖天の西側がかつての聖天横町で、ここの遍照院裏店で葛飾北斎が90歳の生涯をおえている。

　隅田公園の北のはずれ、野球グランドの横に竹屋の渡し跡の碑がある。かつての山谷堀の南岸から、対岸の向島三囲神社に向けての渡しがあった。

　待乳山聖天の裏側、浅草7丁目と今戸1丁目の間には、かつて三ノ輪から大川（隅田川）に流れ込んでいた山谷堀があった。現在は暗渠となり、一部は山谷堀公園となっている。山谷堀が築かれた時期ははっきりしない。1620（元和6）年、江戸幕府が荒川の水除けのため諸大名に命じて日本堤（全長約1.4km、土手八丁ともいう）を築かせているので、それ以前にはあったことがわかる。日本堤の名の由来については、日本中の大名が堤の修築に動員されたからとも、60日余で完成したことから六十余州（日本全国のこと）を連想したからともいうが、堤がもともと2本あったことから、というのが本当らしい。

　明暦の大火（1657年）ののち、新吉原が成立すると、この日本堤は新吉原へのメインストリートとなった。吉原通いには、浅草寺東側の馬道から日本堤をいくか、柳橋などから猪牙船で隅田川をさかのぼって山谷堀べりに着き、日本堤を駕籠や徒歩でいった。

　山谷堀が隅田川に流れ込む地点にかけられていたのが今戸橋であるが、現在では公園の横に橋の欄干のみが残っている。今戸は、江戸時代以来、今戸焼で知られてきた。一説には、天正年間（1573～92）に下総国（千葉県）の千葉氏の家臣がはじめ、貞享年間（1684～88）に白井半七が基礎をかためたという。瓦のほか、招き猫・蚊遣・火鉢など、庶民生活に欠かせない焼物が中心であった。現在でもその伝統がまもり続けられており、素朴な味わいのある今戸人形

歌舞伎十八番助六で知られる花川戸

などがつくられている。隅田公園の野球場前に称福寺(浄土真宗)があり、ここに亀田鵬斎の墓(都史跡)がある。鵬斎は、江戸後期の儒者で折衷学派に属し、老中松平定信による寛政異学の禁によって異端の学者とされた。称福寺の北に長昌寺(日蓮宗)がある。鎌倉時代、弘安年間(1278〜88)の創建と伝えられる古刹で、「享保五(1720)年」銘のある鐘には、かつてこの寺が隅田川のほとりにあったとき、洪水で堂塔が流され、この鐘が水中に没したところを鐘ヶ淵とよぶようになったことが記されている。

妙亀塚 ⓫

〈M▶P.178,201〉台東区橋場1-28
地下鉄銀座線・浅草線、東武伊勢崎線浅草駅🚌南千住行清川2丁目🚶8分

梅若伝説をしのぶ妙亀塚
エレキテルの源内の墓

称福寺から今戸の三叉路の西側の通りを北上すると、右側に東京都立産業労働会館がある。このさきの隅田川べり一帯には、かつて江戸幕府の橋場銭座があり、1636(寛永13)年以来、寛永通宝や天保通宝などの銅銭が鋳造されていた。今戸の三叉路で東側の隅田川沿いの道をとると、皮革産業資料館と、日本玩具資料館があり、皮革関係資料・玩具をそれぞれ展示している。この西に、福寿院があり、道の反対側の一角に安藤東野の墓(都旧跡)がある。東野は、江戸前期の儒者で、荻生徂徠に学んで古道をとなえ柳沢吉保につかえたが、37歳で没した。墓碑銘は荻生徂徠の弟子で、儒者・漢詩人の服部南郭による。

福寿院前の道を西に進み、玉蓮寺のさきを右折すると右側に妙亀塚公園がある。中央の小高いところに小さな墓石がたっている。妙亀尼の墓とされる妙亀塚(都旧跡)である。平安時代の中ごろ、京の吉田少将惟房の子梅若は、人買いにさらわれて陸奥へつれていかれる途中、隅田川のほとりで病が重くなり、すてられて死んだ。1年後、わが子を尋ね歩いてこの地

妙亀塚

一ツ家伝説(石枕伝説) コラム

観音信仰のご利益を説く

　隅田川にほど近い浅茅ヶ原の一軒屋に住む老婆が、奥州往来の旅人を泊め、ひとり娘に夜伽をさせ、ころあいをみはからって、石枕に寝ている旅人のうえに大石をおとして殺害し、金品を奪っていた。あるとき、眉目秀麗な若者が一夜の宿を頼んだ。若者の気高さに打たれた娘は、わが身の罪深さを恥じ、若者の身代わりとなって命をおとす。

　愛娘の悲惨な死に罪業を悟った老婆は、近くの池に身を投げた。この池が姥ヶ池であるという。この若者は老婆の悪業をとめようとした観音の化身とされており、浅草寺妙音院にはその石枕が伝えられている。

　別の話では、1人の男が、寝つかれぬときに聞いた笛の音が、「日は暮れて野には伏すとも宿かるな　浅草寺のひとつ家のうち」と聞こえたので、一ツ家をぬけだし、観音堂で夜を明かして命拾いをしたとも伝える。観音信仰の利益を説く点で、前説と共通するものがある。

　浅草寺本堂外陣には、この伝説を描いた絵馬がかけられている(現在は、絵馬堂に保存)。この絵馬は1855(安政2)年新吉原岡本楼の依頼で、一立斎(歌川)国芳が描いたもので、歌舞伎狂言にも取りあげられた。

にたどり着いた梅若の母は、里人からその最期を知らされると、髪をおろして尼(妙亀尼)となって梅若の菩提をとむらったが、ついには発狂して浅茅ヶ原(台東区橋場付近)の鏡ヶ池に身を投じた。鏡ヶ池は、妙亀塚の西南にある出山寺(曹洞宗)の境内にあったというが、埋め立てられてそれをみることはできない。なお梅若の葬られたという梅若塚とその菩提をとむらう木母寺は、対岸の向島にある。この伝説は謡曲「隅田川」をはじめ、多くの文学作品に取りあげられている。

　妙亀塚から北へ向かい明治通りにでると、道路の南側に平賀源内の墓(国史跡)がある。案内碑のある角を南にはいり、2つ目の道を右におれる。この辺りは、江戸三カ寺の1つとされた総泉寺(曹洞宗、現在は板橋区

平賀源内の墓

歌舞伎十八番助六で知られる花川戸

小豆沢に移転)の広大な寺域であった。平賀源内は,讃岐(香川県)出身の本草学者・戯作者として高名だが,1779(安永8)年刃傷事件をおこして獄死した。源内の墓の隣に従者の福助の墓,また入口脇に江戸の繁栄を叙述した『江戸繁昌記』をあらわした寺門静軒の碑がある。

明治通りを右(東)へいくと,隅田川にかかる白鬚橋の西詰め南側に,明治天皇行幸対鷗荘遺跡の碑がたっている。対鷗荘は明治の元勲三条実美の別邸で,1873(明治6)年明治天皇が,実美の病気見舞いのためにここを訪れた。

石浜神社 ⓮ 〈M▶P.178,201〉荒川区南千住3-38-58
03-3801-6425　JR常磐線・地下鉄日比谷線南千住駅🚇亀戸行橋場2丁目🚶10分

橋場一帯の総鎮守
南北朝時代の合戦場跡

白鬚橋から隅田川に沿って北に進むと,森のなかに石浜神社(祭神天照大御神・豊受姫神)がある。かつては朝日神明宮・石浜神明・橋場神明ともよばれた。この地の総鎮守で聖武天皇勅願と伝える。境内には,1824(文政7)年江戸後期の儒者亀田鵬斎が隅田川の須田の渡し(梅若の渡し・真崎の渡しとも)をうたった詩をきざんだ亀田鵬斎詩碑,1805(文化2)年建立の『伊勢物語』在原業平の都鳥歌碑「名にしおはば　いざこととはん　都鳥　わが思ふ人は　ありやなしやと」がある。この辺りはかつて武蔵国から下総・常陸・奥州方面への交通の要衝であった。梅若伝説では,奥州に向かう梅若が病死した地とされ,また,1180(治承4)年房総から鎌倉に向かう源頼朝の軍勢が浮橋をかけて渡った地点は石浜であったと,『義経記』は伝えている。南北朝時代の1352(文和元)年,この石浜で新田勢と足利勢との戦いが行われ,室町・戦国時代には千葉氏の所領となり,石浜城が築かれたが,正確な場所はわかっていない。

石浜神社

❺ 遊里の面影を残す吉原

江戸の文化を育くんだ吉原周辺をめぐり、樋口一葉の生活をしのびつつ散策したい。

浄閑寺 ⓯　〈M▶P.178, 209〉荒川区 南千住2-1-12
03-3801-6870　　地下鉄日比谷線三ノ輪駅🚶3分

遊女の悲劇を思う吉原の色街

　三ノ輪駅北口をでたところが明治通りと昭和通りの交差点で、日光街道を北に少し進むと、JR常磐線ガード手前右側の歩道脇に、三ノ輪橋跡の木柱がたっている。三ノ輪橋は石神井川の分流音無川と日光街道が交差するところにかけられていた。音無川はここから東南に流れて山谷堀へつうじ、隅田川に流れ込んだ。現在では暗渠となり、橋は跡形もない。

　音無川から下流の山谷堀に沿って、待乳山聖天の下まで続く土手が日本堤である。その途中に遊郭新吉原ができると、吉原通いの人びとで賑わった。現在の明治通りから分かれる馬道通りがほぼ堤の道にあたる。江戸時代、新吉原の遊郭をのぞけば、この辺り一帯は浅草田圃とよばれる水田地帯であった。

　三ノ輪橋跡の少しさきを右折し、道なりに進むと、左手に浄閑寺（浄土宗）がある。江戸時代、吉原で死んだ遊女たちは、この寺に

新吉原総霊塔

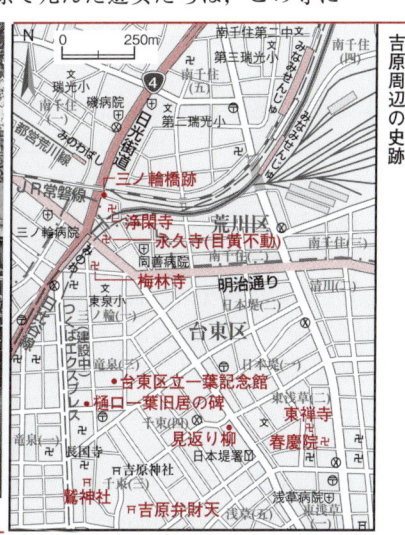

吉原周辺の史跡

送られて埋葬されたので、投込寺とよばれていた。この寺に埋葬された遊女の数は2万人をこえ、過去帳によると遊女の死亡平均年齢は21.7歳であったという。本堂裏の墓地には、遊女たちを供養する新吉原総霊塔がある。1793(寛政5)年に建立され、1929(昭和4)年に改修されたものであるが、塔の基部には「生まれては苦界、死しては浄閑寺」ときざまれている。作家永井荷風は、しばしばこの寺を訪れ、遊女たちの死を悼んだ。総霊塔の向かいには、関東大震災への感慨の一節を記した永井荷風の詩碑がある。

浄閑寺の南、明治通りに面して、五色不動の1つ目黄不動で知られる永久寺(天台宗)がある。本堂前に、鎌倉時代末期の「嘉暦三(1328)年」銘、戦国時代初めの「享禄二(1529)年」銘をもつ2基の板碑が残されている。明治通りの南、東泉小学校の北隣に梅林寺(曹洞宗)がある。墓地には、江戸幕府8代将軍徳川吉宗の命で採薬師として諸国をめぐり、小石川薬草園を開いた阿部友之進(阿部将翁)の墓(都旧跡)、正岡子規の俳句革新運動を進めた河東碧梧桐の墓がある。

吉原 ⓰ 〈M▶P.178, 209〉台東区千束4
地下鉄日比谷線三ノ輪駅🚇浅草 寿 町行吉原大門🚌すぐ

江戸唯一の遊郭遊客が振り返る見返り柳

三ノ輪駅北口をでて、明治通りを経て土手通りを歩くと、バス停吉原大門までは約15分、1km余りである。バス停吉原大門のさき、日本堤公園の脇を左折すると、右側に江戸六地蔵の第2番である東禅寺(曹洞宗)がある。境内の銅造地蔵菩薩坐像(都有形)は、1710(宝永7)年、深川に住む地蔵坊正元が、江戸市中から浄財をつのり、旅人の安全を祈念して建立したものである。

東禅寺の南に、春慶院(浄土宗)がある。墓地の入口左側に、新吉原の三浦屋の遊女で、仙台藩主伊達綱宗の身請け話を断わり、隅田川の船遊び中に斬られたともいわれる2代目高尾太夫(万治高尾・仙台高尾ともいう)の墓がある。四面塔造の笠石塔婆で、戒名と命日の「万治二(1659)年十二月五日」のほか、辞世の句「寒風にもろくもくつる　紅葉かな」がきざまれている。

再び馬道通りにでて、バス停吉原大門に戻る。ガソリンスタンドの横を南にはいる道が、かつての日本堤から新吉原への入口にあた

吉原

コラム

葦原から吉原、新吉原へ

　江戸の町は，1590（天正18）年徳川家康の入府以来，50年以上にわたって大規模な建築工事が行われており，地方から江戸へ稼ぎにきた男性たちが居住し，男性の占める割合が大きかった。そのようななかで，市中の各所に遊女屋がつくられた。

　1612（慶長17）年各所の遊女屋は，庄司甚右衛門を代表者として遊郭の開設を幕府に申し出，1618（元和4）年ヨシやカヤのしげる湿地2町四方（約4.8万m²）を埋め立てて営業を開始した（中央区の人形町駅付近）。ヨシのはえていた葦原から，転じて吉字を用いた吉原とよばれるようになった。元吉原の郭内には，江戸町1・2丁目，京町1・2丁目，角町の5町があった。

　この町の名はのちに浅草に移転後もうけつがれた。

　江戸市中の発展によって吉原が江戸の中心に組み込まれたため，明暦の大火（1657年）後，遊郭は新吉原に移転した。総面積6.8万m²の町に，多いときには3000人をこえる遊女と，それに倍する商人・職人・芸人たちが生活していた。

　遊女の年齢は10代後半から20代前半で，その多くは借金を背負って苦界に身を投じたものであった。川柳の「大門を　そっと覗いて娑婆を見る」は，郭の外にでることを許されなかった遊女の気持ちを詠んだものである。

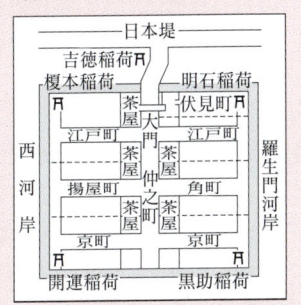

吉原図

る。浅草千束村といわれたこの地に，幕府公認の江戸唯一の遊郭がうまれたのは，1657（明暦3）年のことであった。それまでは日本橋葺屋町（中央区。地下鉄人形町駅付近）にあったが，1656年町奉行所から移転を命じられ，翌年明暦の大火で焼失したのを機に，それまでの日中の営業を昼夜の営業とすること，移転料を奉行所が負担することを条件に，この浅草田圃に移転してきた。その結果，旧地を元吉原，新地を新吉原とよぶようになった。

　新吉原の郭内は総面積約6万8000m²（約2万606坪）で，長方形に近く，遊女の逃亡と犯罪者の侵入を防ぐために，そのまわりには大溝，俗にお歯ぐろ溝とよばれた堀があった。その様子が城郭に似て

遊里の面影を残す吉原

見返り柳記念碑

いるところから、新吉原は曲輪・遊郭ともよばれた。江戸市中からは北にあたるため、俗に北里・北郭・北国などとよばれた。

江戸時代の初期は大名や旗本、元禄期(1688〜1704)は紀伊国屋文左衛門・奈良屋茂左衛門らの豪商、享保期(1716〜36)には日本橋の大店の旦那衆が遊客の中心であった。その後は大衆化していった。

新吉原への道は、今も日本堤の土手からくだるように昔ながらに「S」の字にまがっている。

その入口の角の歩道に、江戸時代以来植えつがれてきたヤナギの木(6代目という)がある。新吉原の遊客が、翌朝あとを振り返りつつ帰っていったことから、見返り柳とよばれた。その脇に小さな記念碑がある。

吉原神社から道なりに進むと、左側に吉原弁財天がある。入口の石柱は大門を模したものであり、旧旗本で、明治のジャーナリスト福地桜痴の聯「春 夢正ニ濃シ満街ノ桜雲、秋 信先ヅ通ズ両行ノ灯影」がきざまれており、境内の「花吉原名残碑」とともに、往時をしのばせる。また、関東大震災で死んだ遊女を慰霊する観音塔、元吉原の創設者庄司甚右衛門の記念碑がある。隣のNTT吉原ビルは、関東大震災のおりに、逃げ遅れた多くの遊女が溺死した弁天池を埋め立てた跡地に建てられたものである。

国際通りにでると、東側に鷲神社がある。北側の長国寺(法華宗、1669〈寛

鷲神社

212　浅草

江戸の市

コラム

縁日や開帳の日に立つ市

御府内の町人たちの生活は、商業の発展に伴い、常設店舗から購入する商品で十分に賄いきれた。また、江戸では振売りの商人もその種類が多く、日常生活に欠かせない生活必需品を入手する農漁村での市のような姿は、早く消えていたと思われる。

ここでは寺社の縁日や開帳などに、特定商品が売られることで知られた市をあげてみよう。

日本橋十軒店雛人形・幟市　2月下旬〜3月2日が雛人形、4月上旬〜5月4日が端午幟・兜・人形の市で、昼夜人出が多かった。

盂蘭盆の草市・盆市　7月12日、魂祭に用いる菰・ナス・ハギ・盆提灯・線香などをあきなう市が、両国広小路・浅草雷門・上野広小路など盛り場で開かれた。

芝飯倉神明しょうが市　9月の神明宮の祭礼に、しょうが売りの出店が多く、しょうが祭ともいわれた。

大伝馬町べったら市　10月19日、浅漬大根をあきなう露店が、町内に日暮れから夜にかけて並んだ。はじめは、翌20日の恵比須講（商家や職人の祭）の用品を売る市であったという。

大黒祭灯心市　11月甲子の日、江戸市中各所の大黒天を安置した社寺の祭りで、灯心が売られた。

酉の市　11月中の酉の日、鷲神社の市。

歳の市　正月をひかえ、注連飾り・日用品・羽子板・凧などをあきなう市。12月14日、深川富岡八幡宮にはじまり、17・18日の浅草寺、20・21日の神田明神など、歳末まで各地の寺社で行われた。浅草寺がもっとも有名で、南は浅草見附、西は上野まで出店が並んだという。また19日には雷門周辺に簑を売る簑市が立ち、近在の農民で賑わした。

なお、門松用の松は歳の市では売らず、松市が別にたった。浅草寺歳の市は、現在はガサ市とよばれ、年の瀬の風物詩としてよく取りあげられる。

文9〉年鳥越より移転）にあった鷲の宮がその前身で、毎年11月の酉の日に行われる酉の市で名高い。年によって2度または3度開かれるが、三の酉のある年には火事が多いと伝えられている。新吉原に近いこともあって江戸中期から盛んとなり、今もその賑わいは続いている。神田の名主斎藤月岑の『東都歳事記』（江戸の年中行事の記録）には「下谷田圃鷲大明神社別当長国寺。世俗しん鳥といふ。……当社の賑へる事は今天保壬辰（1832）年より凡五十余年以前よりの事とぞ。……熊手はわきて大なるを商ふ。中古は青竹の茶筅

遊里の面影を残す吉原　213

をひさぎしといふ」と記している。「しん鳥」とは足立区花畑の鷲神社の「大鳥」に対する呼称で，浅草酉の市が比較的新しく盛んになったことを示している。熊手は農具の一種として，粟餅やいもがしらなどの食品・農産物とともに売られていたが，「福をかき込む」「酉は取り込む」という縁起から飾り物や商売繁盛の縁起物になった。

台東区立一葉記念館 ⑰
03-3873-0004

〈M▶P.178, 209〉台東区竜泉3-18-4
地下鉄日比谷線三ノ輪駅🚶10分

一葉の旧居跡付近
自筆の原稿・書簡を展示

鷲神社から国際通りを北上，バス停竜泉の東側，竜泉3丁目13番地と14番地の境の道をはいると，北側の歩道脇に樋口一葉旧居跡の碑がある。樋口一葉は，吉原茶屋町通り大音寺前といわれたこの地に，1893(明治26)年7月から1年たらずしか住んでいなかった。母と妹の3人暮らしで，荒物・駄菓子を売る小さな店を営みながら文学修行を続け，やがてその生活体験が『たけくらべ』『にごりえ』などの名作をうんだ。1960(昭和35)年，地元の人びとによって旧居跡の碑がたてられた。この碑から2つ目の通りを左折すると，台東区立一葉記念館がある。記念館2階の展示室には，一葉の24年という短い生涯を物語る自筆の草稿や書簡，遺品などの資料，3階展示室には，この辺りを舞台にした『たけくらべ』を中心に，一葉の代表作に登場する人物の模型や当時の風俗資料などが展示されている。記念館前の一葉記念公園の前には，菊池寛の撰文，小島政二郎の補筆になる樋口一葉記念碑がある。また，公園内には一葉桜など一葉にちなんだ植物が植えられていて，「一葉女史たけくらべ記念碑」もたてられている。

樋口一葉旧居跡の碑

江東

Kōtō

深川木場（歌川広重画『名所江戸百景』）

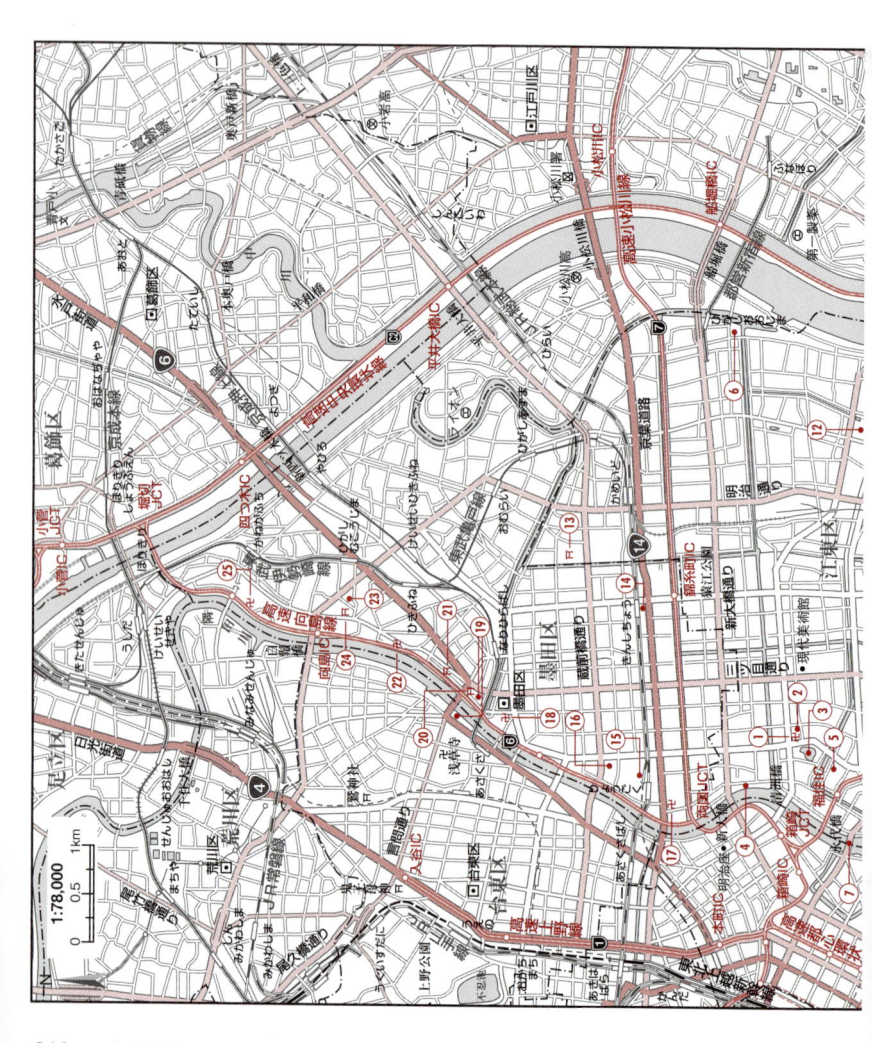

① 霊巌寺
② 深川江戸資料館
③ 清澄庭園
④ 江東区芭蕉記念館
⑤ 深川茶庵跡
⑥ 中川船番所資料館
⑦ 永代橋
⑧ 富岡八幡宮
⑨ 津波警告の碑
⑩ 木場
⑪ 第五福竜丸展示館
⑫ 旧大石家住宅
⑬ 亀戸天神社
⑭ 伊藤左千夫旧居跡
⑮ 東京都江戸東京博物館
⑯ 東京都復興記念館・東京都慰霊堂
⑰ 回向院
⑱ 如意輪寺
⑲ 隅田公園
⑳ 牛島神社
㉑ 三囲神社
㉒ 長命寺
㉓ 向島百花園
㉔ 白鬚神社
㉕ 木母寺

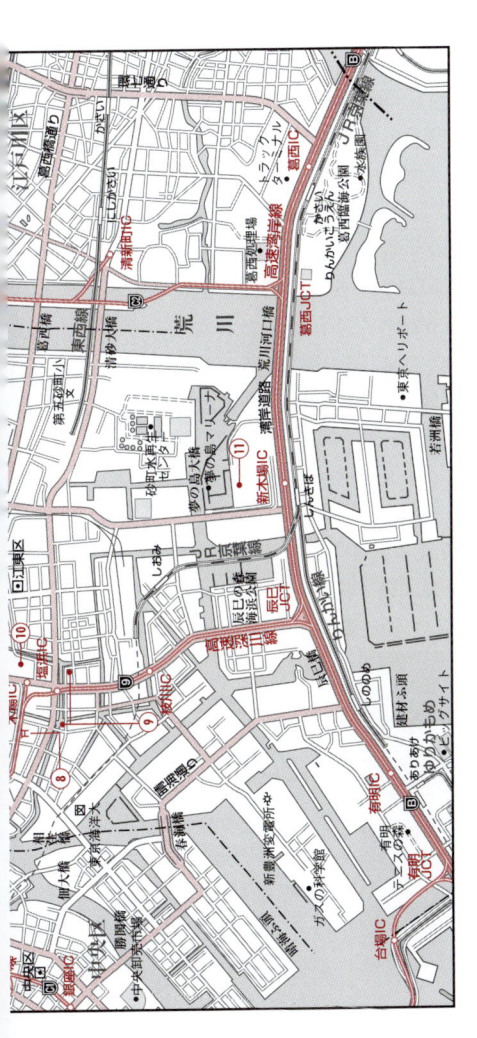

◎墨田・江東散歩モデルコース

1. 地下鉄半蔵門線・大江戸線清澄白河駅 2. 霊巌寺 1. 深川江戸資料館 2. 清澄庭園 1. 本誓寺 2. 千鱚（鯔）場跡の碑 10. 深川神明宮 5. 江東区芭蕉記念館 5. 新大橋 5. 地下鉄新宿線森下駅

2. 地下鉄東西線門前仲町駅 5. 深川不動堂 2. 富岡八幡宮 2. 八幡橋 7. 木場公園 10. 津波警告の碑（平久橋）10. 洲崎神社 3. 地下鉄東西線木場駅

3. JR総武線・地下鉄大江戸線両国駅 2. 東京都江戸東京博物館 2. 両国国技館 2. 旧安田庭園 2. 東京都慰霊堂 8. すみだ北斎美術館 10. 野見宿禰神社 10. 勝海舟生誕の地の碑 3. 芥川龍之介文学碑 3. 吉良邸跡 5. 回向院 3. JR総武線・地下鉄大江戸線両国駅

4. 東武伊勢崎線・地下鉄銀座線浅草駅 5. 吾妻橋 5. 隅田公園・牛島神社 5. 堀辰雄旧居跡 5. 三囲神社 5. 桜橋 5. 弘福寺 長命寺 12. 白鬚神社 5. 向島百花園 15. 隅田川神社 5. 木母寺 10. 多聞寺 7. 東武伊勢崎線鐘ヶ淵駅

217

① 芭蕉の足跡を残す清澄・白河

隅田川東岸は、運河の町であった。人びとの生活が運河によって結ばれていたことを、地図をみながら実感してみよう。

霊巌寺 ❶　〈M ▶ P.216, 219〉江東区白河1-3-32
03-3641-1523　地下鉄半蔵門線・大江戸線清澄白河駅 🚶 3分

松平定信ゆかりの地
紀伊国屋文左衛門の墓

　清澄白河駅から清澄通りを南へいき、資料館通りをはいると左側に霊巌寺(浄土宗)がある。徳川家康・秀忠・家光に信頼の厚かった霊巌雄誉上人が、1624(寛永元)年、隅田川河口を埋め立てて霊巌島(現、中央区新川1・2丁目)を築き、霊巌寺をたてた。明暦の大火(1657年)後に現在地へ移された。境内の左手には、江戸六地蔵の1つである銅造地蔵菩薩坐像(都有形)がゆったりとした表情で迎えてくれる。正元作、1717(享保2)年造立で、造立時には金箔がほどこしてあった。江戸六地蔵は江戸に入る6つの街道に据えられた。霊巌寺の地蔵菩薩像は水戸街道守護のために安置されたものである。さらに奥の左手に、松平定信の墓(国史跡)がある。寛政の改革を推進した定信は8代将軍吉宗の孫にあたり、陸奥国白河藩(福島県)の藩主でもあった。定信は晩年、白河楽翁と号し、洲崎の別邸(現、江東区牡丹3丁目)に住んだ。町名や小学校名の「白河」は、定信に由来する。

　清澄通りに接した白河1丁目・清澄3丁目・三好1丁目・平野1丁目・深川2丁目の辺りは、明暦の大火後、江戸市中から移転してきた寺院が集中する寺町を形成している。霊巌寺の塔頭の1つ雄松院には、豪商奈良屋茂左衛門の過去帳や松尾芭蕉の門人の女流俳人度会園女の墓がある。南に50mほどはいった成等院(浄土宗)には、元禄時代の豪商紀伊国屋文左衛門の墓がある。

松平定信の墓(霊巌寺)

清澄・白河周辺の史跡

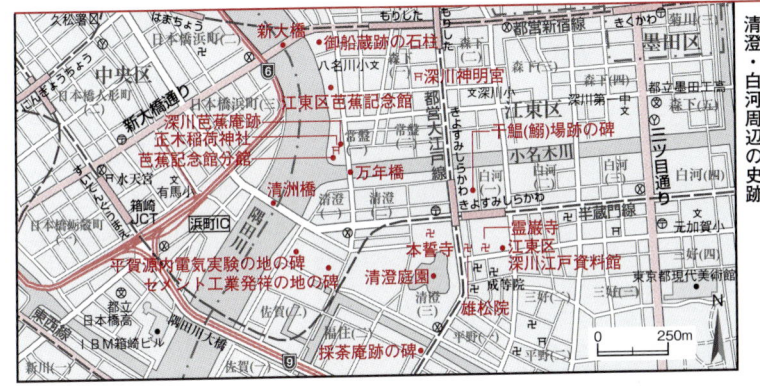

深川江戸資料館 ❷
03-3630-8625

〈M ▶ P.216, 219〉江東区白河1-3-28
地下鉄半蔵門線・大江戸線清澄白河駅 🚶 3分

天保末年の町並みを復元 江戸深川の生活を再現

霊厳寺の東隣が江東区深川江戸資料館である。この資料館は展示室に、天保末年（1842〜44）ごろの深川佐賀町の町並みを実物大に復元している。ここには、土蔵造の大店油屋・八百屋・米屋・船宿・船着場や長屋・火の見櫓などがある。家屋の内部や家具・調度品に至るまで、当時の庶民の暮らしが忠実に復元されていて、見学者は江戸深川の生活にひたることができる。

深川江戸資料館から清澄通りを渡り、清澄庭園北側の通りへはいる。右手の本誓寺（浄土宗）は、浄土宗江戸四カ寺の1つ。江戸中期の国学者村田春海の墓（都旧跡）や、徳川家康に招かれ、口紅・白粉を製造した明の人、呂一官の墓（五輪塔）がある。

清澄庭園 ❸
03-3641-5892

〈M ▶ P.216, 219〉江東区清澄3-3-9（清澄庭園管理事務所）
地下鉄半蔵門線・大江戸線清澄白河駅 🚶 3分

都の名勝 三菱財閥岩崎家の別邸第1号

本誓寺から西へ50m進むと東京都立清澄庭園（都名勝）の入口に着く。元禄年間（1688〜1704）に紀伊国屋文左衛門の別荘のあったところと伝えられる。その後、享保年間（1716〜36）に下総国関宿の大名、久世大和守の下屋敷となり庭園となった。1878（明治11）年、三菱財閥の創立者岩崎弥太郎の別邸として、庭園の整備が進められた。佐渡赤玉石・生駒石など、日本全国から名石を収集し、深川親睦園として開園した。さらに弟岩崎弥之助が造園を引きついで完成した。池の水は隅田川の水を潮の干満を利用して導入する形式であった。池に面してたつ数寄屋造の涼亭は、1909年、国賓として来日した

芭蕉の足跡を残す清澄・白河　　219

清澄庭園

イギリス人キッチナー元帥を迎えるため，岩崎家が造営した。

庭園は戦後荒廃したが，復旧工事により東京都を代表する回遊式林泉庭園として1979(昭和54)年，都の名勝第1号に指定された。

清澄通りに戻り，清洲橋通りを東へ進むとK.インターナショナルスクールの門の前に，干鰯(鰯)場跡の碑がたつ。干鰯とはイワシを干したもので，綿や藍などの商品作物の肥料であった。イワシのおもな産地は九十九里海岸で，利根川・江戸川・小名木川を経て深川へ運ばれた。その荷揚場跡である。

深川神明宮

清澄通りを北へ向かい，小名木川にかかる高橋を渡る。橋のうえからみると小名木川が直線状の運河であることが確かめられる。

清澄通りを北へいき，森下1-4の通りを西へはいる。200mほどで右手に深川神明宮(祭神天照大神)の鳥居がある。神明宮では深川発祥の地の祭神として神明宮大祭が行われている。摂津国(大阪府)の深川八郎右衛門が，1596(慶長元)年ごろこの地へ移住し，周辺の低湿地に新田を開いた。深川の地名は，開発者の名前に由来する。

江東区芭蕉記念館 ❹　〈M ▶ P.216, 219〉江東区常盤1-6-3
03-3631-1448　　　　地下鉄新宿線・大江戸線森下駅🚶7分

深川神明宮から西へ300m，隅田川沿いの一角に江東区芭蕉記念

下町の運河と水運

コラム

現代に残る江戸時代の運河

　江戸時代前期には，隅田川河口が埋め立てられて町地が造成された際に，多数の運河が開削され，排水路・用水路・舟運に利用された。江戸時代の下町は水の都であったが，現在ではその多くが埋め立てられて道路となったり，運河のうえに高速道路が高架で走ったりして，かつての景観が失われている。現在，川舟の運行がみられるのは，神田川・小名木川や，北十間川などの一部にかぎられている。

隅田川西側のおもな運河

神田川……江戸城の外濠の一部として，台地を掘り下げてつくられた空堀に，のちに井の頭池を水源とする江戸川を合流させた。
日本橋川……平川（のち神田川に合流）を延長して埋立地に開いた運河で，永代橋の北側で隅田川にそそぐ。江戸の代表的な幹線水路である。
　日本橋・築地地区には，このほか三十三間堀川・箱崎川・築地川・楓川など，多数の運河があった。

隅田川東側のおもな運河

小名木川……隅田川と中川を結ぶ運河で，利根川沿いの河岸や東北地方の太平洋岸の港とも結ぶ水上交通の大動脈であった。このほか，隅田川と中川を結ぶ運河として，北十間川・竪川がある。
横川（大横川）……墨田区本所業平橋から江東区深川大栄橋までを南北に結び，さらに大島川とも合流する。
横十間川（十間川）……墨田区柳島と仙台堀川を結ぶ。

下町の運河（鹿児島徳治『隅田川の今昔』より補訂）

芭蕉の足跡を残す清澄・白河

館がある。

　松尾芭蕉は，1680（延宝8）年以後，深川のこの地に草庵をたて俳諧の門人を養成した。1917（大正6）年，この地から芭蕉遺愛の石の蛙が出土し，東京府は芭蕉翁古池の跡と指定した（都旧跡）。

　1981（昭和56）年，この地に芭蕉記念館が設立された。芭蕉研究家真鍋儀十のコレクションなどを中心に，芭蕉自筆の短冊など貴重な資料が展示されている。庭の築山から隅田川が眺められる。

　芭蕉記念館から南へ200m，通称「夜店通り」という道が，もとの新大橋のかけられていたところである。明暦の大火で多くの犠牲者をだしたため，江戸幕府は，千住大橋，両国橋についで3番目の橋を，1693（元禄6）年12月に完成させた。両国橋を大橋とよび，この橋は新大橋と名づけられた。近くに住んでいた芭蕉は「有難やいただいて踏む　橋の霜」と句に詠み，橋の完成を喜んでいる。この南に芭蕉記念館分館があり，史跡展望公園となっている。

　深川芭蕉庵跡の所在地については諸説がある。芭蕉庵はこの周辺で3回かわっている。万年橋北詰めの正木稲荷神社は，芭蕉稲荷ともよばれ，絵図などからこの地が芭蕉庵と目されている。

　万年橋は小名木川にかかるもっとも隅田川寄りの橋で，永代橋になぞらえて「万年」と名づけられた。歌川（安藤）広重の『名所江戸百景』に描かれた「深川万年橋」はカメの絵柄で有名である。鶴は千年，亀は万年をもじった絵である。

　芭蕉記念館横の道を北へいき，新大橋通りにでる。西へ150mで新大橋がある。現在の橋は1977（昭和52）年に完成した斜張式鉄橋である。隅田川東岸のこの地は，幕府の船蔵のあったところで，「御船蔵跡」の石柱がある。

新大橋（深川芭蕉庵跡よりのぞむ）

芭蕉遺愛の石蛙が出土　記念館分館は展望公園

採茶庵跡 ❺

〈M ▶ P.216, 219〉江東区深川1－9
地下鉄半蔵門線・大江戸線清澄白河駅 5分

　清澄白河駅をでて清洲橋通りを西へ600mいくと，清洲橋に着く。1928（昭和3）年，震災復興事業の1つとして完成。ドイツのライン川のケルン橋をモデルにした，美しい吊橋である。江東区清澄と日本橋中洲を結ぶことから，清洲橋と名づけられた。清洲橋か

採茶庵跡（復元）

ら隅田川沿いに南へ約200m，東側に平賀源内電気実験の地の碑がある。平賀源内が，1776（安永5）年にエレキテルの実験を行った別宅跡である。東へ170mいくと，アサノコンクリート深川工場の前に本邦セメント工業発祥の地の碑がある。1872（明治5）年，大蔵省土木寮建築局により日本最初の摂綿篤（セメント）製造所がここに建設された。

エレキテル実験の地
杉山杉風の別邸跡

　仙台堀川を東に清澄通りにでて，海辺橋を渡ると南詰めの西側に採茶庵跡の碑がある。ここに芭蕉の門人，杉山杉風の別邸採茶庵があり，芭蕉もしばしば訪れた。『奥の細道』の旅はここから舟に乗り隅田川をさかのぼり，千住の宿へでてはじまったと伝える。

中川船番所資料館 ❻
03-3636-9091

〈M ▶ P.216〉江東区大島9－1－15
地下鉄新宿線 東大島駅 5分

小名木川・中川の接点
出入りする船の監視所

　東大島駅を江東区側の出口からでて南口の公園の東側を南へいくと，茶色いレンガの外壁の江東区中川船番所資料館がみえる。

　中川船番所は，1661（寛文元）年小名木川が中川に接する地点におかれた，利根川・江戸川・中川・小名木川をとおり，江戸へ物資を送る船の出入りを監視する関所である。

　中川船番所跡は，現在は工場用地となっていて，小名木川にかかる番所橋の地名にわずかにその由来を残す。中川大橋の西詰めにある資料館には，中川船番所の復元家屋・関係資料・江戸和竿（江戸期に発達した竹製の釣竿）などの資料が展示されている。

芭蕉の足跡を残す清澄・白河　　223

2 はっぴが似合う門前仲町・木場

隅田川河口と，江戸湾に接した地域には，海と人びとの生活を伝える史跡が多い。

永代橋 ❼　〈M▶P.216,225〉江東区永代1・佐賀2，中央区新川1
地下鉄東西線・大江戸線門前仲町駅 🚇 8分

赤穂浪士も渡った永代橋
近代建築が残る佐賀町

　門前仲町駅をでて，清澄通りを北へ向かい，葛西橋通りを渡ると，交差点に面して陽岳寺（臨済宗）がある。ここには江戸幕府の船手頭（水軍の長）の向井将監忠勝の墓（都旧跡）や伏見義民の墓（都旧跡）がある。1785（天明5）年，伏見奉行の悪政を幕府へ直訴した3人の農民が，江戸で伏見奉行の配下におそわれた。1人は殺されたが，残る2人は陽岳寺にのがれた。直訴に成功したのち，2人は牢中で病死。義民の墓は，この3人を寺で手厚く葬ったものである。

　また，江戸中期の絵師 英一蝶の長男，英信勝の墓（都旧跡）や，江戸後期の画家観嵩月の墓（都旧跡）も並んでいる。

　陽岳寺のすぐ北に，江戸時代に庶民の信仰を集めた深川閻魔堂で知られる法乗院（真言宗）がある。閻魔様への参詣者は今なお多い。さらに北へいくとすぐに心行寺（浄土宗）である。ここの五重石塔には，「元享四(1324)年三月二十四日」ときざんであり，周辺でもっとも古い金石文の1つである。

　清澄通りを南へ戻り，葛西橋通りを渡って南へ進み，高速道路の下をくぐって100mほどいくと，伊能忠敬旧居の碑がある。伊能忠敬は1794（寛政6）年に江戸にでて，幕府天文方高橋至時に天文学を学び，この場所に天文台をつくった。さらに幕府の命をうけて全国を測量し，「大日本沿海輿地全図」（伊能図とよばれる日本地図）を完成させた。

　伊能忠敬旧居の碑から永代通りをさらに西へいき，大島川を渡って，最初の角を北へはいる。この付近は，

伏見義民の墓（陽岳寺）

224　江東

門前仲町・木場周辺の史跡

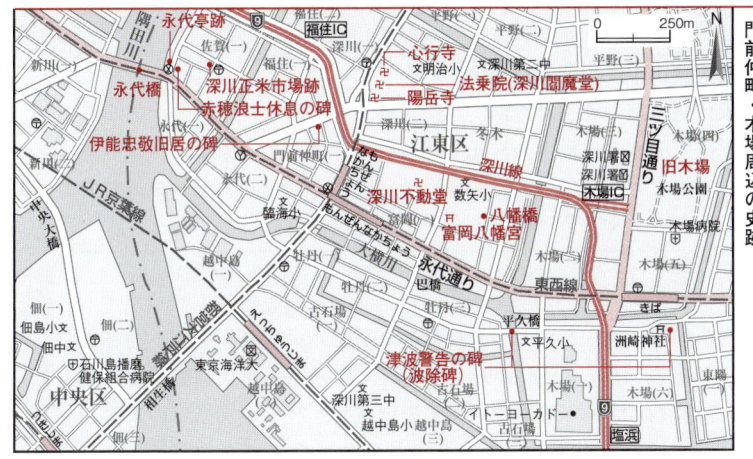

隅田川と運河を利用した水運が盛んで蔵が多くたち並んでいた。1886（明治19）年，この地に深川正米市場を設け，東京の米の供給はすべてこの正米市場によって行われるようになった。

　隅田川沿いに南へいくと東側の乳熊ビルの前に，赤穂浪士休息の碑がある。吉良邸討入りののち，赤穂浪士の一行はここまできて，乳熊屋味噌店の店先で休息し，甘酒粥を食べたあとに永代橋を渡り，高輪泉岳寺へ向かったと伝えられている。

　永代通りを西に進むと，隅田川にかかる永代橋がみえる。永代橋は深川の玄関口にあたり，現在の橋は，1926（大正15）年に震災復興事業として完成したもので，重量感にあふれている。江戸時代の初めには深川の大渡しといい，渡し船があったが，千住大橋・両国橋・新大橋についで，1698（元禄11）年に架橋された。橋の名は，現在の深川佐賀町が当時，永代島とよばれていたことによる。隅田川の最下流にかかっていた永代橋は，船の通行に便利なように橋脚を高くしていたので，眺望もよく，南東に房総の山々，西には富士山，

永代橋

はっぴが似合う門前仲町・木場　　225

北は筑波山が眺められたという。

永代橋手前の交番付近が、永代亭跡である。永代亭は明治後期に木下杢太郎・上田敏・高村光太郎らの文学者や芸術家が、パンの会という集まりの会場とした西洋料理店である。パリのセーヌ河畔でおこったカフェ文芸運動へのあこがれを語ったところである。

富岡八幡宮 ❽
03-3642-1315

〈M ▶ P.217,225〉江東区富岡1-20-3 P
地下鉄東西線・大江戸線門前仲町駅 3分

華麗な神輿の富岡八幡 粋な深川の力持

門前仲町駅東口をでて、永代橋通りを東へいくと、深川不動尊の参道である。京の長盛上人が隅田川河口の砂州永代島を埋め立てて、1627(寛永4)年に富岡八幡宮を創建し、続いて別当寺の永代寺を建立した。永代寺は明治初年の神仏分離令で廃寺となった。18世紀以来、成田山新勝寺がこの境内を借りて出開帳(有名社寺の本尊・宝物を出張して公開すること)を行っていたが、永代寺の廃寺後、その跡に深川不動堂(真言宗)を建立した。「深川の不動さん」と親しまれ、毎月1・15・28日の縁日には多くの参詣人で賑わっている。

不動堂に並んで長盛上人の創建した、富岡八幡宮(祭神誉田別命)がある。八幡宮は、1698(元禄11)年永代橋の完成によって参詣人が増加し、祭礼は神田明神・日枝神社・浅草神社の祭礼と並ぶ盛大なものとなった。現在の大祭は、3年に1度、8月15日に近い土・日曜日に、鳳輦の巡行に続いて各町神輿の連合渡御があり、沿道の人びとが力水をかけて盛りあげる勇壮なものである。

社殿に向かって右手の木立のなかに、深川力持の碑と力石がある。力持は、江戸時代に隅田川沿いの蔵の荷物担ぎが石をもちあげて力をきそったことにはじまり、19世紀には興行としてみせるよう

深川不動堂

になった。現在では木場の角乗とともに、「深川の力持」は都の無形民俗文化財に指定されており、毎年10月の江東区民まつりで公開されている（会場は都立木場公園）。

富岡八幡宮

社殿の右奥に、幕末の名力士第12代横綱陣幕久五郎が中心となって、1900（明治33）年に建立した横綱力士の碑がある。この碑は、1684（貞享元）年から1833（天保4）年の約150年間、この境内で勧進相撲が行われたことを記念したものである。また、大鳥居の横に伊能忠敬の銅像が建てられている。全国を測量し、精密な日本地図を作った伊能は、深川黒江町（現・門前仲町）に住み、測量の旅に出る前には必ず富岡八幡宮を参拝し旅の安全を祈願したという。社殿右手前の道を東に進むと、国産最古の鋳鉄製の八幡橋（国重文）がみえる。1878（明治11）年に工部省赤羽製作所で製造され、中央区の楓川に弾正橋としてかけられたもので、1929（昭和4）年現在地に移され、富岡八幡宮の東隣にあることから八幡橋と改称された。

富岡八幡宮の門前は、参詣人相手に酒食を供する門前茶屋が軒を並べ、また木場の繁栄を背景に料亭や花街が発達した。この門前町の繁栄ぶりは、芝居や小説・小唄などの庶民文芸にも取りあげられた。深川芸者は、この地が江戸城の辰巳（東南）の方角にあるところから、辰巳芸者ともよばれた。こうした深川の花街は、大正時代まで柳橋・新橋と並び称されていたが、その面影は八幡宮の門前にしのばれる。

八幡橋

はっぴが似合う門前仲町・木場

津波警告の碑(平久橋)

津波警告の碑(波除碑) ❾

〈M ▶ P.217, 225〉江東区牡丹3-33
地下鉄東西線・大江戸線門前仲町駅🚶10分

寛政3年の大津波いにしえの知恵、警告の碑

　1791(寛政3)年の大津波で多数の犠牲者をだしたことから，幕府は深川付近を空き地にし，これより海側に人が住むことを禁じた警告の碑を西と東の2カ所にたてた。富岡八幡宮の南，大島川(大横川)にかかる巴橋を渡り西へいくと，平久橋の西詰め北側に津波警告の碑(波除碑，都有形)がある。これは西側の碑で，洲崎神社の境内にたてられているのは東側の碑である。

木場 ❿

〈M ▶ P.217, 225〉江東区木場2〜5
地下鉄東西線木場駅🚶5分

江戸の情緒を今に伝える木場の角乗り

　八幡宮の東，木場2〜5丁目は，もと貯木・製材所としての木場のあったところである。寛永の大火(1641年)以後材木置場を順次，隅田川東岸へと移した。1701年に深川築地町へ移したのが現在の木場である。「火事と喧嘩は江戸の華」といわれたように，江戸の火事は多く，幕府や民間の普請によって，木場の繁栄がもたらされた。
　しかし，東京湾の埋立て，輸入材の急激な増加，交通渋滞，東京都の新都市計画法などの理由から，1970(昭和47)年貯木場と製材所は14号埋立地(新木場)に移転し，一大製材工業団地となっている。かつての木場は運河が埋め立てられ，東京都立木場公園となった。川並とよばれた筏師の余技から発達した木場の角乗(都無形)が木場の人たちによって行われ，今に伝えられている。

第五福竜丸展示館 ⓫
03-3521-8494

〈M ▶ P.216〉江東区夢の島3-2(夢の島公園内) Ⓟ
地下鉄東西線東陽町駅🚌新木場行夢の島🚶3分，またはJR・地下鉄有楽町線新木場駅🚶10分

戦後史の1ページ水爆実験と第五福竜丸

　東陽町駅からバスに乗り，明治通りにでて南に進み，夢の島大橋を渡ると，夢の島である。かつて東京のゴミの処分場であったこの島は，現在ではユーカリ・キョウチクトウなどがしげる夢の島公園

第五福竜丸展示館

となっている。

その北側に第五福竜丸展示館がある。1954(昭和29)年，第五福竜丸(140 t，長さ28.5m・幅5.9m，木造)が，南太平洋のビキニ環礁で行われたアメリカの水爆実験で死の灰をあび，乗組員の久保山愛吉が死亡した事件は，日本はもちろん全世界に衝撃をあたえた。その後，第五福竜丸は東京水産大学(現，東京海洋大学)の練習船に使われたが，老朽化のために廃船が決定した。これを残そうとする市民運動によって，夢の島に保存されることとなり，1976年には船全体を収容する保存施設と展示館が完成した。

展示館から東へ200mいくと，夢の島熱帯植物館がある。大きなドーム型温室で，江東清掃工場のゴミの焼却熱でつくられる高温水を利用した施設である。

旧大石家住宅 ⑫
03-3647-9819(江東区観光課)

〈M▶P.216〉江東区 南砂5−24(仙台堀公園内)
地下鉄東西線南砂町駅 徒13分

江戸末期の民家建築 洪水に備えた構造

南砂町駅北口から北へいき，葛西橋通りを渡った都立東高校の西側，仙台堀公園の一角に，700mほど東南の舟入川付近より移建された旧大石家住宅がある。19世紀なかばごろの建築で，民家建築としては江東区内最古である。旧砂村は，砂村ねぎなどの畑作と海苔養殖を行う半農半漁の村で，建物は屋根裏を広くつくり，洪水に備えるなど千葉県船橋市や市川市などの海沿いの古民家と共通した構造をもつ。関東大震災・東京大空襲などの災害にも焼失を免れて現在に伝えられた，貴重な建築物である。

旧大石家住宅

はっぴが似合う門前仲町・木場　229

③ 天神様の町亀戸

学問の神をまつる亀戸天神はウメとフジの名所。静かな雰囲気の寺町をめぐる。

亀戸天神社 ⓫　〈M▶P.216, 230〉江東区亀戸3-6-1 Ｐ
03-3681-0010　　JR総武線亀戸駅🚶15分

フジと葛餅の天神様　正月の賑わい鷽替神事

　JR亀戸駅北口をでて，明治通りを北に進むと，蔵前橋通りと交差する亀戸4丁目交差点をさらに北へいくと，西側に香取神社（祭神経津主神，相殿に武甕槌神・大巳貴神）がある。この神社は付近でもっとも古い神社といわれ，1334（建武元）年の創建と伝える。

　亀戸4丁目交差点に戻り，蔵前橋通りを西に進むと，亀戸天神社（亀戸天満宮，祭神菅原道真）がある。1662（寛文2）年太宰府天満宮の神官大鳥居信祐が，神木で菅原道真像をつくり，亀戸村にまつったのが始まりという。翌年から心字池・太鼓橋などが太宰府天満宮を模して造営された。境内はウメとフジの花の名所となり，学問の神ということもあって，江戸時代以来，行楽をかねた多くの参詣客を集めてきた。1945（昭和20）年の東京大空襲で全焼したが，現在では社殿・太鼓橋がコンクリート造りで再建され，ウメやフジの花も昔の面影を取り戻している。毎年1月24・25日に行われる鷽替神事は，「凶もウソとなり，吉とかわる」といういわれから，前年買った木彫りの鷽（スズメに似た小鳥）を社殿におさめ，新しいものととりかえる神事である。

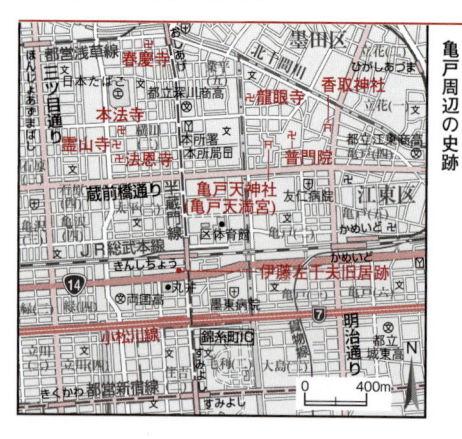

亀戸周辺の史跡

　境内には鷽の碑や筆塚，講談・歌舞伎で知られる江戸後期の豪商塩原太助奉納の石灯籠，明治の自由民権論者中江兆民の碑のほか，多くの歌碑・句碑がある。参道入口の葛餅の船橋屋は，1805（文化2）年創業の老舗である。

　亀戸天神社の東隣にあ

東京大空襲

コラム

B29による大空襲 焼夷弾により大被害

1944(昭和19)年7月に太平洋上のマリアナ諸島のサイパン島がアメリカ軍に占領されると、そこを基地としたB29爆撃機による本格的な日本本土への空襲がはじまった。

1945年3月9日午前0時～10日未明の約2時間半、東京はB29爆撃機約150機による大空襲に見舞われた(東京大空襲)。深川・本所・浅草・日本橋・神田などの下町一帯が激しい爆撃をうけ、東京市中の建物約40%が焼失、7万人とも9万人ともいわれる犠牲者がでた。このとき投下された約19万発の油脂焼夷弾が、広範囲にわたる猛烈な火災を引きおこす原因となった。

同年4月13日夜には、新宿・小石川・四谷・麹町・赤坂・牛込・豊島・荒川・滝野川地区が空襲をうけた。さらに5月24・25日の空襲で、これまで被災していなかった都心部と山手一帯も空襲をうけ、東京は見渡す限りの焼け野原となった。合計120回におよぶ東京空襲・戦災による被害は、死者・行方不明者11万5000人以上、重軽傷者約15万人、損害家屋約85万戸、罹災者約310万人を数えた。江東区にある東京大空襲・戦災資料センターには、大空襲に関する実物や写真、体験記、映像などが展示されていて、体験した人々の空襲前後での暮らしや生き方の変化を学び、考えることができる。

東京大空襲罹災地域(早乙女勝元『東京が燃えた日』〈岩波ジュニア新書〉による)

る普門院(真言宗)は、鐘ヶ淵の鐘の伝承で知られる。江戸時代に橋場(台東区)からこの地に移転するときに、鐘を隅田川にあやまって沈めてしまった。そこから鐘ヶ淵(墨田区)の地名がおこったという。墓地には、この

亀戸天神社

天神様の町亀戸

近くの大島6丁目で晩年をすごした伊藤左千夫の墓がある。

亀戸天神社を北へでて300m、横十間川のほとりにある龍眼寺は、ハギの名所で、元禄年間(1688〜1704)から萩寺とよばれていた。

伊藤左千夫旧居跡 ⓮

〈M ▶ P.216,230〉 墨田区江東橋3-14
JR総武線・地下鉄半蔵門線錦糸町駅 1分

錦糸町駅南口の駅前広場の一角に、「よき日には庭にゆさぶり、雨の日は家とよもして児等が遊ぶも」ときざまれた歌碑がある。この歌碑は、小説『野菊の墓』の作者として知られる伊藤左千夫を記念したものである。左千夫は、千葉県山武郡成東町の出身で、22歳で上京して牛乳屋につとめ、1889(明治22)年、本所茅場町(現、江東橋)に牧舎と住居をたてて、牛乳採取業をはじめた。錦糸町駅南口付近がその住居跡にあたる。

錦糸町駅北口から、四ツ目通りを北へいく。錦糸公園をすぎ、蔵前橋通りを西へ3つ目のブロックが太平1丁目である。この周辺には寺院が集中していて寺町の雰囲気がある。高い鐘楼の塔がある法恩寺(日蓮宗)は、1688(元禄元)年に現在地に移された。開基である太田道灌の墓と伝えられる五輪塔が残されている。

法恩寺の北隣の霊山寺(浄土宗)は、関東十八檀林(檀林とは僧侶の学問所)の1つである。さらに霊山寺の北隣の本法寺(日蓮宗)には、近代になり子孫がたてた狩野派の始祖狩野元信の墓がある。北の春日通りを東へいき、JTビルの角を北へ700m、浅草通りへでると、近代的なビルになった春慶寺(日蓮宗)がある。ここには『東海道四谷怪談』の作者、四世鶴屋南北の墓がビル入口の壁面の一部におさめられている。

伊藤左千夫の足跡
錦糸町北側は寺町の雰囲気

伊藤左千夫歌碑

4 大相撲の町両国と忠臣蔵の町本所

両国橋の建設とともに開けた町。水害・大火・地震・空襲などの災害をうけ、復興した町。

東京都江戸東京博物館 ⑮
03-3626-8000
〈M ▶ P.216,234〉墨田区横網1-4-1 P
JR総武線両国駅🚶3分,地下鉄大江戸線両国駅🚶すぐ

東京の歴史を知る江戸博
ふれ太鼓が聞こえる国技館

　JR両国駅西口をでると,目の前の国技館東側にある高脚型台形の建物が江戸東京博物館である。館内展示は,江戸ゾーン・東京ゾーン・通史ゾーンの3分野に分かれていて,江戸・東京,そして古代から現代の東京の歴史を全体的に理解できるように工夫されている。とくに江戸・東京についての基本的な事柄がわかりやすく学習できる。

　両国国技館は1984(昭和59)年に完成し,以来大相撲は1・5・9月の3場所はここで開催されている。館内には相撲博物館があり,大相撲に関する資料などが多く展示されている。

　両国国技館の北隣が刀剣博物館で,国宝・重文の太刀などの刀剣類,刀装具,甲冑などが展示されている。東側にまわると旧安田庭園がある。ここは,元禄年間(1688～1704)に築造された丹後(京都府)宮津藩主本庄氏の下屋敷の庭園で,隅田川の潮水を取りいれた潮入り回遊式庭園は,規模は小さいが江戸名園の1つに数えられていた。

　明治以後,旧岡山藩主池田氏の邸宅を経て,一代で安田財閥を築いた安田善次郎の所有となり,善次郎の死後,東京市に寄贈された。関東大震災で大きな被害をうけ,第二次世界大戦後荒廃した時期もあったが,1969(昭和44)年墨田区移管を機に全面的復旧が行われ,かつての名園の姿を取り戻した。

旧安田庭園

東京都復興記念館・東京都慰霊堂 ⓰
03-3622-1208

〈M ▶ P.216, 234〉墨田区横網2-3-25（横網町公園内）
JR総武線両国駅 🚶 7分・地下鉄大江戸線両国駅 🚶 3分

陸軍被服廠の跡地　震災と空襲を語る

　旧安田庭園の筋向かいに横網町公園がある。江戸時代、現在の両国駅の北側一帯には、幕府の材木蔵・竹蔵・米蔵などがあった。明治にはいって陸軍用地となり、陸軍被服廠がつくられた。その後、跡地に公園を造成中であったが、1923（大正12）年9月1日に関東大震災がおこると、罹災者は本所唯一のこの空地に避難した。しかし、ここで猛火に囲まれ、3万8000人が焼死するという悲惨な出来事がおこった。

　震災後、東京市内各地の犠牲者をあわせた5万8000人の遺骨を安置するため、高さ41mの5層の供養塔と慰霊堂がたてられた。この慰霊堂は伊東忠太の設計で、1930（昭和5）年に完成し、震災記念堂と名づけられた。1945（昭和20）年3月10日の東京大空襲では、本所・深川地区は焦

東京都慰霊堂

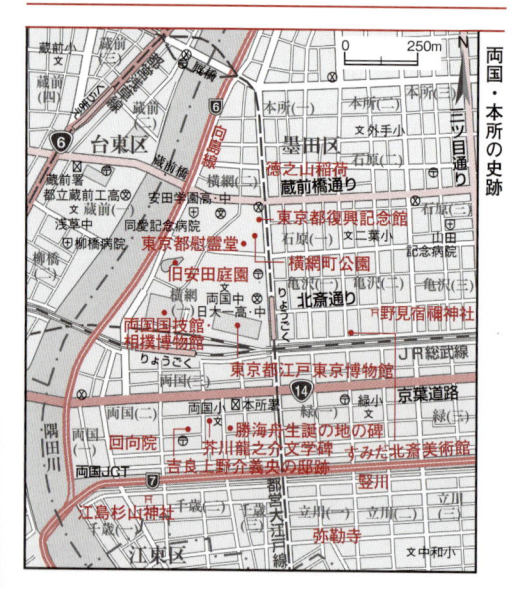

関東大震災

コラム

近代史に残る衝撃の大震災

　1923(大正12)年9月1日午前11時58分ごろ、東京・横浜を中心としてマグニチュード7.9の大地震がおこった。多くの家屋が倒壊し、ちょうど昼食時に重なり、炊事用の竈から出火して、各地に火災が発生して被害を大きくした。死者・行方不明者は10万人をこえ、被災家屋70万戸(東京市の43%)、被災者307万人にのぼった。とくに下町では、地盤が弱いために倒壊・焼失家屋が多く、また橋の多くが木造で焼けおちたために、逃げ道を失ってさらに被害を大きくした。

　本所の陸軍被服廠跡では大惨事がおこった。

　この地は約2万坪(6万7400㎡)の広大な敷地で、1922(大正11)年陸軍省から逓信省・東京市に譲渡され、東京市は公園を造園中であった。罹災者約4万人が本所地区唯一のこの空地に避難したが、まわりから押し寄せた火の壁にとじこめられ、火災による炎の上昇でおこったつむじ風で人や家具まで空に舞いあげられ、もち運んだ家具に火がつくという焦熱地獄のなかで、約3万8000人(4万4000人ともいわれる)が焼死した。

土と化し、震災を上まわる犠牲者をだした。1951年震災記念堂を東京都慰霊堂と改称し、第二次世界大戦での都内の犠牲者約10万5400人の遺骨もあわせて安置した。現在でも、毎年3月10日と9月1日には慰霊法要がしめやかに行われている。

　園内の東京都復興記念館には、関東大震災・東京大空襲に関する資料や遺品などが保管・展示されている。鐘楼の鐘は1925(大正14)年、当時の中華民国仏教徒から慰霊のために贈られたもの。右手の樹木の間に、関東大震災朝鮮人犠牲者追悼碑がある。

　東京都慰霊堂から清澄通りにでて、石原1丁目交差点を50mほど北に進み右折すると、徳之山稲荷がある。江戸前期に本所奉行としてこの地域の開発にあたった、徳山五兵衛重政の屋敷内にあった屋敷神で、その境内には、遠州(静岡県)の代官を斬った浜島庄兵衛を処刑したときの首洗いの井戸の碑(1965年再建)がある。日本左衛門の首洗いの井戸ともいわれるのは、彼が歌舞伎の「白浪五人男」の日本駄右衛門のモデルとなったことによるという。

　清澄通りを南へ進み、亀沢1丁目交差点から東に向かう北斎通りは、かつての本所割下水(南割下水)を暗渠にしてつくられた。この

大相撲の町両国と忠臣蔵の町本所

通りをいくと右手に緑町公園がある。葛飾北斎はこの辺りで生まれ、転居を繰り返したがこの地域をでることはなかったという。公園内にあるすみだ北斎美術館では、北斎の各期の代表作が展示されていて、その生涯をたどることができる。北斎通りをさらにいくと右手に相撲の祖とされる野見宿禰をまつった野見宿禰神社がある。1885(明治18)年に高砂浦五郎が旧津軽藩の上屋敷跡にまつったのが始まりで、日本相撲協会が歴代横綱の名をきざんだ石碑をたてている。

回向院 ⑰
03-3634-7776
〈M ▶ P.216, 234〉 墨田区両国2-8 P
JR総武線両国駅 4分、地下鉄大江戸線両国駅 8分

明暦の大火供養の回向院
いざ討入りの吉良邸

JR両国駅西口から国技館通りを南へいくと、正面が回向院(浄土宗)である。回向院は、明暦の大火(1657年)後、江戸幕府が本所牛島新田の地50間(約90.9m)四方に10万8000人ともいわれる犠牲者を埋葬して塚をたて、建立した寺である。種々の宗派の犠牲者がいたことから、諸宗山無縁寺回向院と名づけられた。その後も、無縁者・牢病死者や、1855(安政2)年におこった安政大地震の犠牲者が葬られた。境内には、「延宝三(1675)年」銘のある明暦大火横死者等供養塔(都有形)をはじめ、多くの供養碑がたっている。本堂の本尊銅造阿弥陀如来坐像(都有形)には、制作年代を示す「宝永二(1705)年」の銘がある。

また、墓地には著名人の墓が多い。1831(天保2)年千住小塚原で処刑された鼠小僧次郎吉の墓は、破片をもっていると願いがかなうという俗信から削りとられたため、何度もつくりかえられてきた。現在は削りとられてもいいように、手前に別の墓石をおいている。次郎吉の墓の後ろには、洒落本・滑稽本の作者で知られる山東京伝の墓、弟の山東京山の墓、国学者・歌人の加藤千蔭の墓

明暦大火横死者等供養塔

コラム

明暦の大火

江戸の町を焼きつくした大火

「火事と喧嘩は江戸の華」といわれるように、江戸では火事が多く、大火とされるものだけで80回を数えた。

徳川家康の入国以来、江戸の町の発展はめざましく、人口も急増していったが、その半数を占める町人は、かぎられた町人地（町方）に密集して住んでいた。したがって、いったん火災がおこるとその被害は甚大であった。1657（明暦3）年の明暦の大火（振袖火事）は江戸市中の6割を焼失し、死者10万2000余人をだしたという。

この年は正月以来各地でボヤ騒ぎがおこっていたが、1月18日午後2時ごろ、本郷丸山町（文京区）の本妙寺からでた火は、おりからの西北のカラッ風にあおられて、湯島・神田に広がり、さらに日本橋一帯から八丁堀・霊厳島・鉄砲洲・佃島、隅田川をこえて深川にまで飛び火した。

このとき、浅草見附門では伝馬町の囚人が解き放たれたことを知らない番人が、囚人の脱獄と勘違いして門をしめたため、火に追われた人びとが逃げ場を失って焼死したり、見附門を乗りこえたが神田川で溺死したりした。また、江戸防衛の目的から隅田川に千住大橋・両国橋のほかは橋がかけられていなかったことが、多くの犠牲者をだす原因となった。

翌19日午前10時ごろ、小石川伝通院表門下（文京区）の与力屋敷からでた火が、またたくまに燃え広がり、江戸城内濠をこえて北の丸の幕府重臣の屋敷を焼きつくし、さらに天守閣・本丸・二の丸・三の丸の豪華な大建築もつぎつぎに焼けおちた。

その夕方にも麴町（千代田区）の町屋から火の手があがり、桜田一帯の大名屋敷を焼きつくした火は、山王社から日比谷・芝まで燃え広がった。家康・秀忠・家光の3代50年間で築きあげた江戸城と江戸の町は、わずか2日間の火災で壊滅してしまった。

この火災ののち、幕府は再び江戸の本格的な町づくりに取り組み、大名屋敷や神社・寺院の移転、火除地（広小路）の設定、隅田川の架橋など、防火防災体制の強化につとめた。

（いずれも都旧跡）、義太夫節の創始者初代竹本義太夫の墓がある。

回向院山門東側は、旧両国国技館跡である。1781（天明元）年、はじめて回向院で勧進相撲が行われ、1833（天保4）年から春秋2回、晴天10日間の江戸相撲の常設場所となった。回向院境内で開かれる出開帳・相撲・富籤や、両国橋の架橋によって、両国は江戸の盛り場の1つとなった。

大相撲の町両国と忠臣蔵の町本所

吉良邸跡(本所松坂町公園)

　1909(明治42)年回向院隣のこの地にドーム型の両国国技館が完成したが、第二次世界大戦後、GHQに接収され、大相撲は1950(昭和25)年から隅田川西岸の蔵前国技館で開催された。1984年、両国駅北側に両国国技館が新設され、大相撲はゆかりの地に戻った。

　回向院前の京葉道路を東へいき、1つ目の角を南にはいり、2つ目の小路を東へ進むと、海鼠壁に囲まれた小さな本所松坂町公園に着く。一帯は1702(元禄15)年12月、赤穂浪士が討ちいった吉良上野介義央の邸跡(赤穂義士元禄義挙の跡、都旧跡)で、公園の一角に吉良の首洗い井戸が残されている。

　さらに東へいくと両国小学校で、その北西角に、芥川龍之介文学碑がある。龍之介は京橋区入船町で生まれ、この地にあった母の実家芥川家で養われ、のち芥川家の養子となり、両国小、府立三中(現、両国高校)へ通学し、18歳までこの地ですごした。

　両国小学校の東にある両国公園内には、勝海舟生誕の地の碑がたっている。この辺りは、御家人の屋敷が多いところで、勝海舟の生家男谷家もこの地にあった。

　回向院東側の道を南に進むと竪川である。隅田川と中川を直線状に結ぶ運河で、万治年間(1658〜61)に開削された。現在は運河としての機能は失われている。竪川にかかる塩原橋(塩原太助にちなむ)を渡り西へ進むと江島杉山神社がある。1693(元禄6)年に、鍼術杉山流の祖杉山検校がこの地に屋敷を拝領し、江の島弁財天を勧請した。一ッ目橋の南にあり、一ッ目の弁天社ともよばれていた。

　神社前の道を東に進み、清澄通りにでたら南に向かい、4つ目の角を左に折れると弥勒寺(真言宗)である。1610(慶長15)年の開基で、寺領100石、高い格式をもっていた。境内左手に杉山検校の墓(都旧跡)がある。

⑤ 下町の風情を残す墨田堤

隅田川東岸の墨堤は、かつて江戸の郊外の行楽地であった。ゆかりの寺院・神社をたずねる。

如意輪寺 ⑱
03-3623-4849
〈M▶P.216, 241〉墨田区吾妻橋1-22　P
地下鉄銀座線・浅草線、東武伊勢崎線浅草駅🚶8分

中之郷の太子堂
延宝6年の六面地蔵

浅草駅東側の隅田川にかかる吾妻橋を渡ると、屋上に金色のモニュメントのあるビール会社のビルが目につく。ここは1900(明治33)年設立の札幌麦酒東京分工場で、「吾妻橋のビール工場」として親しまれたところである。

左側の墨田区役所の東側に、如意輪寺(天台宗)がある。849(嘉祥2)年慈覚大師の創建と伝えられ、境内に太子自刻といわれる聖徳太子像をまつった堂があったことから、牛島太子堂ともよばれた。また境内には、「延宝六(1678)年」銘のある珍しい六面六地蔵石幢がある。如意輪寺の東にある天祥寺(臨済宗)は、元禄年間(1688〜1704)に肥前(長崎県)平戸藩主松浦鎮信が、盤珪国師を開山として下屋敷に開いた寺で、境内には鎮信と盤珪の墓がある。

隅田公園 ⑲　〈M▶P.201, 216, 241〉墨田区向島1、台東区花川戸1・2、浅草7、今戸1
地下鉄銀座線・浅草線、東武伊勢崎線浅草駅🚶5分

浅草駅から隅田川にでると、隅田川の両岸に広がる広大な臨水公園の隅田公園が眺められる。関東大震災後、帝都復興計画に基づいて、火除地として造園された。東京大空襲による被害や、高速道路工事・防潮堤工事で一時期荒廃していたが、現在では植樹や散歩道の改修などによって、緑豊かな公園となった。

隅田川東岸のうち、本所・両国地区は、17世紀後半の両国橋・新大橋の架橋によって発展した。北十間川より北の向島地区は、

吾妻橋より隅田川をのぞむ

江戸近郊の農村地帯で田園風景が広がっていた。江戸幕府による隅田川の築堤工事で、堤にサクラの木が植えられると、文人墨客たちの舟遊び・散策の場となり、江戸近郊のサクラの名所の1つとなった。向島地区が市街地化するのは関東大震災後のことである。

隅田川の沿岸は、古くから、洪水の被害をよくうける地帯であった。1963(昭和38)年の防潮堤工事の完成によって、その問題は解決されたが、高速道路の建設もあり、かつて文人墨客や庶民の愛した墨堤(ぼくてい)の景観は失われてしまった。

吾妻橋を渡り墨田区役所前を北へ行き、枕橋(まくらばし)を渡る。ここは水戸藩の下屋敷跡に造園された地区である。園内には、「水戸徳川邸旧阯(し)」ときざんだ石柱、藤田東湖(とうこ)の「正気之歌(せいきのうた)」詩碑がある。東湖は、水戸藩の代表的な尊王攘夷論者(そんのうじょういろんじゃ)で、1845(弘化2)年から3年間、この下屋敷に幽閉されていたことがある。そのおり「天地正大の気、粹然として神州に鍾(あつま)る」と、有名な「正気之歌」を詠んでいる。墨田堤からは、東京の新名所となった東京スカイツリーがながめられる。

隅田公園の東側には堀辰雄(たつお)の旧居跡がある。堀辰雄は、母の再婚先の向島で育ち、『聖家族』『風立ちぬ』などの作品を、墨堤の地の「一坪ぐらいの小さな中庭のある書斎」で執筆した。

牛島神社(うしじまじんじゃ) ⑳　〈M▶P.216,241〉墨田区向島1-4-5
03-3622-0973　　地下鉄浅草線本所吾妻橋駅・東武伊勢崎線業平橋駅(なりひらばし) 🚶5分

堀辰雄旧居跡の北方、言問橋(こととい)の近くにある牛島神社(祭神素戔嗚尊(すさのおのみこと))は、本所の総鎮守で、古くから「牛の御前(ごぜん)」とよばれていた。社名は本所一帯がかつて牛島とよばれていたことによる。縁起によると、貞観年間(じょうがん)(859〜77)に慈覚大師(じかくだいし)の創建と伝えられ、1180(治(じ)

牛島神社

江戸近郊のサクラの名所
帝都復興計画の名残り

本所の総鎮守
全快の思いを込める撫牛

墨堤周辺の史跡

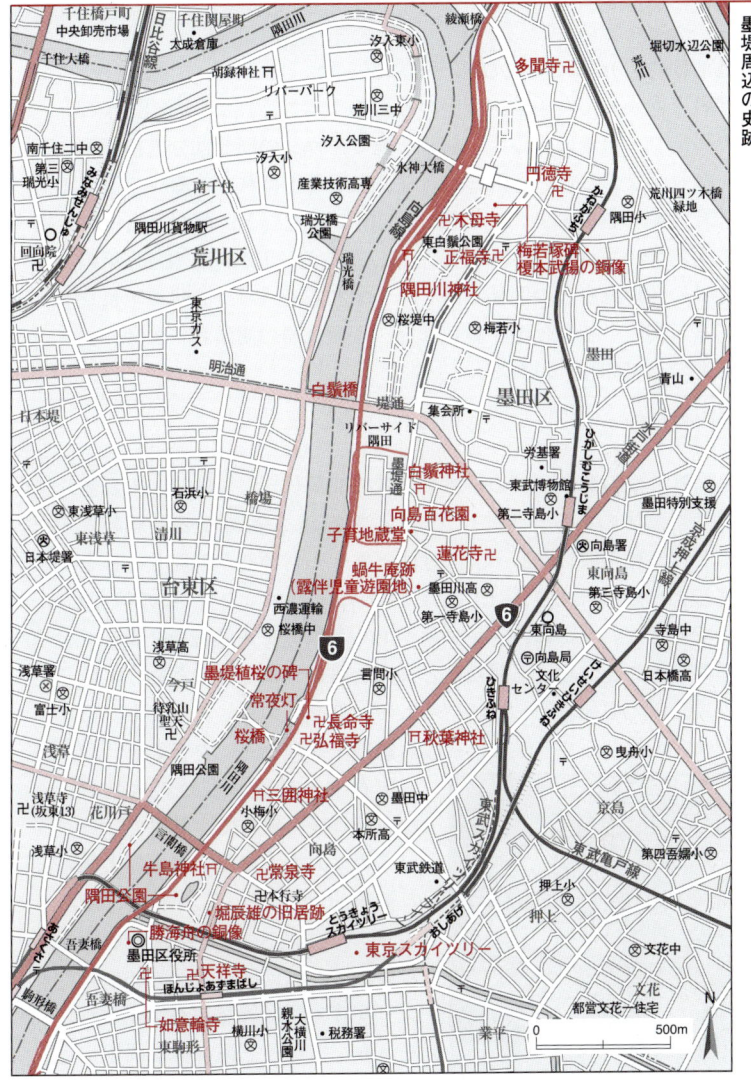

承4)年の源頼朝の挙兵にあたり，下総国から隅田川を渡って武蔵国にはいるときに，千葉常胤が当社に祈願した。社宝の旗指物には「国分庄司　千葉五郎　平朝臣胤道」と記されている。社殿は，関東大震災後の墨堤拡張工事のために現在地に移されたもので，

下町の風情を残す墨田堤

旧社地は約500mほど北の弘福寺裏にあった。

社殿に向かって右手前，台座のうえのウシは，1825（文化8）年ごろの奉納で，自分の体の悪い部分を撫で，ウシの同じ部分を撫でると，病気がなおるという信仰があり，撫牛とよばれている。

神社北側の言問通りにでて東へ200mほど進むと，静岡県富士宮市の大石寺の末寺常泉寺（日蓮正宗）がある。1596（慶長元）年の創建で，江戸幕府との関係が深く，寺領30石をうけ，6代将軍家宣の正室天英院や養女政姫が葬られた。江戸後期の儒学者・医者の朝川善庵の墓（都旧跡）がある。

三囲神社 ㉑
03-3622-2672
〈M▶P.216,241〉 墨田区向島2-5-7
地下鉄浅草線本所吾妻橋駅・東武伊勢崎線業平橋駅 🚶5分

七福神めぐりの起点
三囲の白狐伝説

牛島神社から北へすぐの小梅小学校の北側に，「三圍社」の扁額を掲げた鳥居のある三囲神社（祭神宇迦能魂命）がある。縁起によると，文和年間（1352～56），近江三井寺の僧源慶が荒廃した社を改築しようとしたとき，土中から白狐にまたがった翁（稲の神）の像がでてきた。そこに白いキツネがあらわれ，その神像を3周して姿を消したことから，三囲神社とよばれるようになったという。それ以後，田の中稲荷として江戸町人の信仰を集めた。なかでも，三井家は守護神として尊崇し，社殿の建築や修理などに力をそそいだ。

現存する社殿は安政の大地震（1855年）後の建造で，下町では珍しく関東大震災や第二次世界大戦の被害を免れている。境内には宝井其角雨乞いの句碑，狂歌師朱楽管江の辞世碑など，約60の句碑・歌碑・顕彰碑などがたてられている。また，三囲神社は隅田川七福神めぐりの起点となるところで，恵比寿・大黒天がまつられている。

三囲神社から，隅田川の防潮堤に設けられた桜並木の遊歩道にで

常夜灯

コラム 行

下町の七福神

江戸の正月を彩る七福神めぐり

　江戸時代後半ごろから、七福神をまつる神社や寺院を正月に参拝すると、7つの福徳がさずかり、7つの災難からのがれられるという信仰が広まった。七福神の乗った宝船を「おたから」とよび、元旦の夜にその絵を枕の下において寝ると、運が開けるとも信じられた。

七福神　寿老人—延命長寿、弁財天—芸道富有、恵比寿—受敬富財、大黒天—有富蓄財、毘沙門天—勇気授福、福禄寿—人望福徳、布袋尊—清廉度量

隅田川（向島）七福神　向島百花園を開いた佐原鞠塢が、文人らとはじめたもの。
恵比寿・大黒天—三囲神社、布袋尊—弘福寺、弁天—長命寺、福禄寿—向島百花園、寿老人—白鬚神社、毘沙門天—多聞寺

下谷七福神　もっとも古い歴史をもち、下谷・谷中・日暮里にまたがる。
弁財天—上野不忍池弁天堂、毘沙門天—谷中天王寺（感応寺）、寿老人—長安寺、恵比寿・大黒天—青雲寺、布袋尊—修性院、福禄寿—東覚寺

深川七福神　恵比寿—富岡八幡宮、弁財天—冬木弁天、福禄寿—心行寺、大黒天—円珠院、毘沙門天—竜光院、布袋尊—深川稲荷神社、寿老人—深川神明宮

亀戸七福神　寿老人—常光寺、弁財天—東覚寺、恵比寿・大黒天—香取神社、毘沙門天—普門院、福禄寿—天祖神社、布袋尊—龍眼寺（萩寺）

る。1985（昭和60）年に完成したX字型の歩行者専用の桜橋がある。桜橋の少し北に、隅田川を上り下りする船の灯台の役割をした常夜灯が残されている。そこにきざまれている「本所総鎮守」は牛島神社のことで、旧社地の名残りをとどめている。

　墨堤の桜並木は、江戸時代の享保年間（1716〜36）に8代将軍徳川吉宗の命で植樹されたことにはじまる。それ以後も墨堤と向島を愛する人びとに保護され、その美しさを江戸後期の儒学者亀田鵬斎が、「長堤十里白くして痕なし」と詠んでいる。長命寺裏手の木立のなかに、墨堤のサクラの由来を記した榎本武揚筆の墨堤植桜の碑がある。墨堤のサクラの保護に尽力した成島柳北の遺志をついで、大倉喜八郎・安田善次郎らの実業家が建立したものである。

下町の風情を残す墨田堤

長命寺 ㉒
03-3622-7771 〈M▶P.216, 241〉墨田区向島5-4-5
地下鉄浅草線本所吾妻橋駅・東武伊勢崎線業平橋駅 徒15分

家光ゆかりの長命寺　黄檗宗の弘福寺

　墨堤植桜の碑の南側は，七福神の弁財天をまつる長命寺（天台宗）である。寺の創建は不明であるが，寛永年間（1624〜44）に3代将軍家光が鷹狩りの途中で腹痛をおこし，この寺の井戸水で薬を飲んだところ，たちまち痛みがおさまった。喜んだ家光が井戸水を長命水，寺名を宝寿山長命寺と命名したという。このことは，境内の屋代弘賢（江戸後期の幕臣・国学者）筆の長命水石文碑などにも記されている。

　また，この寺は雪景色の名所でもあり，それにちなんで松尾芭蕉の「いざさらば　雪見にころぶ　ところまで」の句碑がある。このほか，境内には50をこえる句碑・歌碑・塚・石造物などがある。おもなものに，十返舎一九・蜀山人ら5人の狂歌の辞世碑，朝野新聞社の社長で，墨堤の桜並木の保護に尽力した成島柳北の碑，「万治二（1659）年」銘のある庚申地蔵菩薩像，また江戸後期の国学者　橘　守部の墓もある。

　長命寺の南隣に，宇治萬福寺（京都府）の末寺である弘福寺（黄檗宗）がある。山門・本堂は萬福寺を模した黄檗宗特有の中国風の堂々とした建物で，関東大震災で焼失はしたが，1933（昭和8）年古式どおりに再建された。

　森鷗外はこの寺を好み，その遺志でこの寺に葬られた（現在は三鷹市禅林寺に改葬）。境内右手の小祠に咳止めにご利益のあるという石造の爺婆像がある。鐘楼の脇には，江戸中期の国学者・文人の建部綾足の墓碑，幕末の鳥取藩の支藩の藩主で学問を愛好した池田冠山定常の墓がある。そのほか，井伊直武が寄進したという「貞享

弘福寺本堂

桜餅と言問団子

コラム

花見に似合う向島の名物

　向島の名物に「長命寺桜餅」と「言問団子」がある。

　桜餅は、1717(享保2)年、長命寺につかえた山本新六が墨堤のサクラの葉を集めて塩漬けにし、その葉で餅をくるんで門前で売ったところ大評判となり、以後名物となったという。滝沢馬琴の『兎園小説』には、1824(文政7)年の桜餅屋の「一年の仕入高、桜葉漬込十一樽、葉数〆三十八万枚余」とあり、その繁盛の様子がうかがえる。また、樋口一葉の日記『若葉かげ』には、「かへるさには長命寺の桜もちゐ求めて妹に渡しぬ。こは母君にまゐらせんとて也」(明治24〈1869〉年4月11日)と記されている。桜餅は、ふつう、1枚の葉で餅をくるんでいるが、「長命寺桜餅」は、3枚の葉が使われている。

　桜餅の店と道を隔てて、「言問団子」の店がある。江戸末期、植木屋だった外山佐吉が、土手の参道に団子屋をだしたのがその始めという。明治にはいり、在原業平が詠んだ「都鳥」の歌にちなんで、「言問団子」と名づけてから人気を集め、それが店名にもなった。串に刺さない団子で、当初は小豆あん・白あんの2色であったが、明治中期ころに黄色の味噌あんが加わって3色となり、現在に至っている。店内には、「言問団子」にかかわる資料が展示されている。

五(1688)年」の銘文のある梵鐘が現存する。

　水戸街道の東にある秋葉神社(祭神火産霊命)は、火伏せ神として知られ、大名や大奥女中の信仰を集めた。また、紅葉の名所でもあり、墨堤遊覧をかねて参拝するものも多かった。

文人墨客の集った庭園　藤棚と萩のトンネル

向島百花園 ㉓
03-3611-8705

〈M ▶ P.216, 241〉 墨田区東向島3-18-3（向島百花園管理所）

東武伊勢崎線東向島駅 🚶 5分

　弘福寺から墨堤通りを北に進み、向島高速道路入口のところを右折すると、左側に小さな区立露伴児童遊園がある。ここは幸田露伴が蝸牛庵と名づけた住居跡で、1908(明治41)年から1924(大正13)年まで住んでいた。かつての建物は愛知県の明治村に移築されている。地蔵通り東側の都立墨田川高校前の蓮花寺(真言宗)の門前には、2基の石柱があり、大師信仰を示す「厄除弘法大師」「女人済度御自筆弘法大師」の文字がきざまれている。また寺内には、鎌倉から

下町の風情を残す墨堤

向島百花園入口

南北朝時代の板碑が保管されている。地蔵通りが墨堤通りと交差する右脇に子育地蔵堂があり、6基の江戸時代の庚申塔がたてられている。

蓮花寺脇を北にぬけると、向島百花園(国名勝、国史跡)にでる。仙台の出身で、日本橋の骨董屋佐原鞠塢(菊屋宇兵衛)が、この地に3000坪(約9900㎡)の土地を求めて別荘とし、交流のあった文人墨客、蜀山人・亀田鵬斎・加藤千蔭・村田春海・谷文晁・酒井抱一らとともに、三百数十本のウメの木を植えて造園にあたった。その後も文人たちが思い思いの木をもちこんだことから、大名屋敷や社寺の庭園にはみられない野趣に富んだ庭園となり、花屋敷・新梅屋敷・七草園などとよばれた。1938(昭和13)年東京市に寄贈され、東京大空襲で大きな被害をうけたが、現在では昔の姿を取り戻している。園内には山上憶良の秋の七草碑など、約30基ほどの歌碑・句碑がたてられている。隅田川七福神の1つ福禄寿がまつられている。

白鬚神社 ㉑
03-3611-2750
〈M▶P.216,241〉墨田区東向島3-5
東武伊勢崎線東向島駅 🚶 8分

祭神は近江国から勧請 七福神のうちの寿老人

向島百花園から墨堤通りにでると、白鬚神社がある(祭神猿田彦命)。951(天暦5)年慈恵大師が関東にくだったとき、近江国志賀郡打下(現、滋賀県高島町)の白鬚大明神を勧請したものという。白鬚大明神は朝鮮からの渡来人がまつった神である。境内には墨

白鬚神社

河川の改修と江戸の舟運

コラム

洪水対策と舟運の利便をはかる河川改修

　1590(天正18)年の徳川家康の江戸入府にあたり、江戸への物資輸送路の整備と治水が大きな問題となった。当時の関東平野には、江戸湾に流れ込む太日(井)川・利根川・入間川の三大河川があった。とくに、利根川の支流であった荒川は、しばしば洪水をおこす荒れ川であった。千住大橋辺りから下流のことを住田川といい、それより上流は荒川とよばれる。

　江戸時代前半を中心に、幕府は数度におよぶ大規模な河川の改修工事(河道のつけ替え)を行った。その結果、荒川は入間川と合流し、利根川は太日川と合流した(下総国関宿付近から下流を江戸川という)。その後の工事によって、17世紀後半には、利根川本流を鬼怒川・常陸川と合流させて、銚子から太平洋に放流させ江戸を水害から守ることに成功した。こうして関東平野は肥沃な水田地帯となり、江戸の洪水の被害も少なくなった。また、川を利用して北関東・下総・常陸地方の物資を船で運ぶ、江戸川―船堀川―中川―小名木川―隅田川という安全な内陸水路が成立した。東北地方の太平洋岸からも、利根川の銚子―関宿を経由して江戸へ米を運ぶ定期航路が開かれた。隅田川の蔵前や日本橋は、多くの倉がたち並ぶ流通の中心地となった。これに伴い、これらの河川の各地には、河岸(川岸)とよばれる船着場・物資の積みおろし場が設けられ、地方の特産物を江戸へ運ぶとともに、江戸文化を地方に伝える1つの拠点となった。

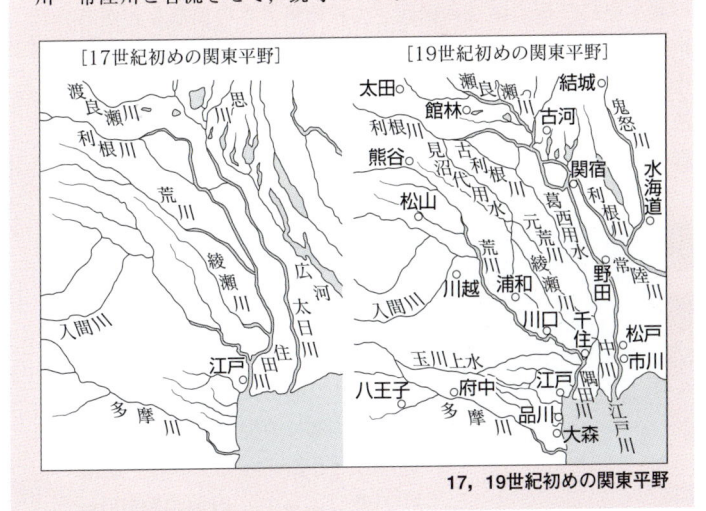

17, 19世紀初めの関東平野

下町の風情を残す墨田堤

247

田三絶碑など多くの碑がたてられている。佐原鞠塢は，墨堤の社寺で七福神の寿老人が欠けていたところから，この神社のご神体の白鬚大明神を寿老人にみたてて寿老神とし，七福神をそろえた。

墨堤通りを北に進むと，左手に白鬚橋がある。江戸時代以後には橋場の渡しといわれ，浅草側の橋場と寺島を結んでいた。1914（大正3）年の架橋で，1932（昭和7）年，現在の橋にかけ替えられた。

木母寺 ㉕
03-3612-5880
〈M▶P.216,241〉墨田区堤通2-16-1
東武伊勢崎線鐘ヶ淵駅 徒7分

梅若伝説の残る寺　戦災を免れた梅若堂

鐘ヶ淵駅より鐘淵通りを西へいき，墨堤通り（堤通り）にでると，東白鬚防災団地の高層住宅群がみえる。9号棟の東面の梅若公園には，梅若伝説を伝える梅若塚碑（都旧跡）がある。さらに西のはずれに木母寺（天台宗）がある。梅若伝説とは，吉田少将惟房の子梅若丸が，人買いにあざむかれ隅田川原で非業の最期をとげた。それを僧忠円が塚に葬り，ヤナギの木を植えて目印にしたという。976（貞元元）年のことと伝えられる。この伝説は，世阿弥の長男観世十郎の謡曲『隅田川』の題材となり，広く世に知られることとなった。

寺名は古く梅若寺といったが，1607（慶長12）年前関白近衛信尹が参拝し，このとき「梅」の字にちなんで，木母寺と命名したという。本堂内の展示室に「梅若権現御縁起」や近衛信尹書の扁額などがある。境内には，落語家初代・2代三遊亭円生を記念する三遊塚や，明治の生糸商人田中平八を顕彰した「天下の糸平」碑などがある。また明治中期建造で，戦災を免れた梅若堂がガラス張りの鞘堂のなかに保存されている。

木母寺の南に，隅田川の総鎮守，水神社とよばれた隅田川神社（祭神速秋津日子神ほか）がある。源頼朝が平氏打倒の兵をあげ，下総から武蔵にはいるとき，仮設の船橋をかけて隅田川を渡った。そのおりに，水神の霊に感じて社殿を造営したと伝えられている。防潮堤工事によって，旧地の約100m

鞘堂内の梅若堂

南の現在地に移された。社殿前には狛犬のかわりに石亀がおかれ,境内には隅田川八景の碑がある。

　堤通り沿いの梅若公園内に, 榎本武揚の銅像がたっている。榎本武揚は, 江戸幕府滅亡時の海軍奉行で, 戊辰戦争では箱(函)館の五稜郭にたてこもって政府軍に抵抗したが, のち明治政府の要職についた。晩年は向島に住み, この辺りまで馬に乗り散策し, 茶店で一杯の冷酒を楽しんだという。

　墨堤通りの1本東側の旧道には古い寺院が多い。正福寺(新義真言宗)には, 1833(天保4)年に行われた隅田川の橋場付近の浚渫工事の際に, 川床から出土した多くの頭骨をまつった地蔵尊や, 「宝治二(1248)年」の銘をもつ板碑がある。

　鐘淵通りの交差点に近い円徳寺(曹洞宗)には, 隅田川の水害からまもる竜神がまつられている。円徳寺の西側の旧道を北へ500mほどいくと多聞寺(真言宗)に着く。ここは旧隅田村の北のはずれで, 北を守護する毘沙門天(多聞天ともいう。隅田川七福神)がまつられている。茅葺きの山門は, 本柱の前後に2本ずつの控柱をもつ四脚門で, 江戸前期の建造といわれ, 現存する墨田区内最古の木造建造物である。

【東京都のあゆみ】

最初の「東京人」

　関東平野の崖や切通しにみられる赤土の地層＝関東ローム層は、約40万年前から1万年前までの長い期間に断続した古富士火山や箱根火山などの噴火の産物である。この関東ローム層のうち、もっとも上層である立川ロームと名づけられた地層が、最初の「東京人」たちの生活の舞台であった。1951(昭和26)年、一高校生によって発見された茂呂遺跡は、東京都を含む南関東地方に旧石器文化が存在したことを証明する遺跡である。ここで発見されたナイフ型石器は、「茂呂型」と名づけられた旧石器文化の標式石器である。今から数万年前、更新世の比較的寒冷な自然環境のなかで暮らしていた人びとが、われわれの祖先である。

　約1万年前になると、地球は温暖化し、地質年代では完新世になる。陸地をおおっていた氷がとけ、海が陸地を侵食する海進現象がおこった。関東平野の低地は、現在の栃木県南部まで海岸線がはいりこんでいた。気候の温暖化に伴って動植物相が大きくかわり、生活の諸相も変化した。あらたに土器を発明した人びとの文化＝縄文文化の遺跡として、当時の海辺に住んだ人びとの残した貝塚が注目される。1877(明治10)年のアメリカ人エドワード・モースの発掘で知られる大森貝塚は、近代日本考古学の出発点となった遺跡である。

弥生文化と古墳の誕生

　関東地方に稲作と金属器の使用に特徴づけられる弥生文化が伝わったのは、紀元前後のことであろうと推定されている。弥生文化の「弥生」という呼称は、土器発見地の本郷向ヶ丘弥生町(現、文京区弥生2丁目)の地名に由来する。稲作の発展、農耕にもとづく社会の発展とともに、各地に豪族が登場し、階級社会が形成されはじめた。豪族の権威の象徴である古墳の築造が都内の地ではじまるのは、4世紀後半のことである。多摩川の下流域は、川に沿って多くの古墳が集中している。世田谷区玉川野毛公園の野毛大塚古墳、大田区田園調布の宝莱山古墳、亀甲山古墳などのように、その規模は大きく、国または都の史跡・旧跡に指定されたものも多い。この古墳群から、南関東屈指の有力な政治集団(豪族)がこの地域に勢力をふるったことが推測できる。

律令制の時代

　律令制下の武蔵国は、現在の東京都・埼玉県と神奈川県の川崎市・横浜市を含む広大な地域で、21郡を数える大国であった。現在の東京都に属するのは、多摩・荏原・豊島の3郡と、足立・都筑両郡の一部である。また現在の隅田川以東の城東地区は下総国葛飾郡に、伊豆諸島は伊豆国賀茂郡にそれぞれ属していた。武蔵国府(国衙)は多摩郡小野郷(現、府中市)におかれた。武蔵国のなかで国府の位置が南に片寄っているのは、大和朝廷の屯倉がおかれ、その支配が早くからおよんでい

たことによるのであろう。国府の北方(現,国分寺市)に建立された国分寺・国分尼寺の規模は,全国の国分寺のなかで最大のものであったという。

東大寺正倉院に伝わる律令制下の戸籍は,当時の家族構成などがうかがえる貴重な史料である。その1つ,下総国葛飾郡大嶋郷のものには,甲和(小岩)里・嶋俣(柴又)里などの地名がみられる。また,平城京出土の木簡のなかには,現在の都内各地の公民が納入した税の付札も発見されている。

平安時代にはいると,武蔵国には中央の官司をはじめ,寺社・皇室・貴族の私領や牧の開発・設置がふえた。のちの坂東武士と関係深い馬が,官牧・勅旨牧から中央に貢進されていた。

武士団の成立

10世紀から12世紀にかけて,関東各地で武士団がうまれ,ことに南関東各地に大きな勢力を築きあげたのは,坂東八平氏といわれる桓武平氏の一族であった。現在の東京都区域には豊島荘・葛西荘・江戸荘などの荘園がうまれ,それぞれの地名を名字とする豊島氏・葛西氏・江戸氏らが坂東武士として活躍するようになる。

源氏と坂東武士の結びつきは,清和源氏の甲斐守源頼信が,1031(長元4)年に平忠常の乱を鎮圧したことにはじまる。その後頼義・義家がともに陸奥守鎮守府将軍となり,前九年の役(1051〜62年)・後三年の役(1083〜87年)の戦いをつうじて,清和源氏の嫡流と坂東武士との間に強固な主従関係が結ばれ,大武士団が形成された。

武家政権と坂東武士

1180(治承4)年,平氏打倒の兵を挙げ,石橋山の戦いを経て,鎌倉入りした源頼朝は平氏の知行国であった武蔵国を奪い,江戸重長を抜擢して,その国務を重長に代行させた。江戸氏一族は有力御家人としての地位を認められ,鎌倉幕府・足利氏につかえ,惣領家が没落後も庶流は,後北条氏さらに徳川氏につかえて長く続いた。千代田区北の丸公園内の発掘によって,鎌倉時代の遺物が多く出土しているのは,江戸氏の居城が現皇居の一部にあったことを示している。江戸氏は,豊島・荏原・多麻の各郡に所領をもち,江戸周辺から,多摩川流域の六郷・丸子・末田見方面にひろがっていた。

東京南部を本拠とする江戸氏に対し,豊島氏は,現在の北区中里の平塚城に拠り,石神井川沿いに西へ勢力をのばした。14世紀半ばに石神井城を築き,豊島・足立・多麻・児玉・新座の5郡を領したが,1477(文明9)年太田道灌によって滅ぼされた。また,東京東部には葛西氏,多摩方面には大石氏らが割拠していた。

鎌倉幕府の滅亡から南北朝動乱の時代の約100年間,各地でも多くの戦闘が繰り返された。15世紀初めには,室町幕府は安定期を迎える。しかし,関東では南北朝両派の抗争にかわって,鎌倉公方と関東管領,さらに幕府のからんだ対立・抗争が激化し,関東一円は全国にさきがけて戦乱の時代にはいることとなった。

東京都のあゆみ

江戸・豊島氏ら有力武士のあいだでは、惣領制的統制がしだいに弱まり、一族(庶子)の自立化が進んだ。その一方で、あらたに中野長者・渋谷長者・白金長者などとよばれる新しい土豪層が成長してきた。都内各地の中世の城・館跡は、160カ所をこえるが、その多くは中世後期の中小武士の成長期のものであろう。また、現在、都内で古い由緒をもつ寺院・神社の多くは、このころの武士が開いたとされている。

江戸城築城と後北条氏の関東支配

扇谷上杉定正の家宰太田道灌は、ひたすら「関東御静謐」を願って戦いに東奔西走したが、定正により暗殺された。道灌が江戸城を築いたのは、1456(康正2)～57(長禄元)年と伝えられる。この江戸城は現皇居の旧本丸とその周辺と考えられており、江戸時代の江戸城にくらべると、10分の1の規模にも満たないものであった。当時の江戸は、日比谷の入江が南から深く湾入しており、文人としても名高い道灌は、「わが庵は　松原続き　海近く　富士の高嶺を　軒端にぞ見る」と詠んでおり、往時の状況をしのばせる。道灌の江戸城構築によって、武蔵国の中心は府中から江戸に移ることとなった。

16世紀にはいると、北条早雲(伊勢宗瑞)の子氏綱は、武蔵国の支配権を確立しようとして、伊豆・相模から武蔵国南部に兵をすすめ、上杉氏と武蔵国の支配をめぐって争った。氏綱の子氏康の時代には、越後の長尾景虎(上杉謙信)や甲斐の武田信玄がしばしば武蔵国に侵入した。しかし、武蔵国南部はおおむね後北条氏の支配に服していた。

江戸開府

1590(天正18)年後北条氏の滅亡によって、100年におよぶ後北条氏の関東支配はおわりを告げた。徳川家康は豊臣秀吉から武蔵・相模など6カ国に国替えすることを命じられた。家康が本拠地に選んだ江戸に正式にはいったのは、その年の8月1日であった。江戸幕府が八朔(8月1日)を五節句に準じた重要な年中行事と定めたのは、家康の江戸入府からきている。関ヶ原の戦いに勝ち、1603(慶長8)年には征夷大将軍となった家康は、その威光を示すために翌年から本格的に築城工事にとりかかった。多くの外様大名の負担で石材・木材が運ばれて、本丸・二の丸・三の丸、五層の天守閣や外曲輪の石垣が築かれ、大城郭が完成した。その後も増改築の工事が繰り返された。

家康は、江戸城に通じる運河を掘らせ、船積みの物資を直接江戸城に運ぶようにした。この堀に沿って、最初の町人地となる町屋が開かれた。また、本丸の南側に西の丸を造営した際の上げ土で、日比谷の入江を埋め立て、さらに神田台を崩した土で前島の洲崎も埋め立てた。こうして現在の神田・日本橋・京橋・銀座などの下町が造成され、碁盤目状の街路で区切られた町割が定められた。江戸湾から直接接岸できる河岸(船着き場)が設けられ、日本橋・江戸橋などがかけられた。日本橋を

起点とする五街道などの幹線道路につうじる市内の道路も整備された。

　江戸の町の約70%は武家町で，江戸城防衛の観点から，丸の内・桜田方面には大名屋敷，麴町・番町辺りや神田・駿河台方面には旗本・御家人の屋敷地などが配備された。寺社地と町人地はそれぞれ約15%で，日本橋を中心とする下町は町人に割り当てられた。

　江戸の多くの土地は，低湿地の埋立地であったから飲み水に恵まれず，上水道の建設が急務であった。慶長年間(1596～1615)に完成したのが神田上水である。この上水はわが国における飲用を主とした公共水道の最初とされているもので，井の頭池を水源とし，善福寺池と妙正寺池をあわせ，小石川関口町，水道橋を経て，神田・日本橋・京橋などに給水した。その後江戸の発展に伴い，1654(承応3)年には玉川上水が引かれ，江戸城および銀座・築地以南，赤坂・麻布一帯にかけての給水をまかなった。

江戸の流通と人口の増加

　江戸を終点とする全国的な水運網の整備によって，全国からの物資が江戸に集中し，日本最大の消費都市江戸の経済がささえられた。「天下の台所」大坂から江戸にはいる商品は，「下り物」といわれ，日常生活に必要な消費物資の多くは生産力と技術水準の高い上方から供給された。一方，江戸近郊からの入荷品は「地廻り物」といわれ，米・味噌・薪炭・魚油・塩など，さらに18世紀後半より関東・東北・東海などでの江戸向けの商品生産が活発化すると，木綿・油・醤油なども地廻り物が中心となり，下り物の比重がしだいに低下していった。

　流通網の整備に伴って，江戸の人口も急速に増加していった。江戸時代後半の江戸の人口は，一般的には約130万人とされる。しかし，御府内(大木戸の内側)の外側にひろがっている市街地や江戸四宿(千住・板橋・内藤新宿・品川)までも含めると，大江戸の人口は200万人近いと考えられる。1661年に46万人，1801年で86万人のロンドンとくらべると，18～19世紀前半には，江戸の人口が世界最大であったといえる。

江戸から東京へ

　1868(慶応4・明治元)年戊辰戦争のさなか，勝海舟と西郷隆盛との会談によって，江戸城総攻撃は回避された。維新政府は，江戸を東京と改めて，明治と改元後，江戸城を皇居として東京城と改称し，翌年には遷都の詔のないまま事実上の首都とした。

　近代化政策をすすめる明治政府によって，東京府の行政区域が定められた。当初は，旧江戸に大区小区制がしかれていたが，1878(明治11)年に15区に再編成され，1889年にはこの15区が東京市となった。さらに，1893年三多摩郡(北多摩・西多摩・南多摩)地方が神奈川県から東京府に編入されて，現在の東京都の行政区域が確定した。

東京都のあゆみ

東京の文明開化は築地からはじまった。1867(慶応3)年，幕府によって外国人居留地に指定されていた築地を，明治政府が整備したことから，洋風家屋のたち並ぶ一区画が出現した。1872(明治5)年2月の銀座の大火をきっかけとして，東京府は首都東京の外観を整えるため，ロンドンの繁華街リージェント街をモデルとした市街地改造事業を行った。赤レンガ2階建ての列柱廊とバルコニー付きの洋館店舗1400余戸がたち並び，15間(約27.3m)幅のレンガ舗道にガス灯がともる文明開化の象徴，銀座八丁が建設された。また，1872年には，新橋・横浜間を53分で結ぶ鉄道が開通した。こうして，築地外国人居留地・銀座煉瓦街・新橋停車場は，日本橋の商業街とともに，東京の新しい顔となった。

明治・大正の東京

　明治時代の東京は，文明開化にわく下町に対して，武家地であった山手では，多くの大名屋敷が，官庁・軍事施設・大学などの教育施設になったり，華族や新政府の高官の屋敷となったりした。明治時代後半になると，「お役所の麴町，書生の神田，華族の赤坂，腰弁(役人)の四谷，学者の小石川，角帽(大学生)の本郷」(『東都新繁盛記』)などといわれ，新しいイメージの山手が誕生する。

　丸の内では，1889(明治22)年に三菱会社がこの一帯の陸軍用地を購入し，イギリス人建築家ジョサイア・コンドルの指導で洋風レンガ造りの貸し事務所を建築し，明治末年までに第13号館までが建築された。1908年には，辰野金吾の設計になる東京中央停車場(現，東京駅)の基礎工事が開始され，1914(大正3)年に完成した。

　1888(明治21)年に東京市区改正条例が公布され，市区改正事業がはじまり，パリの再開発をモデルとした道路の整備と上水道改良工事が推進され，1899年には市内への給水が開始された。

　大正時代にはいると，隅田川両岸の多くは工場地帯となり，下流域を洪水からまもるために，荒川放水路開削工事が1924(大正13)年に完成した。東京湾沿岸には，川崎・横浜にかけて京浜工業地帯が形成された。こうしたなかで，中産階級のサラリーマン人口が増加し，山手にはそうした人びとの住宅が多くなり，渋谷・新宿を起点とする私鉄が敷設されて，郊外に住宅地がひろがった。また，自然の景観を取りいれた田園都市をつくる試みが行われた(現，大田区田園調布)。

関東大震災・第二次世界大戦

　1923(大正12)年の関東大震災では，東京市内48万余戸のうち，4222戸が全壊し，6336戸が半壊，3日間にわたって火災が続き，市内で約30万戸が全焼した。当時の日本橋・神田・浅草・本所の各区は，その面積の9割以上を焼失するなど，下町地域は壊滅的な被害をうけた。被災人口は，東京市人口の75%の約170万人，死傷者・行方不明者は10万人を数えた。関東大震災の復興計画によって，東京の道路体系が整備された。震災の経験から避難地としての公園の整備，隅田川にかかる橋のかけ替え工事も行われた。

関東大震災後，住宅地の郊外への拡大・発展に伴って，東京市と隣接市町村を制度面で一体化する気運がおこり，1932(昭和7)年には，東京府下の5郡82町村を東京市に編入して35区とした。この「大東京」市は，人口551万人を数え，人口ではニューヨークにつぐ大都市となった。1941年12月8日第二次世界大戦に突入すると，戦時体制を強化する必要から，1943年には東京都制を実施して，行政の単一化がはかられた。1945年3月10日東京大空襲によって，東京は壊滅した。さらに，5月24・25日の空襲で，山手の大半が焼失し，東京の街は焦土と化した。

現代の東京

　1947(昭和22)年，区の統廃合が実施されて，35区から23区に編成替えが行われた。都市改造計画実施の絶好の機会であったが，急激な人口の増加，住宅難と食糧難，都財政の弱体，インフレの昂進によって，あらたな都市計画はほとんど行われなかった。

　1964年の東京オリンピックを契機とした都市開発によって，東京の景観は一変した。しかし，公害により居住環境は悪化し，地価の高騰などによって，都民の生活は厳しい条件下におかれることとなった。オイルショック後の1970年代後半に静まったかにみえた大規模開発は，1980年代後半のバブル景気のなかで加速され，東京の景観は変貌し続けていった。

　現代の東京は，神奈川・千葉・埼玉の隣接県をも東京に同質化させながら，さらに膨張しつつある。1990年代にウォーターフロントといわれる東京湾臨海部の再開発の実施は，「御台場」(13号埋立地)が臨海副都心計画の中心地となり，再開発が進められている。

　東京のさまざまな再開発事業は，東京の景観を日々変化させ続けている。21世紀を迎えた現在，江戸のよき伝統を残しながら，より住みよい都市東京として発展することを期待したい。

【文化財公開施設】　　　　　　　　　　　①内容，②休館日，③入館料

宮内庁三の丸尚蔵館　　〒100-8111千代田区千代田1-1　℡03-3213-1111　①皇室伝来の美術・工芸品，②月・金曜日，展示期間中の天皇誕生日，年末年始，③無料

東京国立近代美術館　　〒102-8322千代田区北の丸公園3-1　℡050-5541-8600　①20世紀の絵画・版画・彫刻の作品，②月曜日，③有料（中学生以下・65歳以上無料）

国立公文書館　　〒102-0091千代田区北の丸公園3-2　℡03-3214-0621　①明治以来の国の公文書，内閣文庫の蔵書，②日・月曜日，祝日，年末年始，③無料

科学技術館　　〒102-0091千代田区北の丸公園2-1　℡03-3212-2440　①宇宙科学から農業までの科学技術知識の啓蒙・普及，②一部の水曜日，年末年始，③有料

東京ステーションギャラリー　　〒100-0005千代田区丸の内1-9-1　℡03-3212-2485　①現代彫刻・建築デザイン，赤レンガ駅舎，②月曜日，年末年始，展示替え期間中，③有料

三菱一号館美術館　　〒100-0005千代田区丸の内2-6-2　℡050-5541-8600　①19世紀末の絵画や美術工芸品など，②月曜日，年末，元旦，③有料

天理ギャラリー　　〒101-0054千代田区神田錦町1-9 東京天理教館9階　℡03-3292-7025　①考古美術品・海外民俗資料，②企画展により異なる，夏期（8月13～17日），年末年始ほか，③無料

出光美術館　　〒100-0005千代田区丸の内3-1-1 帝劇ビル9階　℡03-5777-8600　①書画・陶磁器など，②月曜日，年末年始，展示替え期間，③有料（中学生以下無料）

憲政記念館・尾崎メモリアルホール　　〒100-0014千代田区永田町1-1-1　℡03-3581-1651　①国内外の議会政治資料，②毎月の月末日，年末年始，③無料

国立国会図書館　　〒100-8924千代田区永田町1-10-1　℡03-3581-2331　①国内外・新旧の図書・資料，②日曜日，第3水曜日，祝日，年末年始，③無料（入館は満18歳以上）

日枝神社宝物館　　〒100-0014千代田区永田町2-10-5　℡03-3581-2471　①徳川家歴代の将軍が神社に奉納したもの，②年中無休，③有料

四番町歴史民俗資料館　　〒102-0081千代田区四番町1　℡03-3238-1139　①千代田区民使用の生活用具(民俗資料)，②第1日曜日，年末年始，展示替え期間，③無料

千秋文庫博物館　　〒102-0074千代田区九段南2-1-36　℡03-3261-0075　①旧秋田藩佐竹家伝来の古文書・絵画・書など，②日・月曜日，祝日，年末年始，展示替え期間，③有料

昭和館　　〒102-0074千代田区九段南1-6-1　℡03-3222-2577　①戦中・戦後の生活用品など，②月曜日，年末年始，③有料

靖国神社遊就館　　〒102-0073千代田区九段北3-1-1　℡03-3261-0996　①兵器・旧軍関係資料・戦没者関係資料，②無休，③有料

明治大学博物館　　〒101-8301千代田区神田駿河台1-1 アカデミーコモン地階　℡03-3296-4448　①遺跡出土品・刑事関係資料・手工業品，②夏期休業日（8月10～16日），8月18日，冬期休業日（12月26日～1月7日），日曜日・祝日，③無料

湯島聖堂　　〒113-0034文京区湯島1-4-25　℡03-3251-4606　①江戸時代建造の入徳門・水屋，大成殿に孔子像，②夏期（8月13～17日），年末年始，③無料

神田明神博物館　　〒101-0021千代田区外神田2-16-2　℡03-3254-0753　①神田祭関係

資料, ②なし, ③有料

湯島天神宝物館　〒113-0034文京区湯島3-30-1　℡03-3836-0753　①神輿, 菅原道真画像, 富籤箱, ②不定期, ③有料

法政大学沖縄文化研究所　〒102-8160千代田区富士見2-17-1 ボアソナードタワー21階　℡03-3264-9393　①沖縄を中心とする南西諸島に関する資料, ②土・日曜日, 祝日, 大学の休日, 臨時閉室あり, ③無料

台東区立下町風俗資料館　〒110-0007台東区上野公園2-1　℡03-3823-7451　①明治・大正の商家・長屋, 生活用具と遊び道具, ②月曜日, 年末年始, 特別整理期間, ③有料

旧岩崎邸庭園　〒110-0008台東区池之端1-3-45　℡03-3823-8340　①三菱財閥3代目岩崎久弥の旧邸宅。洋館・撞球室・和館, 広大な庭園, ②年末年始, ③有料

横山大観記念館　〒110-0008台東区池之端1-4-24　℡03-3821-1017　①大観の遺作・遺品, ②月・火曜日, ③有料

東京国立博物館　〒110-8712台東区上野公園13-9　℡03-3822-1111　①絵画・彫刻・金工・書蹟・染織・漆工・考古資料など, ②月曜日, 年末年始, ③有料(高校生以下・65歳以上は常設展無料)

国立西洋美術館　〒110-0007台東区上野公園7-7　℡03-3828-5131　①松方コレクション(西洋絵画・近代彫刻), ②月曜日, ③有料(高校生以下・65歳以上, 第2・4土曜日, 文化の日は常設展無料)

国立科学博物館　〒110-8718台東区上野公園7-20　℡03-5777-8600　①自然科学に関する資料・参考品, ②月曜日, 12月28日～1月1日, ③有料(高校生以下・65歳以上は常設展無料)

旧東京音楽学校奏楽堂　〒110-0007台東区上野公園8-43　℡03-3824-1988　①日本最古の木造洋式音楽ホール, ②月曜日, 年末年始, 特別整理期間, 水・金・土曜日は, ホールなどの使用がある場合は非公開, ③有料

東京芸術大学美術館　〒110-8714台東区上野公園12-8　℡03-5777-8600　①歴代の芸大卒業生の作品, ②月曜日, 年末年始, 入試期間, 展示替え・保守点検期間, ③有料(中学生以下無料)

黒田記念館　〒110-8712台東区上野公園13-9　℡03-5777-8600　①黒田清輝の作品, ②月曜日, 年末年始, ③無料

東京都美術館　〒110-0007台東区上野公園8-36　℡03-3823-6921　①絵画・彫刻などの公募展・企画展, ②第1・3月曜日, 年末年始, 整理期間, ③有料

上野の森美術館　〒110-0007台東区上野公園1-2　℡03-3833-4191　①国内外美術品, ②不定休・年末年始, ③企画展は有料

台東区立朝倉彫塑館　〒110-0001台東区谷中7-18-10　℡03-3821-4549　①朝倉文夫の遺作・遺品, ②月・木曜日, 年末年始, 特別整理期間, ③有料

大名時計博物館　〒110-0001台東区谷中2-1-27　℡03-3821-6913　①江戸時代の和時計, ②月曜日, 夏期, 12月25日～1月14日, ③有料

書道博物館　〒110-0003台東区根岸2-10-4　℡03-3872-2645　①中国の拓本・石碑・亀甲獣骨文字, ②月曜日, 年末年始, 特別整理期間, ③有料

日本銀行金融研究所貨幣博物館　　〒103-0021中央区日本橋本石町1-3-1 日本銀行分館内　℡03-3277-3037　①国内外の貨幣，金融制度資料，②月曜日，祝日，年末年始，臨時休館あり，③無料

凧の博物館　　〒103-0027中央区日本橋1-12-10 たいめいけんビル5階　℡03-3275-2704　①江戸凧，国内の凧，②日曜日，祝日，③有料

東証プラザ「証券史料ホール」　　〒103-8220中央区日本橋兜町2-1 東証本館1階　℡03-3665-1881，①株式，証券の歴史，②土・日・祝日，年末年始，③無料

アーティゾン美術館　　〒104-0031中央区京橋1-7-2　℡03-5777-8600　①フランス印象派・日本の近代絵画・彫刻，②月曜日，③有料(中学生以下無料)

国立映画アーカイブ　　〒104-0031中央区京橋3-7-6　℡050-5541-8600　①映画上映，映画関係資料，②月曜日，展示替え期間・年末年始，臨時休館あり，③有料(高校生以下・65歳以上無料)

警察博物館　　〒104-0031中央区京橋3-5-1　℡03-3581-4321　①警視庁関係の歴史資料，②月曜日，年末年始，③無料

中央区立郷土天文館(タイムドーム明石)　中央区明石町12-1 6階　℡03-3546-5537　①中央区・明石町に関する資料，②火～金曜日(10：00～19：00)，土・日・祝休(10：00～17：00)，休館日　月曜日(祝休日は翌日休み)，年末年始，③有料(中学生以下無料)

石川島資料館　　〒104-0051中央区佃1-11-8 ピアウエストスクエア1階　℡03-5548-2571　①石川島造船所，佃島，石川島の歴史，②月・火・木・金・日曜日，年末年始，③無料

浜離宮恩賜公園　　〒104-0046中央区浜離宮庭園1-1　℡03-3541-0200　①江戸時代の庭園，鴨場など，②年末年始，③有料(小学生以下，都内在住・在学の中学生無料)

旧芝離宮恩賜公園　　〒105-0022港区海岸1-4-1　℡03-3434-4029　①江戸時代の庭園，西湖の堤，②年末年始，③有料(小学生以下，都内在住・在学の中学生無料)

旧新橋停車場鉄道歴史展示室　　〒105-0021港区東新橋1-5-3　℡03-3572-1872　①鉄道の歴史，汐留駅の出土品，②月曜日・年末年始，展示替え期間，③無料

アドミュージアム東京　　〒105-7090港区東新橋1-8-2 カレッタ汐留内　℡03-6218-2500　①広告の歴史，②日・月曜日，年末年始，③無料

かちどき　橋の資料館　　〒104-0045中央区築地6丁目先　℡03-3543-5672　①勝鬨橋をはじめ隅田川の橋に関する資料，模型，②月・水・日曜日，年末年始(橋脚内見学ツアーは木曜日のみ，要予約)，③無料

足立区立郷土博物館　　〒120-0001足立区大谷田5-20-1　℡03-3620-9393　①足立区内の歴史・考古・民俗資料，②月曜日，年末年始，③有料(中学生以下，70歳以上無料)

葛飾区郷土と天文の博物館　　〒125-0063葛飾区白鳥3-25-1　℡03-3838-1101　①葛飾区内の歴史・民俗資料，プラネタリウム，②月曜，第2・4火曜日，年末年始，③有料

江戸川区立郷土資料室　　〒132-0031江戸川区松島1-38-1 グリーンパレス3階　℡03-5662-7176　①江戸川区内の歴史・考古・民俗資料，②祝日，年末年始，③無料

地下鉄博物館　　〒134-0084江戸川区東葛西6-3-1　℡03-3878-5011　①地下鉄車両，歴史資料，②月曜日，③有料

日本文具資料館　　〒111-0052台東区柳橋1-1-15 東京文具販売健康保険組合会館1階　℡03-3861-4905　①文具展示，②土・日曜日，祝日，年末年始，③無料

皮革産業資料館	〒112-0023台東区橋場1-36-2　℡03-3872-6780　①靴・鞄・袋物などの皮革製品，②月曜日，祝日，年末年始，③無料
かわとはきものギャラリー	〒111-0033台東区花川戸1-14-16 東京都立皮革技術センター台東支所内　℡03-3843-5912　①履き物や皮革産業の歴史資料，②土・日曜日，祝日，年末年始，③無料
台東区立一葉記念館	〒110-0012台東区竜泉3-18-4　℡03-3873-0004　①樋口一葉の自筆原稿・書簡・遺品，②月曜日，年末年始，特別整理期間中，③有料
江東区深川江戸資料館	〒135-0021江東区白河1-3-28　℡03-3630-8625　①江戸末期の深川の町並みを再現，②第2・4月曜日，年末年始，展示替え期間，③有料
江東区芭蕉記念館	〒135-0006江東区常盤1-6-3　℡03-3631-1448　①芭蕉関係の書画，俳文資料，②第2・4月曜日，年末年始，展示替え期間，③有料
江東区中川船番所資料館	〒136-0072江東区大島9-1-15　℡03-3636-9091　①水運・物流関係資料，和釣竿，②月曜日，年末年始，展示替え期間，③有料
都立第五福竜丸展示館	〒136-0081江東区夢の島2-1-1　℡03-3521-8494　①ビキニ環礁沖水爆実験被災の第五福竜丸と関連資料，②月曜日，③無料
両国花火資料館	〒130-0026墨田区両国2-10-8　℡03-5608-6181　①花火関係歴史資料・錦絵，②月・火・水曜日，年末年始，7・8月は毎日開館，③無料
東京都江戸東京博物館	〒130-0015墨田区横網1-4-1　℡03-3626-9974　①江戸・東京の都市形成・発展過程と，文化変容の動向，②月曜日，年末年始，③有料(小学生以下，都内在住・在学の中学生無料)
相撲博物館	〒130-0015墨田区横網1-3-28 両国国技館内　℡03-3622-0366　①錦絵・番付など相撲に関する資料，②本場所期間外の土・日曜日，祝日，年末年始，③無料
東京都復興記念館	〒130-0015墨田区横網2-3-25　℡03-3622-1208　①関東大震災・第二次世界大戦の戦災に関係する資料，②月曜日，年末年始，③無料
刀剣博物館	〒130-0015墨田区横網1-12-9　℡03-6284-1100　①刀剣・刀装具・甲冑・金工資料など，②月曜日，年末年始，③有料
東京大空襲・戦災資料センター	〒136-0073　℡03-5857-5631　①大空襲前後の暮らしを示す実物・写真，焼夷弾模型，灯火管制下の部屋再現など，②月曜日，年末年始，③有料
すみだ北斎美術館	〒130-0014墨田区亀沢2-7-2　℡03-6658-8936　①北斎の各期を代表する錦絵・肉筆画など，②月曜日，年末年始，③有料
すみだ郷土文化資料館	〒131-0033墨田区向島2-3-5　℡03-5619-7034　①隅田区内資料・隅田川関係資料・葛飾北斎の浮世絵，②月曜日，第4火曜日，年末年始，③有料(中学生以下無料)

【無形民俗文化財】(*は国指定。それ以外は都指定)

[民俗芸能]

江戸の祭囃子

　葛西囃子　　葛飾区(葛西囃子保存会)　9月中旬葛西神社祭礼,11月酉の日

　葛西囃子　　江戸川区(東都葛西囃子睦会)　8月26日ごろ香取神社例祭,10月10日江戸川区民祭,11月3日江戸川文化祭ほか

　神田囃子　　千代田区神田地区(神田囃子保存会)　1月5日甲子大黒祭,2月3日節分,隔年5月第2土・日曜日(神田祭)ほか

江戸の里神楽

　若山社中*　　台東区(江戸太神楽保存会)　神田祭・三社祭

　松本社中*　　荒川区　山王祭

　葛西の里神楽　　江戸川区(葛西神楽保存会)　1・5・9月の25日亀戸天神月並祭,10月末か11月初めの日曜日江戸川区綜合芸能文化祭ほか

浅草神社のびんざさら　　台東区浅草神社　三社祭(5月17・18日に近い土・日曜日)初日の前日

木魚念仏　　台東区(江戸木魚節保存会)　不定期

江戸の太神楽　　台東区上野桜木町　山王祭・神田祭

木場の角乗　　江東区深川・木場地区　10月第3日曜日　江東区民まつり

深川の力持　　江東区深川地区　10月第3日曜日　江東区民まつり

木場の木遣　　江東区深川・木場地区　10月第3日曜日　江東区民まつり

葛西のおしゃらく　　江戸川区(葛西おしゃらく保存会)　6月28日雷不動縁日(真蔵院)

佃島の盆踊り　　中央区佃1丁目一帯　7月13〜15日

[芸能]

糸あやつり　　足立区六月2-5　竹田人形座

【おもな祭り】(国・都指定無形民俗文化財をのぞく)

七福神めぐり　　入谷七福神(台東区・荒川区),隅田川七福神(墨田区),深川七福神(江東区)　1月1〜7日

どんど焼　　鳥越神社(台東区)　1月8日

初観音・亡者送り　　浅草寺(台東区)　1月18日

うそかえ　　亀戸天神(江東区)　1月24・25日

　　　　　　五条天神(台東区)　1月24・25日

　　　　　　湯島天神(台東区)　1月25日

うけらの神事　　五条天神(台東区上野公園)　2月3日

針供養　　浅草寺淡島堂(台東区)　2月8日

だるま供養　　西新井大師(足立区)　2月3日

梅若忌　　木母寺(墨田区)　4月15日

金竜の舞　　浅草寺(台東区)　3月18日・10月18日

さくらまつり　　隅田公園(台東区・墨田区)　3月下旬〜4月上旬(開花次第)

　　　　　　　上野公園(台東区)　3月下旬〜4月上旬(開花次第)

ぼたんまつり　　東照宮(台東区上野公園)　4月中旬～5月上旬
ぼんでんまつり　　白鷺神社(墨田区)　5月5日
神田まつり　　神田明神(千代田区)　5月15日前後の土・日曜日
三社まつり　　浅草神社(台東区)　5月の第3日曜日を最終日とした金・土・日曜日
天神まつり　　湯島天神(文京区)　5月25日
江戸消防慰霊祭(弥生祭)　　浅草寺(台東区)　5月25日
鉄砲洲稲荷神社祭礼　　鉄砲洲稲荷神社(中央区)　5月，大祭は3年に1度
千住天王まつり　　素盞雄神社(足立区)　6月3日後の土・日曜日，大祭は3年に1度
鳥越神社大祭　　鳥越神社(台東区)　6月9日に近い週末
山王まつり　　日枝神社(千代田区)　6月15日を中心とした1週間
のぼりまつり(どろんこ祭り)　　浅間神社(江戸川区)　隔年の6月30日・7月1日
入谷朝顔市　　入谷鬼子母神(台東区)　7月6～8日
水上まつり　　鳥越神社(台東区)　7月1日
ほおずき市　　浅草寺(台東区)　7月9・10日
花畑祈禱獅子　　大鷲神社(足立区)　7月の第3日曜日
隅田川花火大会　　吾妻橋(台東区・墨田区)　7月最終土曜日
住吉神社祭礼　　住吉神社(中央区佃島)　8月第2土・日曜日，大祭は3年に1度
深川八幡祭礼　　富岡八幡宮(江東区)　8月15日に近い土・日曜日，大祭は3年に1度
サンバカーニバル　　浅草(台東区)　8月最終週の土曜日
亀戸天神例大祭　　亀戸天神(江東区)　8月25日前後，大祭は4年に1度
向島百花園虫聞きの会　　向島百花園(墨田区)　8月下旬(最終日曜日前後)
月見の会　　向島百花園(墨田区)　中秋の名月前後の3日間
大銀座まつり　　銀座(中央区)　10月中旬
べったら市　　宝田恵比寿神社(中央区)　10月19・20日
白鷺の舞　　浅草寺(台東区)　11月3日
酉の市　　鷲神社(台東区)，大鷲神社(足立区)　11月の酉の日
鎮火のまつり　　秋葉神社(墨田区)　11月17・18日
一葉祭　　一葉記念館(台東区)　11月23日
一茶まつり　　炎天寺(足立区)　11月23日
義士祭　　本所松阪町公園(墨田区)　12月14日
ガサ市　　浅草寺(台東区)　12月中旬～下旬
羽子板市　　浅草寺(台東区)　12月17～19日

【有形民俗文化財】

(国)富士塚　　台東区　小野照崎神社
(国)山袴コレクション　　台東区

【散歩便利帳】

[都の観光担当部署など]

東京都産業労働局観光部　〒163-8001新宿区西新宿2-8-1 東京都庁第一本庁舎29階北側　℡03-5320-4765

東京観光情報センター 都庁本部　〒163-8001新宿区西新宿2-8-1 東京都庁第一本庁舎1階　℡03-5321-3077

東京観光情報センター 京成上野駅支所　〒110-0007台東区上野公園1-60 京成上野駅改札口前　℡03-3836-3471

東京都歴史文化財団事務局　〒108-0015墨田区横綱1-4-1　℡03-5610-3500

[区の教育委員会・観光担当部署など]

足立区観光交流協会　〒120-8510足立区中央本町1-17-1 足立区役所南館4階　℡03-3880-5853

足立区地域のちから推進部地域文化課　〒120-8510足立区中央本町1-17-1　℡03-3880-5985

荒川区教育委員会　〒116-8501荒川区荒川2-2-3　℡03-3802-3111(代)

荒川区産業経済部観光振興課　〒116-0002荒川区荒川2-2-3　℡03-3802-3111(代)

荒川区芸術文化振興財団　〒116-0002荒川区荒川7-20-1 町屋文化センター内　℡03-3802-7111

江戸川区教育委員会　〒132-8501江戸川区中央1-4-1　℡03-3651-1151(代)

江戸川区生活振興部産業振興課　〒132-8501江戸川区中央1-4-1　℡03-5662-0523

葛飾区地域振興協会　〒125-0062葛飾区青戸7-2-1　℡03-3838-5556

葛飾区観光文化センター　〒125-0052葛飾区柴又6-22-19　℡03-3657-3455

葛飾区教育委員会生涯学習課　〒124-8555葛飾区立石5-13-1　℡03-5654-8474

葛飾区産業観光部産業経済課　〒125-0062葛飾区青戸7-2-1 テクノプラザかつしか内　℡03-3838-5554

江東区教育委員会生涯学習部社会課文化財係　〒135-8383江東区東陽4-11-28　℡03-3647-9819

江東区文化観光課観光推進係　〒135-1016江東区東陽4-11-28　℡03-3647-3312

墨田区教育委員会事務局庶務課　〒130-8640墨田区吾妻橋1-23-20　℡03-5608-6301

墨田区観光協会　〒130-0045墨田区押上1-1-2 東京スカイツリータウン・ソラマチ5階　℡03-5608-6951

墨田区地域力支援部文化芸術振興課　〒130-8640墨田区吾妻橋1-23-20　℡03-5608-1111(代)

台東区教育委員会庶務課庶務係　〒110-8615東京都台東区東上野4-5-6　℡03-5246-1402

台東区文化産業観光部観光課　〒110-8615台東区東上野4-5-6　℡03-5246-1151

浅草観光連盟　〒111-0032台東区浅草1-34-7 3階　℡03-3844-1221

浅草文化観光センター　〒111-0034台東区雷門2-18-9　℡03-3842-5566

上野観光連盟　〒110-0005台東区上野2-1-3 88ビル9階　℡03-3833-0030

下谷観光連盟　〒110-0012台東区竜泉2-7-7-504　℡03-3874-7156

中央区区民部商工観光課　〒104-8404中央区築地1-1-1　TEL03-3546-5328
中央区教育委員会庶務課　〒104-8404中央区築地1-1-1　TEL03-3546-5503
中央区観光協会　〒104-0061中央区銀座1-25-3 京橋プラザ3階　TEL03-6228-7907
千代田区観光協会　〒102-0074千代田区九段南1-6-7　TEL03-3556-0391
千代田区地域振興部商工観光課　〒102-8688千代田区九段南1-2-1
　　TEL03-5211-4185
千代田区教育委員会事務局子ども部　〒102-8688千代田区九段南1-2-1
　　TEL03-5211-4273
［観光バスなど］
都内定期観光バス　はとバス（電話案内・予約センター）　TEL03-3761-1100
スカイバス東京　日の丸リムジントラベルセンター　TEL03-3215-0008
水上バス　東京水辺ライン（東京都公園協会）　TEL03-5608-8869
　　　　　東京都観光汽船　TEL03-3457-7826
東京湾クルーズ　シンフォニークルーズ　TEL03-3798-8101
　　　　　　　　レディクリスタル（ザ・クルーズクラブ東京）　TEL03-3450-4300
モノレール　東京モノレール（お客さまセンター）　TEL03-3374-4303

【参考文献】

『江戸ウォーキング』(大人の遠足BOOK)　るるぶ社　JTB　2003
『江戸学事典』　西山松之助ほか編　弘文堂　1994
『江戸から東京へ』1〜9(中公文庫)　矢田挿雲　中央公論新社　1998・99
『江戸切絵図散歩』(新潮文庫)　池波正太郎　新潮社　1993
『江戸芸能散歩』　東京都高等学校国語教育研究会編　水青社　1996
『江戸古寺70』　小山和　ＮＴＴ出版　1997
『江戸古社70』　小山和　ＮＴＴ出版　1998
『江戸老舗地図』　江戸文化研究会編　主婦と生活社　1992
『江戸東京ご利益散歩』(とんぼの本)　金子桂三　新潮社　1999
『江戸東京のみかた調べかた』　陣内秀信・法政大学東京のまち研究会　鹿島出版会　1989
『江戸東京物語―上野・日光御成道界隈』　新潮社編　新潮社　1997
『江戸東京物語―下町編』(新潮文庫)　新潮社編　新潮社　2002
『江戸東京歴史散歩1　都心・下町編』　江戸東京散策倶楽部　学習研究社　2002
『江戸東京歴史散歩2　都心・山の手編』　江戸東京散策倶楽部　学習研究社　2002
『江戸の札差』　北原進　吉川弘文館　1985
『江戸名所古地図散策』　平井聖監修　新人物往来社　2000
『江戸名所図会を読む』　川田壽　東京堂出版　1990
『江戸を知る事典』　加藤貴編　東京堂出版　2004
『大江戸万華鏡』　牧野昇・会田雄次・大石慎三郎監修　農山漁村文化協会　1991
『街道の日本史20　江戸』　藤田覚・大岡聡編　吉川弘文館　2003
『「川」が語る東京』　東京の川研究会編　山川出版社　2001
『郷土資料事典13　東京都』(改訂新版)　人文社観光と旅編集部編　人文社　1983
『切絵図・現代図で歩く江戸東京散歩』　人文社編集部編　人文社　2002
『近代化遺産を歩く』(中公新書)　増田彰久　中央公論社　2001
『近代東京の渡船と一銭蒸気』(都史紀要35)　東京都公文書館編　東京都公文書館　1991
『建築探偵　雨天決行』(朝日文庫)　藤森照信・増田彰久　朝日新聞社　1997
『建築探偵　奇想天外』(朝日文庫)　藤森照信・増田彰久　朝日新聞社　1997
『建築探偵　神出鬼没』(朝日文庫)　藤森照信・増田彰久　朝日新聞社　1997
『建築探偵　東奔西走』(朝日文庫)　藤森照信・増田彰久　朝日新聞社　1996
『建築探偵日記・東京物語』　藤森照信　王国社　1993
『建築探偵の謎』　藤森照信・増田彰久　王国社　1997
『古地図ライブラリー1　嘉永・慶応江戸切絵図』　師橋辰夫監修・解説　人文社　1995
『古地図ライブラリー2　嘉永・慶応江戸切絵図で見る幕末人物事件散歩』　人文社第一編集部編　人文社　1995
『古地図ライブラリー3　広重の大江戸名所百景散歩』　堀晃明　人文社　1996
『この一冊で東京の地理がわかる！』　正井泰夫監修　三笠書房　2000
『四季再発見　東京散歩』　小学館　1998
『七分積金』(都史紀要7)　東京都編　東京都　1960
『史料と遺跡が語る中世の東京』　峰岸純夫・木村茂光編　新日本出版社　1996

『新　東京の遺跡散歩』　　東京都教育庁生涯スポーツ部計画課　東京都教育委員会　2004
『新訂　江戸名所図会』1～6，別巻2（ちくま学芸文庫）　　市古夏生・鈴木健一校訂　筑摩書房　1996・97
『新訂　東都歳事記』上・下（ちくま学芸文庫）　市古夏生・鈴木健一校訂　筑摩書房　2001
『新版　史跡でつづる東京の歴史』上・中・下　　尾河直太郎　一声社　1998-2000
『新編武蔵風土記稿』　　蘆田伊人編　雄山閣　1970
『図説　東京お墓散歩』　　工藤寛正　河出書房新社　2002
『世界の都市の物語・東京』（文春文庫）　　陣内秀信　文藝春秋　1999
『続　江戸名所図会を読む』　　川田壽　東京堂出版　2003
『多摩丘陵の古城址』　　田中祥彦　有峰書店新社　1985
『多摩百年のあゆみ』　　多摩百年史研究委員会　けやき出版　1993
『地図で歩く東京』　　東京都地理教育研究会ほか編　日地出版　1999
『地図で歩く東京』1　　東京都地理教育研究会ほか編　古今書院　2002
『東京江戸案内』1～5　　桜井正信編　八坂書房　1994
『東京下町散策図』　　松本哉　新人物往来社　1991
『東京都の地名　日本歴史地名大系13』　　児玉幸多監修　平凡社　2002
『東京都の不思議事典』上・下　　樋口州男・松井吉昭ほか編　新人物往来社　1997
『東京都の文化財』1～4　　東京都教育庁生涯学習部文化課編　東京都教育庁生涯学習部文化課　1992
『東京都の歴史』　　竹内誠・古泉弘・池上裕子・加藤貴・藤野敦　山川出版社　1997
『東京都文化財総合目録』　　東京都教育庁生涯学習部文化課編　東京都教育庁生涯学習部文化課　1996
『東京の三十年』（岩波文庫）　　田山花袋　岩波書店　1981
『東京の散歩道』　　地図の本編集部編　日地出版　1989
『東京の地名由来事典』　　婦人画報社編　婦人画報社　1995
『東京風土図』（現代教養文庫）Ⅰ・Ⅱ　　産業経済新聞社編　社会思想研究会出版部　1961
『日本の古代遺跡32・東京23区』　　坂詰秀一　保育社　1987
『復元江戸情報地図』　　吉原健一郎ほか編　朝日新聞社　1994

『足立区歴史散歩』　　足立史談会編　学生社　1992
『荒川区の文化財』1～3　　荒川区教育委員会編　1989・92・97
『荒川区歴史散歩』　　高田隆成・荒川史談会　学生社　1992
『江戸川区の史跡と名所』　　江戸川区教育委員会学習・スポーツ振興課文化財係編　2000
『江戸川区歴史散歩』　　内田定大　学生社　1992
『江戸城―その歴史と構造―』　　小松和博　名著出版　1985
『江戸と江戸城』　　鈴木理生　新人物往来社　1975
『葛飾区歴史散歩』　　入本英太郎・橋本直子　学生社　1993
『かつしかの文化財散策地図』　　葛飾区教育委員会編　2002
『雷門江戸ばなし』　　浅草寺日並記研究会　東京美術　1986
『郷土博物館紀要』第7号（特集　あだちの歴史散歩展）　　足立区郷土博物館編　1988

『皇居東御苑セルフガイドブック』　菊葉文化協会　2002
『下町の自然・歴史・文学』　島正之編　名著出版　1991
『下谷・浅草文学案内―台東区ゆかりの文人たち』　「下谷・浅草文学案内」編集委員会編　台東区教育委員会　1994
『新版　史跡をたずねて　下谷・浅草』　台東区企画部広報課編　台東区　1984
『千代田区の文化財探訪』　千代田区教育委員会編　千代田区教育委員会　1995
『築地居留地』（都史紀要4）　東京都編　東京都　1957
『東京下町散歩25コース』　仙田直人・田中暁龍・中里裕司　山川出版社　2003
『ブックレット足立風土記』1・2・5・8・10　足立区教育委員会編　2002

【索引】

―ア―

相生橋	140
赤坂のドンドン	52
赤坂見附	47, 54, 55, 119
明石町	132, 136, 137
秋葉神社	245
秋葉原	73, 74
秋葉原電気街	73
芥川龍之介	135, 238
赤穂浪士休息の碑	225
安積艮斎の墓	169, 170
朝川善庵の墓	242
浅草御蔵跡の碑	183
浅草観音戒殺碑	192
浅草公園	193
浅草神社	197-199, 226
浅草橋猿若町碑	203
浅草広小路	85, 195, 201
浅草文庫の碑	184
浅草迷子しらせ石標	195
浅草見附	181, 182, 213, 237
朝倉彫塑館	100
浅野内匠頭邸跡の碑	135
浅間山噴火川流溺死者供養碑	166
吾妻橋(大川橋)	196, 201, 239, 240
アーティゾン美術館	125
アドミュージアム東京	147
阿部友之進(阿部将翁)の墓	210
アメリカ公使館跡	137
荒川区立荒川ふるさと文化館	156
安政の大獄	7, 121, 154, 188
安藤東野の墓	206

―イ―

井伊直弼	7, 50, 155
易行院	162
伊興遺跡	162
伊興氷川神社	162
井沢弥惣兵衛	59, 70
石川島	143, 144
石川島資料館	144
石川啄木	129, 187
石川雅望の墓	185
石浜神社	208
伊豆長八	157, 190
泉鏡花	80
板垣退助	51
市河寛斎・米庵父子の墓	105
一乗寺	102
一之江名主屋敷	174
市村座	124, 202, 203
一石橋	38, 39
一丁ロンドン	41
出光美術館	44
伊東玄朴の墓	101
伊藤左千夫	166, 176, 232
伊藤博文	51
乾濠(三日月濠)	19
井上毅の墓	100
伊能忠敬	148, 183, 189, 224
伊能忠敬銅像	227
今井の渡し跡	175
今戸	202, 205
入谷朝顔市	108
入谷朝顔発祥之地碑	108
入谷鬼子母神(真源寺)	108
入谷乾山窯元之碑	108
岩崎弥太郎	132, 140, 219

―ウ―

ウィリアム・アダムズ(三浦按針)の屋敷跡碑	117, 118
上野公園	85-87, 184
上野戦争	86, 87, 97, 98, 102, 156, 159
上野東照宮	92, 93, 95
上野動物園	94
上野広小路	84-86, 213
牛ヶ淵	27, 30, 31

牛島神社 …………………………240, 242
鷺替神事 ………………………………230
歌川(安藤)広重 ……43, 80, 126, 142, 161, 167, 176, 192, 222
姥ヶ池 ……………………………202, 207
梅田雲浜の墓 …………………………188
梅若塚碑 …………………………206, 248
運上所跡(東京税関発祥の地)碑 ………136

―エ―

永久寺(目黄不動、荒川区) ……………210
永久寺(台東区) ………………………100
永代亭跡 ………………………………226
永代橋 ……………………221, 222, 224-226
回向院 ……………………154, 156, 236-238
絵島生島事件 …………………………203
江島杉山神社 …………………………238
越中島 …………………………………140
江戸歌舞伎発祥之地碑 …………………127
江戸猿若町市村座跡碑 …………………203
江戸城……4, 6, 9, 10, 16, 19, 21, 25, 28, 29, 32, 39-41, 53, 56, 58, 60, 63, 65, 67, 69, 72, 75, 78, 84, 86, 94-97, 135, 143, 146, 148, 181, 187, 199, 221, 227, 237
「江戸城本丸図」標石 …………………14, 15
江戸東京博物館 ………………………233
江戸秤座跡 ……………………………125
江戸橋 …………………………………122
榎本武揚 …………………………243, 249
円通寺 ……………………………87, 156
エンデ、ヘルマン ………………………49
炎天寺 …………………………………160
円徳寺 …………………………………249
延命院 …………………………………106
延命寺(荒川区) ………………………154
延命寺(葛飾区) ………………………168
延命地蔵 ………………………………154

―オ―

応現寺 …………………………………162
奥州道中 ………39, 119, 157, 182, 201, 204
雄松院 …………………………………218

大岡忠相 ………………………………75
大奥 ……………………………………15
大久保利通 ……………………………59
大久保彦左衛門屋敷跡 …………………66
大久保主水忠行の墓 ……………………100
大隈重信 …………………………28, 51
太田錦城の墓 …………………………102
太田道灌(資長・持資) ……8, 9, 16, 19, 39, 43, 53, 57, 67, 71, 80, 105, 107, 232
太田姫稲荷神社 …………………………67
大手三之門 …………………………11, 12
大手門(江戸城) ……8, 10, 11, 39, 42
鷲神社(台東区) …………………161, 212-214
大鷲神社(足立区) ……………………161
大村益次郎 …………………………16, 62
大山巌の銅像 ……………………………63
岡倉天心記念公園 ……………………100
御徒町 …………………………………84
御行の松 ………………………………110
奥の細道矢立初の碑 …………………157
小栗忠順の屋敷 …………………………67
尾崎行雄像 ……………………………51
お玉稲荷 ………………………………72
お玉ヶ池 ………………………………72
お玉ヶ池種痘所の記念碑 ………………73
お茶の水貝塚の碑 ………………………76
お茶の水記念碑 …………………………65
小名木川 …………………………220-223, 247
小野照崎神社 ……………………109, 110
帯曲輪 ……………………………20, 21, 27
御船蔵跡の石柱 ………………………222

―カ―

海運橋 ……………………………121, 122
海軍軍医学校碑 ………………………148
海軍兵学寮跡碑 ………………………148
海水館の碑 ……………………………140
海禅寺 …………………………………188
解剖人墓 ………………………………159
科学技術館 …………………………30, 31
蠣殻銀座跡 ……………………………123

蝸牛庵跡（墨田区立露伴児童遊園）……245
葛西清重（の墓）………………163,170
葛西城跡…………………………168
葛西神社…………………………163
葛西用水（曳舟川）………………169
笠森阿仙之碑……………………99
ガス街灯柱………………………138
春日局……………………20,27,30
和宮………………………………7,31
霞が関……………………48,50,149
霞が関ビル………………………48
荷田在満の墓……………………186
片山東熊………………………51,93
かちどきの渡し碑………………150
勝鬨橋……………………………150
かちどき橋の資料館……………150
勝海舟生誕の地の碑……………238
勝川春章……………………184,190
葛飾区郷土と天文の博物館……168,169
葛飾柴又寅さん記念館…………165,166
葛飾北斎…………160,184,190,205
活字発祥の碑……………………134
かっぱ橋道具街…………188,190,191
桂川甫周屋敷跡…………………133
加藤清正の屋敷跡………………50
加藤千蔭……………………236,246
香取神社（江戸川区）……………175
香取神社（江東区）………………230,243
仮名垣魯文の墓…………………100
鐘ヶ淵………………………206,231
狩野画塾跡………………………129
狩野元信の墓……………………232
歌舞伎座………………43,129,138
兜町………………………………121
貨幣博物館………………………118
雷門………………194,195,201,213
上梅林門（跡）…………………12,19
亀戸天神（社）……………80,230,232
亀田鵬斎…………111,206,208,243,246
蒲生君平の墓……………………101

賀茂真淵県居跡…………………124
榧寺…………………………184,185
柄井川柳（初代）の墓……………185
河東碧梧桐の墓…………………210
河村瑞軒屋敷跡…………………132
河原町稲荷神社…………………158
寛永寺……16,85-89,91-93,96-98,102,111,
　　　　　156,194
寛永寺旧本坊表門………………97
寛永寺総門の黒門……………86,156
官営千住製絨所跡………………156
観嵩月の墓………………………224
寛政異学の禁……………72,77,206
観臓記念碑………………………154
神田川……65,68-73,76,180,182,221,237
神田古書店街…………………67,68
神田青果市場発祥之地の碑……70
神田祭……………………78,198,199
神田明神（神田神社）……32,42,77,78,163,
　　　　　187,198,199,213,226
関東大震災……6,20,32,36,42,55,68,69,
　　　　　73,76,78,93,99,117,122,138-140,146,
　　　　　147,149,162,167,169,192-194,198,212,
　　　　　229,233-235,239-242,244
感応寺……………………80,102,107,243
願竜寺……………………………187

―キ―

紀尾井坂………………………58,59
桔梗門（内桜田門）………4,8,11,12,19,22
既製服問屋街発祥の地…………71
北白川宮能久親王銅像…………30
北野神社…………………………172
北の丸・北の丸公園……9,18,25,27,28,30-
　　　　　32
北桔橋門………………………19,29
北町奉行所跡……………………38
橘井堂森医院跡…………………159
紀伊国坂…………………………29
紀伊国屋文左衛門…………212,218,219
木場………………………………228

索引　269

木場の角乗	227, 228
旧岩崎邸	90
旧因州池田屋敷表門	94
旧江戸川区役所文書庫	176
旧大石家住宅	229
旧寛永寺五重塔	86, 95
旧自証院霊屋	55
旧芝離宮恩賜庭園	145
旧十輪院宝蔵	94
旧新橋停車場(駅舎)	146, 147
旧枢密院	11, 22
旧躋寿館跡	182
旧第一生命館	44
旧東京音楽学校奏楽堂	94, 95
旧国鉄万世橋駅	69
旧安田庭園	233, 234
旧吉田屋酒店	102
旧李王家東京邸	55
旧両国国技館跡	237
経王寺	106
京橋	116, 125, 126
京橋記念碑(親柱)	126
京橋大根河岸青物市場蹟碑	127
教證寺	90
玉林寺	102
清洲橋	223
清澄庭園	219
清水観音堂	86-88, 96
吉良上野介義央の邸(跡)	130, 135, 238
錦華小学校	67
銀行発祥の地碑	121
銀座のガス灯	127
銀座の柳由来碑	128
銀座発祥の地碑	128
銀座柳の碑	147
金竜寺	186

―ク―

九条武子の歌碑	134
宮内庁(楽部, 書陵部)	5, 15, 18, 19, 22, 23

熊野神社	157
蔵前	175, 183, 185
黒田記念館	95
軍艦操練所跡	150

―ケ―

慶応義塾開塾の地の碑	135, 136
桂昌院	72, 162
源空寺	188, 189
源照寺	167
憲政記念館	50, 51
源長寺	158
玄冶店跡碑	124
厳有院霊廟	98
硯友社跡	64
現龍院	98

―コ―

小泉八雲記念碑	95
五・一五事件	52
小岩市川関所	172, 173
小岩市川渡し	172
小岩一里塚跡	173
御隠殿址の碑	112
皇居外苑	4, 16, 42, 87
皇居正門(西の丸大手門)	4-7, 23, 24
皇居東御苑	10, 11, 13, 22, 57
郷倉	170
麹町	56, 75, 119, 148, 237
甲州道中	56, 119
幸田露伴	102, 245
江東区芭蕉記念館	220, 222
講武稲荷神社	69
弘福寺	241, 243-245
国学発祥の碑	79
国際こども図書館	94, 95, 184
石町の銅鐘(時の鐘)	89
国土安穏寺	160
国立科学博物館	94
国立劇場	56, 57
国立公文書館	25, 29
国立国会図書館	51

国立西洋美術館	94
御三卿	20, 28, 29
御三家	12, 14, 16, 25, 29
国会議事堂	11, 48-51
小塚原回向院	154
小塚原の仕置場跡	154
後藤庄三郎	38, 118
近衛歩兵第一聯隊跡	31
近衛歩兵第二聯隊記念碑	31
小林一茶の句碑	105, 160
御番所町跡	172
呉服商岩城桝屋	56
呉服橋	38
午砲台跡	16
駒形堂	192
駒形橋	192
小松川神社	176
権現思想	91
権現造	91, 93
金蔵寺	159
コンドル, ジョサイア	36, 47, 51, 68, 91, 93
金春通り煉瓦遺構の碑	148
金春屋敷跡	147, 148
金蓮院	163

― サ ―

最高裁判所庁舎	57
西光寺	170
西郷隆盛像	87
最勝寺(目黄不動)	176
西蔵院不動堂	110
採茶庵跡の碑	223
斎藤長秋三代墓	189
西念寺	167
西福寺	184
西仏板碑	196
酒井抱一	111, 134, 246
榊神社	183
逆井庚申塚	176
逆井の渡し跡	176
坂下門外の変	8, 103, 154
佐久間河岸	73
桜川公園	130
桜田門(外桜田門)	4, 6-9
桜田門外の変	7, 50
桜橋	243
笹乃雪	110, 111
佐野善左衛門政言	61, 187
猿若町	202
三社祭	198
山東京山	200, 236
山東京伝	199, 236
山王ホテル跡	53
山王祭	78, 198, 199
三の丸(江戸城)	8-10, 12, 19, 20, 22, 237
三の丸尚蔵館	11
山谷堀	190, 201, 205, 209
三遊亭円朝の墓	101

― シ ―

塩谷宕陰の墓	103
汐見坂(皇居内)	13, 15, 18
汐見坂(千代田区霞が関)	48
慈恩寺道石造道標	172
慈海僧正の墓	98
子規庵	110, 111
下町風俗資料館	90, 102
下谷神社	191
十軒店(跡)	119, 213
実相院	161
十返舎一九の墓	139
至徳の鐘	200
品川弥二郎の銅像	63
不忍池	88, 90, 92, 99, 243
芝口御門跡碑	148
芝崎道場	42
柴又帝釈天(題経寺)	165, 166
しばられ地蔵	164
渋沢栄一	39, 104, 122, 126
シーボルトの胸像	136

清水(徳川)重好	28, 29
清水谷公園	58, 59
清水浜臣の墓	186
清水門	9, 28, 29, 31, 32
下梅林門	12, 19
指紋研究発祥の地	137
修性院	107, 243
秋色桜の句碑	87
春慶院	210
春慶寺	232
浄閑寺	209, 210
彰義隊戦死者の墓(円通寺)	156
彰義隊戦死之墓(上野公園)	87
常憲院霊廟	98
証券史料ホール	122
浄厳律師の墓	92
浄興寺	175
浄光寺(木下川薬師)	171
正定寺	190
浄心寺	167
勝専寺(赤門寺)	158
常泉寺	242
上智大学	59
成等院	218
常燈明台(高燈籠)	63
聖徳寺	189
浄念寺	184
定火消	43, 75, 126
称福寺	206
正福寺	249
昌平坂学問所(昌平黌)	29, 44, 73, 77, 105, 170
昌平橋	68, 69
商法講習所の跡碑	129
城立寺	174
昭和館	63
蜀山人(大田南畝)の歌碑	86
女子学院発祥の地の碑	136
書道博物館	110, 111
白旗塚古墳	161
白髭神社(葛飾区)	170
白鬚神社(墨田区)	243, 246
白鬚橋	208, 248
新大橋	222, 225, 239
新川梨の碑	175
新川之跡碑	132
新宮殿	6, 10, 22–24
心行寺	224, 243
新富座跡	138
新橋	116, 147
心法寺	59
新吉原	193, 195, 198, 201–203, 205, 209–212
新吉原総霊塔	210

——ス——

水天宮	123
瑞輪寺	100
数寄屋橋公園	45
数寄屋橋の碑	45
杉山検校の墓	238
助六歌碑	202
筋違見附	69, 119
素盞雄神社	157
隅田川神社	248
隅田公園	204, 205, 239, 240
すみだ北斎美術館	236
住吉神社	141, 142, 199
相撲博物館	233
駿河台	65–67, 76, 78
諏方神社(荒川区)	106
諏訪神社(江戸川区)	176

——セ・ソ——

聖イグナチオ教会	59
青雲寺	107
誓教寺	190
清光寺	187
清正公寺	124
正門石橋	5, 6
正門鉄橋	5, 6, 21, 24
青亮寺	159

聖路加国際病院	134, 136, 137
銭形平次の碑	79
セメント工業発祥の地の碑	223
0哩標識(旧新橋横浜間鉄道創設起点跡)	147
船員教育発祥之地碑	132
浅間神社(江戸川区上篠崎)	173
浅間神社(江戸川区平井)	176
千住絵馬屋	159
千住大橋	157, 222, 225, 237, 247
千住宿	119, 157-159, 223
千住宿本陣跡	159
千住宿歴史プチテラス	157
全生庵	99, 101
善性寺	107, 112
善照寺	186
浅草	85, 89, 97, 171, 185, 192-198, 200-205, 207, 213
善養寺	173
曹源寺(かっぱ寺)	188
宋紫石の墓	187
贈右大臣大久保公哀悼碑	59
増上寺	7, 47, 91, 97

― タ ―

大安楽寺	121
大雲寺(役者寺)	174, 175
大円寺	99, 100
大観堂	58
大観音寺	124
第五福竜丸展示館	228, 229
大慈院	86, 96, 98
台東区立一葉記念館	214
台所前三重櫓	18
大名時計博物館	101
タイムドーム明石(旧中央区明石資料室・郷土資料館)	136
泰明小学校	45
大猷院霊殿	98
平将門	41, 42, 78, 123, 187
高橋景保	188, 189
高橋至時	183, 189, 224
宝井(榎本)其角	87, 121, 141, 242
滝沢馬琴宅跡の井戸	64
滝廉太郎居住地跡	60
竹橋	25-28
竹橋騒動	28
竹橋門(跡)	20, 27, 29, 32
建部綾足の墓碑	244
竹本義太夫(初代)の墓	237
竹屋の渡し跡の碑	205
凧の博物館	122
太宰春台の墓	101
辰野金吾	36, 51, 69, 118
巽(桜田二重)櫓	6, 8, 9
竪川	221, 238
谷崎潤一郎生誕の地碑	123
谷文晁	95, 188, 195, 246
旅立の句碑	157
玉川兄弟の墓	189
玉川上水	189
玉川上水石桝	59
溜池	47, 52
多聞寺	249
田安(徳川)宗武	28, 29, 32, 103, 124
田安門	9, 28-32, 199

― チ ―

千鳥ヶ淵	26, 27, 30, 61
千鳥ヶ淵戦没者墓苑	60, 61
千葉次郎勝胤の墓	161
中央卸売市場(築地市場)跡	71, 148, 149, 157
長安寺	100, 243
長昌寺	206
長命寺	243-245

― ツ ―

通船屋敷	70
築地教会	137
築地居留地(跡)	137, 138
築地小劇場跡	133
築地ホテル館跡	150

索引　273

築地本願寺	133, 134
月島	139, 140
月島開運観世音	140
月見寺(本行寺)	105
机塚の碑	200
佃島	134, 140-144, 237
佃島渡船の碑	142
筑土神社	64
津波警告の碑	228
妻恋神社	79
鶴屋南北の墓	232

― テ ―

帝国劇場	41, 44
帝国ホテル	46, 47
鉄砲洲稲荷神社	132
天海(慈眼大師)	86, 87, 91, 96, 97
天嶽院	187, 188
天眼寺	101
天守台(江戸城)	14, 15, 17-19, 29
天祥寺	239
電信創業之地碑	136
天神濠	12, 19
伝奏屋敷跡	40
天王寺	102, 103
伝法院	193, 200
伝馬町牢屋敷跡(十思公園)	89, 120
天明三年浅間山噴火横死者供養碑	173
天祐庵	200
天竜院	101

― ト ―

問屋場跡	158
東海道	97, 119, 126, 127
桃華楽堂	18
東岳寺	161
道灌山	107
東京駅(旧東京中央停車場)	36, 38, 39, 43, 51, 69, 70
東京株式取引所	122
東京芸術大学	94, 95, 100
東京国際フォーラム	43, 44
東京国立近代美術館	28, 29
東京国立近代美術館工芸館(旧近衛師団司令部庁舎)	30
東京国立博物館	44, 51, 93, 94-98
東京市道路元標	117
東京商船学校	132
東京商船大学	140, 141
東京スカイツリー	240
東京大空襲	86, 176, 229, 231, 234, 235, 239, 246
東京大神宮	64
東京都慰霊堂	234, 235
東京都美術館	94
東京都復興記念館	234, 235
東京府庁舎(跡)	41, 43
東京本願寺	186, 191
刀剣博物館	233
東郷元帥記念公園	60
等光寺	187
道三堀	39, 41, 48
東洲齋寫楽終焉ノ地碑	141
同心番所	12
東禅寺	210
藤堂高虎の墓	95
燈明寺	176
東陽院	139
東陽寺	162
時の鐘(寛永寺)	89, 92
常盤橋	38-40
常磐橋公園	39
常盤橋門(跡)	39, 119, 120, 199
徳川家定	97, 98
徳川家重	29, 97
徳川家継	97, 171
徳川家綱	13, 54, 96-98, 146, 198
徳川家斉	13, 29, 97, 98, 146
徳川家宣	97, 112, 146, 242
徳川家治	97, 98
徳川家光	9, 13, 20, 27, 29, 50, 54, 55, 86, 91, 92, 96-98, 124, 195, 218, 237, 244

徳川家茂(慶福) ……………………7, 31, 97
徳川家康 ……6, 9, 19, 20, 25, 27, 32, 40, 44, 52, 54, 56, 58, 65-67, 79, 80, 86, 91, 93, 97, 116-118, 128, 141, 171, 184, 186, 194, 211, 218, 219, 237, 247
徳川家慶 ……………………………………97
徳川綱吉 ……68, 72, 76, 77, 79, 96-98, 162
徳川秀忠 ……25, 27, 54, 58, 65, 78, 86, 97, 175, 218, 237
徳川慶喜 ……………29, 86, 96-98, 104, 116
徳川吉宗 ……29, 44, 59, 71, 97, 98, 103, 210, 218, 243
徳之山稲荷 ………………………………235
徳本寺 ……………………………………186
戸田茂睡 ………………18, 162, 196, 205
富岡八幡宮 ………89, 199, 213, 226-228, 243
虎ノ門 ………………………………47, 48
虎ノ門記念碑 ……………………………48
鳥越おかず横丁 …………………………185
鳥越神社 ……………………………183, 185
酉の市 …………………………161, 213, 214

―ナ―

内閣文庫 ……………………………………29
永井尚志の墓 ………………………………106
中川船番所資料館 ………………………223
長崎屋跡 …………………………………120
中山道 …………………………………69, 119
仲見世通り ………………………………195
中村座 ………………………124, 127, 202, 203
中村不折旧宅 ……………………………111
名倉医院 …………………………………159
夏目漱石 ………………………67, 166, 171
撫牛 ………………………………………242
波除稲荷神社 ……………………………149
奈良屋茂左衛門 …………………212, 218
成島柳北 ……………………………243, 244
楠公(楠正成)銅像 ………………4, 42, 87
南蔵院 ……………………………………164

―ニ・ネ・ノ―

新宿 ………………………………………167

新宿の渡し跡 ……………………………167
ニコライ堂 ……………………………68, 76
西新井大師(總持寺) ……………………160
二七山不動院 ………………………………60
西の丸(江戸城) ……5-9, 22, 23, 25, 26, 31, 67
西の丸御殿 …………………………………23
西宮邸(旧陸奥宗光邸) …………………109
二十一仏庚申塔 …………………………168
二重橋 ……………………………………4-6
日輪寺 ……………………………………187
日光道中(街道) ………119, 157, 159, 182, 201, 204, 209
日暮里 ……………………………105, 107, 243
二天門 ………………………197, 198, 200, 202
二・二六事件 …………52, 53, 63, 155, 167
二の丸(江戸城) ……5, 8-10, 12, 13, 18, 19, 22, 23, 237
二の丸庭園 …………………………12, 13
日本銀行本店本館 ………………………118
日本工業倶楽部 ……………………………40
日本国道路元標 …………………………117
日本水準原点 ………………………………50
日本堤 …………………124, 201, 205, 209, 212
日本橋 ………………116, 117, 119, 122, 126
日本橋川 ………38, 39, 116, 122, 131, 221
日本武道館 …………………………31, 32
日本文具資料館 …………………………185
如意輪寺 …………………………………239
人足寄場 …………………………………144
ねぎし三平堂 ……………………………112
鼠小僧次郎吉の墓 …………………155, 236
野見宿禰神社 ……………………………236

―ハ―

梅林坂 ………………………13, 19, 20, 57
梅林寺 ……………………………………210
白鳥濠 ……………………………12, 13, 18
間新六の供養塔 …………………………134
橋戸稲荷神社 ……………………………157
橋場銭座 …………………………………206

橋本左内の墓	155
芭蕉翁古池の跡	222
蓮池濠	16, 25, 30
鉢巻土居(鉢巻石垣)	6, 7, 23, 26
八幡神社(足立区)	160
八幡神社(葛飾区)	166
八幡橋	227
八丁堀	130, 131, 138, 237
服部半蔵正成	56
花川戸	195, 201, 202, 204
花見寺(青雲寺)	106, 107, 243
塙保己一	61, 62
土生玄碩の墓	134
浜口雄幸遭難の場所	38
浜町公園	124
浜離宮(庭園)	145, 146, 150
林鵞峰	44
林大学頭邸跡	44
林鳳岡(信篤)	76
林羅山	44, 76
原敬遭難現場	38
蛮社の獄	57, 58
蕃書調所跡	63
幡随院長兵衛夫妻の墓	188
半蔵門	25, 26, 29, 30, 56, 119, 199
半田稲荷神社	164
頒暦調所跡	183

―ヒ―

日枝神社(葛飾区)	168
日枝神社(千代田区)	53, 54, 78, 198, 199, 226
皮革産業資料館	206
ヒカリゴケ	30
樋口一葉旧居跡の碑	214
樋口定伊の墓	92
聖橋	76
一橋(徳川)宗尹	29
一ツ家伝説(石枕伝説)	202, 207
日比谷公園	46
日比谷公会堂	46

評定所跡	40
平井聖天	176
平賀源内電気実験の地の碑	223
平賀源内の墓	207
平河天満宮	57, 58
平川濠	19, 20, 26, 27
平川門	8, 11, 20, 29, 57
びんざさら舞	198

―フ・ヘ―

深川江戸資料館	219
深川正米市場跡	225
深川神明宮	220, 243
深川の力持	227
深川芭蕉庵(跡)	89, 222
深川不動堂	226
吹上御苑	22, 25-27, 29, 56
福寿院	206
福寿社	72
普賢寺	169
富士塚(台東区)	110
富士塚(中央区)	132
富士塚(千代田区)	72
伏見義民の墓	224
富士見(御休息所前)多聞	15, 17, 25
伏見櫓	4, 6, 9, 24
富士見櫓	6, 9, 15, 16, 22
不動院	158
普門院	231, 243
ベックマン, ヴィルヘルム	49
ヘンリー・フォールズ住居の跡の碑	137

―ホ―

法恩寺	232
防火守護地の碑	73
宝持院	168
法受寺	162
法乗院(深川閻魔堂)	224
法善寺	189
法務省旧本館	48, 49
蓬莱園	182
宝林寺	172

北辰社牧場跡	64
墨堤植桜の碑	243, 244
干鰮(鰯)場跡の碑	220
細井平洲の墓	187
堀切菖蒲園	170
堀辰雄の旧居跡	240
堀部安兵衛武庸之碑	130
本行寺	105
本所割下水	235
本誓寺	219
本蔵寺	173
本法寺	232
本丸(江戸城)	5, 8-10, 12-19, 22, 23, 25, 26, 31, 237

――マ――

迷子のしるべ石標	39
前島密の胸像	122
将門塚	41, 42
正木稲荷神社	222
町火消	75, 78
松尾芭蕉	89, 92, 121, 141, 157, 195, 218, 222, 223
マッカーサーの執務室	45
松平定信	32, 72, 77, 103, 144, 148, 188, 206, 218
待乳山聖天(本龍院)	176, 204, 205, 209
松之大廊下(跡)	16
松浦河内守信正	164, 168
松浦の鐘	164
的場曲輪	6, 23, 24
丸ビル	39
万世橋	68-71, 119
万年橋	222

――ミ・ム――

見返り柳	212
三島政行の墓	184
水谷緑亭の句碑	142
三井本館	118
三越(越後屋呉服店)	44, 118
三菱赤煉瓦街	41
三菱一号館美術館	41
水戸街道石橋供養道標	168
港屋絵草紙店跡	38
南町奉行所跡	45
源義家	157, 160, 161
源頼朝	194, 208, 241, 248
源頼義	123, 160, 183
三ノ輪橋跡	209
三囲神社	205, 242, 243
都鳥歌碑	208
妙亀塚	206, 207
妙源寺	169, 170
妙極院	92
弥勒寺	238
向井将監忠勝の墓	224
向島百花園	243, 245, 246
虫塚	98
村田春海	219, 246

――メ――

明治座	124
明治生命館	43, 44
明治大学博物館	67
明治大学発祥の地の碑	45
明治天皇行幸対鷗荘遺跡の碑	208
明治丸	141
明暦の大火	10, 13, 14, 16, 17, 25, 27, 29, 31, 54, 65, 68, 70, 75, 79, 85, 99, 131, 134, 180, 182, 186, 187, 205, 211, 218, 236, 237
明暦大火横死者等供養塔	236

――モ――

木母寺	207, 248
元吉原(跡)	124, 211
紅葉山文庫	25, 29
森鷗外	159, 244
森田(守田)座	138, 203
森孫右衛門の墓	134

――ヤ――

矢切の渡し	165, 167
八雲神社	175
靖国神社	62, 63

安田善次郎	46, 121, 233, 243
谷中霊園	102, 103
柳河春三の墓	187
柳橋	180, 205
柳原土手	71
柳森神社	71
柳瀬美仲の墓	90
山岡鉄舟の墓	101
山里曲輪	23
山田検校の墓	167
山田宗徧の墓	187
山の宿の渡し(の碑)	201, 204
山本亭	165
八代洲河岸	43
ヤン・ヨーステン(弥揚子)	43, 118

―ユ―

遊就館	62
雪見寺(浄光寺)	105, 106
湯島聖堂	44, 68, 76, 77, 93
湯島天神(湯島天満宮)	79, 80
夢の島熱帯植物館	229

―ヨ―

陽岳寺	224
影向の松	173
養福寺	106
浴恩園	148
横網町公園	234
横川(大横川)	221, 228
横十間川(十間川)	221, 231
横綱力士の碑	227
横山家住宅	159
横山大観記念館	92
吉田茂像	31
吉田松陰先生終焉之地碑	121
吉原	124, 170, 180, 185, 192, 201, 203, 205, 209-211
吉原弁財天	212
寄席発祥之地の碑	191
四谷見附	56, 119
鎧の渡し	123
鎧橋	122, 123

―ラ・リ―

蘭学事始地の碑	135
李王家の邸宅	55
龍眼寺(萩寺)	232, 243
龍宝寺	185
了翁禅師塔碑	98
両国国技館	233, 238
両国橋(大橋)	180, 182, 222, 225, 237, 239
両国広小路	85, 180, 213
霊山寺	232
両大師	96
涼亭	219
臨江寺	101
林柔寺	170

―レ・ロ―

霊雲寺	79
霊巌寺	218, 219
霊巌島	130, 131, 218, 237
煉瓦銀座の碑	126
蓮花寺	245, 246
六地蔵石灯籠	196
鹿鳴館	47
六角堂(日限地蔵堂)	196

―ワ―

和学講談所	62
和気清麻呂像	42
和田倉橋	4, 8, 39, 41
和田倉噴水公園	8
渡辺崋山	57, 188
王仁の碑	87

【写真所蔵・提供者】(五十音順, 敬称略)

赤坂氷川神社	大名時計博物館
飯沼健・世界文化フォト	高橋猛・世界文化フォト
株式会社人文社	田代洋志
江東区教育委員会	東京国立博物館・Image:TNM Image
国立歴史民俗博物館	Archives　Source:http//TnmArchives.jp/
佐藤英世	日枝神社
志村直愛	松井一彦・世界文化フォト
墨田区広報広聴課	向島百花園
台東区産業部観光課	森島昭久

本書に掲載した地図の作成にあたっては,国土地理院長の承認を得て,同院発行の50万分の1地方図,20万分の1地勢図,5万分の1地形図,数値地図25000(空間データ基盤),数値地図2500(空間データ基盤)を使用したものである(平15総使,第46-3054号)(平15総使,第47-3054号)(平15総使,第48-3054号)(平15総使,第108-3054号)(平15総使,第184-3054号)。

歴史散歩⑬

東京都の歴史散歩　上　下町

2005年 8月25日　1版1刷発行　　2020年10月25日　1版4刷発行

編者──東京都歴史教育研究会
発行者──野澤伸平
発行所──株式会社山川出版社
　　　　〒101-0047　東京都千代田区内神田1-13-13
　　　　電話　03(3293)8131(営業)　　03(3293)8134(編集)
　　　　https://www.yamakawa.co.jp/　振替　00120-9-43993
印刷所──図書印刷株式会社
製本所──株式会社ブロケード
装幀───菊地信義
装画───岸並千珠子
地図───株式会社昭文社

Ⓒ 2005 Printed in Japan　　　　　　ISBN 978-4-634-24613-3
・造本には十分注意しておりますが,万一,落丁・乱丁などがございましたら,小社営業部宛にお送りください。送料小社負担にてお取り替えいたします。
・定価は表紙に表示してあります。

歴 史 散 歩　全47巻（57冊）

好評の『歴史散歩』を全面リニューアルした、史跡・文化財を訪ねる都道府県別のシリーズ。旅に役立つ情報満載の、ハンディなガイドブック。
B6変型　平均320頁　2～4色刷　税別各1200円+税

1　北海道の歴史散歩
2　青森県の歴史散歩
3　岩手県の歴史散歩
4　宮城県の歴史散歩
5　秋田県の歴史散歩
6　山形県の歴史散歩
7　福島県の歴史散歩
8　茨城県の歴史散歩
9　栃木県の歴史散歩
10　群馬県の歴史散歩
11　埼玉県の歴史散歩
12　千葉県の歴史散歩
13　東京都の歴史散歩　上 中 下
14　神奈川県の歴史散歩　上 下
15　新潟県の歴史散歩
16　富山県の歴史散歩
17　石川県の歴史散歩
18　福井県の歴史散歩
19　山梨県の歴史散歩
20　長野県の歴史散歩
21　岐阜県の歴史散歩
22　静岡県の歴史散歩
23　愛知県の歴史散歩　上 下
24　三重県の歴史散歩
25　滋賀県の歴史散歩　上 下
26　京都府の歴史散歩　上 中 下
27　大阪府の歴史散歩　上 下
28　兵庫県の歴史散歩　上 下
29　奈良県の歴史散歩　上 下
30　和歌山県の歴史散歩
31　鳥取県の歴史散歩
32　島根県の歴史散歩
33　岡山県の歴史散歩
34　広島県の歴史散歩
35　山口県の歴史散歩
36　徳島県の歴史散歩
37　香川県の歴史散歩
38　愛媛県の歴史散歩
39　高知県の歴史散歩
40　福岡県の歴史散歩
41　佐賀県の歴史散歩
42　長崎県の歴史散歩
43　熊本県の歴史散歩
44　大分県の歴史散歩
45　宮崎県の歴史散歩
46　鹿児島県の歴史散歩
47　沖縄県の歴史散歩

秩父市
秩父鉄道
みつみねぐち
荒川
武甲山
1304
横瀬町
越生町
おごせ
東武越生線
鶴ヶ島市
毛呂山町
日高市
こまがわ
川越線
飯能市
西武秩父線
八高線
狭山環状有料道路
狭山
西谷山
1718
白石山
和名倉山）
2036
雲取山
2017
川乗山
1364
鷹の巣山
1737
奥多摩町
おくたま
みたけ
青梅線
青梅市
おうめ
はんのう
入間市
圏央道
丹波山村
丹波川
多摩川
鋸山
1047
御岳山
929
大岳山
1266
西多摩郡
奥多摩湖
西多摩郡
瑞穂町
狭山湖
羽村市
西多摩郡
日の出町
むさし
いつかいち
小菅村
三頭山
1531
檜原村
あきる野市
五日市線
福生市
武蔵村山市
西武拝島線
立川市
はいじま
昭島市
たちかわ
山梨県
大月市
権現山
1312
八王子市
ひよどり山道路
中央自動車道
日野市
上野原市
中央本線
はちおうじ
高尾山
599
たかおさんぐち
京王高尾線
横浜線
八王子バイパス
京王相模原線
相模湖
相模湖町
津久井湖
城山町
はしもと
さがみはら
藤野町
相模原市
津久井町
宮ヶ瀬湖
愛川町
相模線
さがみおおの
小田急線
神奈川県
蛭ヶ岳
1673
丹沢山
1567
清川村
座間市
ざま
塔ノ岳
1491
大山
1252
厚木市
山北町
ほんあつぎ
えびな
海老名市
綾瀬
伊勢原市
東名高速道路
松田町
いせはら
秦野市
はだの
寒川町
東海道線
小田急線
新湘南バイパス
まつだ
開成町
大井町
中井町
平塚市
おおいそ
ひらつか
ちがさき
茅ヶ崎市
だいゆうざん
御殿場線
小田原厚木道路
南足柄市
小田原市
二宮町
大磯町
相模川
140
299
407
411
16
139
20
413
129
412
246
東京都島嶼部
E138°
E140°
E142°
N35°
N30°
N25°
大島
利島
式根島
新島
神津島
三宅島
御蔵島
伊豆諸島
藺灘波島
八丈小島
八丈島
青ヶ島
ベヨネーズ列岩
須美寿島
鳥島
孀婦岩
太平洋
小笠原諸島
聟島列島
西之島
父島列島
母島列島
北硫黄島
硫黄島
南硫黄島
1:15,000,000
0
100
200km